CONHECENDO DEUS *Intimamente*

JOYCE MEYER

CONHECENDO DEUS *Intimamente*

Como estar tão perto dele quanto você deseja

Belo Horizonte

Diretor
Lester Bello

Autora
Joyce Meyer

Título Original
Knowing God Intimately

Tradução
Maria Lucia Godde / Idiomas & Cia

Revisão
Idiomas & Cia / João Guimarães / Edna Guimarães
Ana Lacerda /Elizabeth Jany

Diagramação
Julio Fado

Design capa (adaptação)
Fernando Rezende

Impressão e Acabamento
Promove Artes Gráficas

Endereço - Rua Vera Lúcia Pereira,122
Bairro Goiânia - CEP 31.950-060 Belo
Horizonte - Minas Gerais MG/Brasil -
Tel.: (31) 3524-7700
contato@bellopublicacoes.com.br
www.bellopublicacoes.com.br

Publicado pela
Bello Comércio e Publicações Ltda-ME
com a devida autorização de
Hachette Book Group e todos
os direitos reservados.

Primeira edição — Novembro de 2012
2ª Reimpressão — Novembro de 2015

Exceto em caso de indicação em contrário, todas as citações bíblicas foram extraídas da Bíblia Sagrada Nova Versão Internacional (NVI), 2000, Editora Vida. Outras versões utilizadas: ARA (Almeida Revista e Atualizada, SBB), AA (Almeida Atualizada, SBB) ACF (Almeida Corrigida Fiel, Sociedade Bíblica Trinitariana). A seguinte versão foi traduzida livremente do idioma inglês em função da inexistência de tradução no idioma português: AMP (*Amplified Bible*). Todos os itálicos e negritos nos versículos são da autora e não constam no original.

Dados Internacionais de Catalogação na Publicação (CIP)

Meyer, Joyce
M612 Conhecendo Deus intimamente: como estar tão perto dele quanto você deseja / Joyce Meyer; tradução de Maria Lúcia Godde / Idiomas & Cia. – Belo Horizonte: Bello Publicações, 2015.
316p.
Título original: Knowing God intimately

ISBN: 978-85-61721-88-6

1. Deus. 2. Presença de Deus. 3. Espírito Santo.
I. Título.

CDD: 212.1
CDU: 231.11

Este livro é dedicado ao Espírito Santo,
que me orienta e me guia, sempre me ensinando a
crescer espiritualmente e a permanecer na presença de Deus.

Sumário

Introdução: Existe Algo Mais?

Muitos cristãos vão à igreja, fazem o que acham que devem fazer para seguir todas as regras, e vivem o que pensam que é a vida cristã; mas internamente se perguntam: *É só isto? Isto é tudo o que existe?*

Posso dizer que passei muitos anos como uma cristã que "ia com a maré" no meu serviço a Deus. Em meu coração, sentia que alguma coisa estava faltando no meu relacionamento com o Senhor, embora não soubesse o que era. Deus fizera muitas coisas maravilhosas por mim, mas minha vida era frustrante e não era realmente muito diferente da vida daqueles que eu sabia que não eram cristãos. Eu tinha muitos problemas na minha personalidade e na minha vida. Queria ver uma mudança, mas, de alguma maneira, não tinha poder para fazer nada para realizar essa mudança. Eu não conseguia acreditar que a minha vida estava destinada a ser uma existência sem sentido.

Finalmente, pedi a Deus para me dar aquilo que estivesse me faltando; eu queria mais dele em minha vida. Como resposta ao meu desejo e ao meu pedido, embora eu não soubesse o que estava buscando, Deus me deu a resposta! Aprendi que crescer no conhecimento de quem Deus é e buscar a comunhão íntima com Ele é uma necessidade vital se desejamos desfrutar o Seu propósito para as nossas vidas.

Se eu não tivesse aprendido a importância de buscar a comunhão com Deus *diariamente* há muitos anos, não estaria escrevendo este livro hoje. Nem seria a fundadora e diretora de um centro mundial de doação aos necessitados que atualmente emprega aproximadamente quinhentas pessoas dedicadas a propagar o evangelho de Jesus Cristo. A cada ano, milhares de pessoas recebem Cristo como o Salvador Pessoal e experimentam o batismo no Espírito Santo durante as nossas conferências nacionais e internacionais.

Além dos milhões de livros distribuídos pela minha editora, o nosso ministério, *A Vida na Palavra*, imprimiu mais de 1.7 milhões de livros em 43 idiomas. Houve um ano em que distribuímos mais de cinco milhões de fitas cassete e livros. A cada dia, uma audiência potencial de 2.1 bilhões de pessoas recebe um ensinamento bíblico transformador por meio da nossa transmissão do programa *A Vida na Palavra*, que vai ao ar em mais de 250 estações de rádio e 350 estações de televisão, abrangendo aproximadamente dois terços do globo.

Novas igrejas e seminários bíblicos são construídos a cada ano por intermédio do apoio dos parceiros do ministério *A Vida na Palavra*. Novos ministérios em prisões, asilos, orfanatos, projetos de alimentação e programas destinados a adolescentes problemáticos continuam a brotar em resultado da provisão que Deus destinou ao nosso ministério. Milhares de testemunhos confirmam que a Palavra de Deus que estamos compartilhando está transformando a vida das pessoas.

Ninguém constrói um ministério como o nosso com base em uma "personalidade carismática". Deus é Aquele que está por trás desse alcance mundial, e Deus é Aquele que tem de mantê-lo em pé e em movimento. Deus é Aquele que tem de pagar as contas e tocar o coração das pessoas; não tem nada a ver com a nossa personalidade. Se Ele deixasse de nos sustentar, estaríamos todos na rua em um mês. Entendemos que Deus é uma *necessidade vital* em nossas vidas.

Todos nós começamos no mesmo lugar com Deus. Quanto mais estamos com Ele, tanto mais profundo queremos ir com Ele. Meu marido, Dave, e eu, somos tão comuns quanto qualquer pessoa. Se Deus pode nos usar, Ele pode usar qualquer um para realizar a Sua missão. Sei que se a unção do poder de Deus para enviar a Sua Verdade não vier sobre mim, posso muito bem me sentar e ficar calada. As pessoas não vêm aos milhares às minhas conferências para ver uma personalidade da televisão; elas só vêm porque, por meu intermédio, a unção de Deus — a Sua presença manifesta — é revelada para atender às suas necessidades.

Se Deus não ungisse o que eu digo, todos os ouvintes pegariam no sono. Então, entendo que não é a minha maneira inteligente de me comunicar que atrai as pessoas às nossas reuniões; é simplesmente a unção de Deus sobre a mensagem que Ele transmite por meio de um vaso disposto a ser usado.

A comunhão íntima com Deus libera a Sua unção de poder para nos ajudar a realizar o que Ele nos chamou para fazer. Ele unge cada um de nós para tarefas específicas que nos confiou, quer devamos governar a nossa família, o nosso negócio ou ministérios mundiais.

A pressão está se intensificando no mundo a um nível tão inacreditável que creio que precisamos da presença de Deus até para entrar e sair da mercearia e para permanecermos calmos nestes dias turbulentos! Nunca sabemos quando alguém que está tendo um "dia ruim" terá vontade de descarregar sua tensão em nós. As pessoas que não têm comunhão e intimidade com Deus por intermédio do Espírito Santo são infelizes — e pessoas infelizes tornam a vida miserável para aqueles que as cercam.

Creio que a vida das pessoas no corpo de Cristo vai melhorar cada vez mais, mas também a vida daqueles que ainda estão no cativeiro do mundo vai piorar cada vez mais, à medida que afundarem mais no desespero e na depressão. Em Isaías 60:2, Deus diz: "As trevas se tornarão densas trevas, mas a minha glória brilhará sobre o meu povo" (paráfrase). Esse brilho se intensificará em nós à medida que permitirmos que Ele opere *em* nós para nos tornar o tipo de vasos por meio dos quais a Sua glória possa brilhar.

Deus quer que o conheçamos mais intimamente. A Sua Palavra ensina que podemos entrar deliberadamente na Sua ungida presença. Quando Moisés disse: "Deus, tu me enviaste para libertar o teu povo do cativeiro, mas tu não me disseste quem irá comigo", o Senhor respondeu-lhe: "Eu mesmo *o acompanharei*, e lhe darei *descanso*" (Êxodo 33:14, grifos da autora). Quando Deus está conosco, Ele torna as coisas fáceis. Costumo me referir à unção de Deus como uma "Tranquilidade Santa".

Neste livro, veremos os paralelos do Antigo e do Novo Testamento para os quatro níveis de intimidade disponíveis a todos os crentes conforme ilustrado por intermédio de Moisés e dos filhos de Israel, e por meio daqueles que seguiram a Jesus.

Jesus disse que ninguém pode ver o reino de Deus a não ser que nasça de novo (ver João 3:3). Portanto, obviamente, a primeira experiência de conhecer a Deus na intimidade é vivenciada pela presença do Seu Espírito Santo habitando em nós, que recebemos por intermédio da salvação. "Ele nos ungiu, nos selou como Sua propriedade em nós, e pôs o Seu Espírito em nossos corações como garantia do que está por vir" (ver 2 Coríntios 1:21-22). Deus quer que lhe peçamos o nosso pão de cada dia e também que peçamos sabedoria (ver Tiago 1:5), e depois que ouçamos a Sua voz para nos guiar. Ele prometeu nos responder se clamarmos por Ele, garantindo: "Quer você se volte para a direita quer para a esquerda, uma voz atrás de você lhe dirá: 'Este é o caminho; siga-o'" (Isaías 30:21).

Na segunda parte deste livro, estudaremos o dom do poder transformador de Deus de que Jesus falou em Atos 1:4-5 quando Ele disse aos Seus discípulos nascidos de novo: "Esperem pela promessa de meu Pai, da qual lhes falei. Pois João batizou com água, mas dentro de poucos dias vocês serão batizados com o Espírito Santo." Saber que o Espírito Santo está *em* nós nos dá confiança quanto à nossa salvação, mas muitos de nós teremos dificuldades com o nosso desejo de fazer boas obras se não recebermos o dom do poder do Espírito Santo mencionado por Jesus em Atos 1:8: "Mas receberão poder (aptidão, eficiência e força) quando o Espírito Santo descer sobre vocês" (AMP). Quando o Espírito Santo *desce* sobre nós, Ele nos dá capacidade, eficiência e poder para fazer a Sua obra com uma facilidade santa.

Finalmente, examinaremos a evidência da presença de Deus que é refletida por meio de nossas vidas à medida que aprendemos simplesmente a fazer o que Ele nos diz para fazermos. A obediência nos leva a uma compreensão mais profunda de quem Deus é. Vemos em 1 João 2:3: "E nisto sabemos que o conhecemos: se guardarmos os seus mandamentos." Quando obedecemos a Deus, a glória da Sua bondade que Ele derrama sobre nós é uma demonstração visível aos outros das grandes coisas que Ele deseja fazer por eles. À medida que deixarmos os Seus dons operarem em nós e por nosso intermédio, seremos uma bênção para os outros.

Mas ainda há mais, pois em Mateus 5:8 (ARA) Jesus diz: "Bem-aventurados os limpos de coração, porque *verão* a Deus" (grifo da autora). Deus está disposto a nos purificar e nos limpar das coisas em nossas vidas que não são semelhantes a Cristo, se quisermos receber o Seu fogo em nosso interior. Como um jardineiro que poda os galhos mortos, Deus trabalhará em nós para que possamos dar fruto, se nos humilharmos perante Ele e admitirmos a nossa dependência dele para fazer a obra por nós e em nós.

A Bíblia diz: "Ora, Moisés era um homem muito paciente, mais do que qualquer outro que havia na terra" (Números 12:3). Moisés falava com Deus face a face, o que indica intimidade (ver Êxodo 33:11). A Bíblia diz que na Última Ceia, João reclinou a cabeça no peito de Jesus (ver João 13:23), que é outra maneira de descrever intimidade. Moisés e João compartilhavam uma paixão por conhecer a Deus mais intimamente maior do que os outros que os cercavam. Ver a face de Deus é a recompensa daqueles que anseiam mais pela Sua presença do que qualquer coisa na terra. A Palavra de Deus diz: "... sirva-o de todo o coração e espontaneamente, pois o Senhor sonda todos os corações e conhece a motivação dos pensamentos. Se você o buscar, o encontrará..." (1 Crônicas 28:9).

Ao longo deste livro, vamos rever o plano original de Deus de andar ao nosso lado e falar conosco como um amigo como Ele fazia com Adão em Gênesis 2. Examinaremos como a presença do pecado em nossa vida faz que queiramos nos esconder de Deus, e observaremos a busca apaixonada de Deus por permanecer perto de nós.

Sob a velha aliança, Ele habitava no topo das montanhas próximas, em tendas, em um santuário onde Ele podia esconder o Seu rosto atrás de um véu sagrado para separar a Sua presença poderosa daqueles a quem Ele amava. Sem o sangue de Cristo para fazer expiação pelos nossos pecados, não podemos permanecer diante da presença plena de Deus.

Mas quando Cristo fez a expiação final pelos nossos pecados, Deus imediatamente nos convidou para entrarmos no Santo dos Santos, porque o nosso pecado e a nossa vergonha agora estão purificados pelo sacrifício de sangue de Cristo. Deus quer que nos aproximemos dele e vejamos que a Sua atitude é cheia de amor para conosco. Não temos mais de nos esconder atrás do véu que um dia separou Deus do Seu povo. Agora podemos desfrutar de uma comunhão íntima com Deus!

Precisamos da presença de Deus em nossas vidas; precisamos da comunhão íntima com Ele. O mundo em que vivemos pode ser um lugar assustador. Em geral, vemo-nos em situações com as quais não sabemos lidar, mas Deus está pronto para nos conduzir e nos guiar pelo Seu Espírito se nos tornarmos um santuário disponível onde Ele pode habitar.

Ele não apenas deseja nos ajudar, mas por nosso intermédio Ele deseja ajudar outros também. Creio que Deus colocou o Seu povo estrategicamente em todo o mundo, em cada empresa, em cada supermercado, em cada hospital, escola, etc. À medida que as trevas no mundo se tornarem mais escuras nestes últimos dias, a Sua glória brilhará mais sobre aqueles que realmente pertencem a Ele. Eles poderão ajudar os perdidos a encontrarem o seu caminho.

Este é o dia dos leigos brilharem e serem usados por Deus como nunca. O mundo não será ganho por meio de um punhado de pregadores. Precisamos desesperadamente de um exército de pessoas disponíveis para ministrar individualmente no seu bairro, no seu trabalho e nos supermercados. É por isso que imploro que você busque a Deus no nível mais alto de intimidade que Ele estiver disposto a lhe revelar, a fim de que você seja cheio e transborde de Sua presença. Você não apenas precisa de Deus, mas Ele precisa de você!

Não se rebaixe acreditando que Deus não poderia usá-lo. "Nos últimos dias, diz Deus, derramarei do meu Espírito sobre todos os povos. Os seus filhos e as suas filhas profetizarão, os jovens terão visões, os velhos terão sonhos. Sobre os meus servos e as minhas servas derramarei do meu Espírito naqueles dias, e eles profetizarão" (Atos 2:17-18). Esta palavra profética do Senhor deve incluir você e eu.

No capítulo 47, do livro bíblico que tem o seu nome, o profeta Ezequiel fala sobre uma visão em que ele viu águas saindo do limiar do templo de Deus. Creio que essas águas representam um derramar do Espírito de Deus. Primeiro, a água estava apenas na altura dos tornozelos de Ezequiel; depois, ela atingiu os seus joelhos; e depois, ela chegou até a sua cintura. Logo, as águas não podiam ser atravessadas, pois elas subiram a um nível suficiente para se nadar.

Até aqui, vemos uma imagem que poderia representar quatro níveis de compromisso com Deus. Algumas pessoas querem apenas aproximar-se o suficiente de Deus para que as águas fiquem na altura dos seus tornozelos. Elas gostam de sentir os pés em terra firme, para que possam ter certeza de que ainda estão no controle. Não estão dispostas a se abandonar totalmente a ponto de o rio (que representa o Espírito de Deus) estar no controle.

O Senhor nos suplica: "Eis que estou à porta e bato. Se alguém ouvir a minha voz e abrir a porta, entrarei e cearei com ele, e ele comigo" (Apocalipse 3:20). Ele quer que desfrutemos a plenitude do Seu plano para nós. Mas precisamos ter a Sua presença — a Sua unção, a Sua graça, o Seu poder — todos os dias a fim de desfrutarmos plenamente a Sua obra em nós que é vitalmente necessária às nossas vidas.

Até que altura da "montanha" da presença de Deus você está disposto a subir? Até que proximidade do coração de Jesus está disposto a reclinar a sua cabeça? A que profundidade do Rio da Vida você está disposto a deixar que o Espírito Santo o leve?

Aqueles que buscam, anseiam e almejam ver Deus o encontrarão e desfrutarão o Seu eterno fruto da paz que excede a todo entendimento (ver Filipenses 4:7). Se você está procurando por Deus, ou se o conhece, mas não está experimentando a plenitude no seu relacionamento com Ele no nível que sabe que Ele tem disponível para você, você *pode* experimentar essa plenitude. Escrevi este livro para ajudar a lhe mostrar, como Deus me mostrou, a maneira de experimentar esse relacionamento profundo e íntimo com Ele.

Enquanto você lê este livro até o fim, oro a Palavra de Deus em Efésios 1:17 sobre a sua vida:

> *Peço que o Deus de nosso Senhor Jesus Cristo, o glorioso Pai, lhes dê espírito de sabedoria e de revelação, no pleno conhecimento dele.*

Nível de Intimidade 1:

A Presença Manifesta de Deus

Oro para que, com as suas gloriosas riquezas, ele os fortaleça no íntimo do seu ser com poder, por meio do seu Espírito, para que Cristo habite no coração de vocês mediante a fé; e oro para que, estando arraigados e alicerçados em amor, vocês possam, juntamente com todos os santos, compreender a largura, o comprimento, a altura e a profundidade, e conhecer o amor de Cristo que excede todo conhecimento, para que vocês sejam cheios de toda a plenitude de Deus. Àquele que é capaz de fazer infinitamente mais do que tudo o que pedimos ou pensamos, de acordo com o seu poder que atua em nós, a ele seja a glória na igreja e em Cristo Jesus, por todas as gerações, para todo o sempre! Amém!

— EFÉSIOS 3:16-21

1

Alguma Coisa Parece Estar Faltando

Lembro-me do vazio que sentia, em 1976, quando era uma nova convertida, e percebi que *fazer* as coisas certas trazia uma felicidade temporária, mas não uma alegria profunda e satisfatória. Naqueles primeiros dias da minha amizade com Deus, eu só conseguia vê-lo à distância, de maneira muito semelhante à que os filhos de Israel que permaneceram no sopé do Monte Sinai podiam vê-lo quando Ele falava face a face com Moisés no topo da montanha. Eles podiam ouvir a Sua voz, mas para eles, Ele parecia um fogo consumidor.

Sem dúvida, eu via Deus como alguém grande e poderoso, e queria permanecer em segurança dentro dos limites da Sua provisão, então vivia segundo a lei da igreja. Comparecia em todas as reuniões e me inscrevia em múltiplas oportunidades de servir a Deus, mas minha vida ainda estava cheia de irritação e desgosto, que tiravam de mim o verdadeiro contentamento.

Muitas pessoas frustram a sua busca por realização, como eu o fiz, porque elas não sabem onde procurar a *única* coisa que satisfará o seu desejo por algo mais. Como muitas pessoas, os filhos de Israel achavam que satisfação era uma sensação de prazer, segurança e bem-estar que vinha quando eles tinham as suas necessidades físicas atendidas; mas é mais que isso. Eu era cristã havia muitos anos, mas não entendia que a verdadeira satisfação interior é a coisa mais importante na vida e que ela é o resultado de desfrutarmos a vida através da presença de Deus que habita em nós.

Um dia, li estas palavras do salmista Davi, que resumia o único requisito da vida, aquele que ele sentia que era mais importante que qualquer coisa: "Uma coisa peço ao SENHOR, e a buscarei: que eu possa morar na Casa do SENHOR todos os dias da minha vida, para contemplar a beleza do SENHOR e meditar no seu templo" (Salmos 27:4, ARA).

Davi teve muitas oportunidades de encontrar a autoestima e a satisfação interior. Revestido pelo poder da presença de Deus, ele matou um leão e um urso apenas com as suas mãos, e depois um gigante imponente, embora armado apenas com uma funda e cinco pedrinhas. Deus escolheu esse compositor ungido para se tornar rei de Israel ainda que ele fosse o irmão mais novo de uma família de homens que eram todos mais proeminentes do que ele. A sua fama e a riqueza eventual ofereciam tudo que a maioria das pessoas poderia achar que traria satisfação interior.

A busca de Davi por mais de Deus, mesmo depois de experimentar a presença de Deus por meio de muitos acontecimentos extraordinários em sua vida, me deu a confiança de que havia muito mais para se conhecer sobre o Senhor do que eu já conhecia. Afinal, até Davi sentia a necessidade de conhecer Deus com mais intimidade. Creio que precisamos desejar *continuamente* ter uma comunhão íntima com Deus se quisermos experimentar uma alegria interior duradoura.

Procuro enfatizar a palavra *buscar* quando medito no Salmo 27:4: "Uma coisa pedi ao SENHOR, e a buscarei: que eu possa morar na casa do SENHOR todos os dias da minha vida", porque essa palavra aparece muitas vezes na Bíblia, mas algumas pessoas podem não entender plenamente o que ela significa. *Buscar* é desejar e necessitar, que significa ansiar, perseguir e ir atrás de alguma coisa com toda a sua força.

Muitas pessoas querem a direção de Deus, mas elas não anseiam por Ele e não o buscam, nem deixam outras coisas de lado a fim de irem atrás de uma palavra dele. Mas Davi limitou todas as coisas que ele queria nesta vida a esta única coisa — mais de Deus *todos* os dias da sua vida. As palavras de Davi no Salmo 27:4 se tornaram o versículo favorito da minha vida. Geralmente eu o escrevo depois do meu nome quando autografo livros, porque creio que a única coisa que realmente satisfaz o anseio dentro de nós é conhecer Deus mais intimamente hoje do que conhecemos ontem.

É muito provável que você possa refletir sobre um momento com Deus que foi mais satisfatório do que outro acontecimento em sua vida. Mas se esse momento foi há anos, ou mesmo ontem, você está perdendo a riqueza do prazer que vem de termos uma comunhão diária com o Pai, por intermédio do Seu Espírito Santo. O Senhor diz: "Eu amo aqueles que me amam, e aqueles que me buscarem cedo e com diligência me encontrarão" (Provérbios 8:17, AMP), e, "Vocês me buscarão, perguntarão por mim e me encontrarão quando me buscarem de todo o seu coração" (Jeremias 29:13, AMP).

Independente do que temos, de onde vamos ou do que fizermos, nada pode nos dar uma verdadeira gratificação a não ser a presença de Deus. Dinheiro, viagens, férias, casas e móveis, roupas, portas abertas de oportunidade, casamento, filhos e muitas outras bênçãos, todas estas são coisas que podem nos entusiasmar e nos dar certo grau de felicidade por algum tempo. Mas a felicidade se baseia em uma certeza interior, independente das circunstâncias externas.

A palavra grega traduzida como *alegria* no Novo Testamento significa "prazer tranquilo".[1] Não é necessariamente alegria repentina, estado de alegria, embora possa incluir isto, mas estar tranquilo e sentir prazer é maravilhoso. Não creio que haja nada melhor do que simplesmente estar satisfeito. Acordar pela manhã e pensar *A vida é boa, glória a Deus, estou satisfeito* e depois ir deitar-se à noite ainda satisfeito, isto é realmente viver uma vida abundante cheia do Espírito.

Nunca estaremos permanente e constantemente satisfeitos se buscarmos coisas para fazer a fim de preencher esse vazio dentro de nós, em vez de buscarmos a satisfação interior que vem unicamente do tempo que passamos com Deus. Estou enfatizando este ponto porque creio que existem muitos crentes nascidos de novo que são infelizes, e crentes supostamente cheios do Espírito que não sabem o que fazer com suas vidas áridas e sem realização. Digo "supostamente" porque ser cheio é *permanecer cheio* do Espírito de Deus, reconhecendo-o e buscando os Seus caminhos diariamente.

A Palavra diz: "Enchei-vos do Espírito" (Efésios 5:18, ARA). Isto significa *sempre*, a qualquer momento, diariamente. O nosso estômago nunca continua cheio se não continuarmos comendo e bebendo. Um bom livro, um estudo em sala de aula ou uma boa conversa com alguém nunca poderão satisfazer a nossa vida intelectual, e encontros raros com Deus nunca poderão nos manter espiritualmente contentes.

Gastamos tempo e dinheiro, fazemos planos cuidadosos e elaboramos provisões para nos alimentarmos a cada dia. Às vezes, até sabemos hoje onde e o que vamos comer amanhã! Assim como o nosso corpo físico precisa ser alimentado, o nosso homem espiritual também necessita ser alimentado. Porém, de alguma maneira, parece que pensamos ter um grande relacionamento com Deus mesmo sem nos alimentarmos da Sua Palavra e sem nos enchermos da Sua presença.

Jesus disse: "O homem não vive e é sustentado apenas pelo pão, mas por toda palavra que vem da boca de Deus" (Mateus 4:4, paráfrase). Então, em João 6:33, Ele disse: "Pois o pão de Deus é aquele que desceu do céu e dá vida ao mundo." No entanto, costumamos abrir mão da necessidade mais importante desta vida — este Pão Diário de Deus.

Fomos criados para desfrutar um relacionamento vivo e vital com Deus. Há algo sobrenaturalmente maravilhoso em ler a Palavra de Deus e ouvi-lo dizer as Suas promessas para nós. A Sua Palavra para nós tem um poder inerente; as Suas palavras são espírito e vida (ver João 6:63). Se não buscarmos a Deus nem passarmos tempo alimentando o nosso espírito com a Sua verdade, jamais estaremos contentes. Creio que não há nada pior do que viver em um estado de insatisfação espiritual o tempo todo.

VOCÊ ESTÁ TÃO PRÓXIMO DE DEUS QUANTO DESEJA ESTAR

É óbvio que algumas pessoas estão mais próximas de Deus que outras. Algumas pessoas têm uma familiaridade reverente com Deus que parece estranha a outros cristãos. Esses "amigos íntimos" de Deus contam histórias em que conversam com Ele como se o conhecessem pessoalmente. O rosto deles brilha de entusiasmo quando testemunham "E Deus me disse..." enquanto os espectadores céticos murmuram consigo mesmos: "Bem, Deus nunca fala comigo assim!"

Qual a razão disso? Deus tem favoritos? Deus faz acepção de pessoas? Não, a Bíblia nos ensina que nós, e não Deus, determinamos o nosso nível de intimidade com Ele. Foi feito a todos nós o convite aberto para nos aproximarmos "... do trono da graça com toda a confiança, a fim de recebermos misericórdia e encontrarmos graça que nos ajude no momento da necessidade" (Hebreus 4:16). Neste exato momento, cada um de nós está tão próximo do trono da graça de Deus quanto escolhemos estar.

Olhando primeiramente a maneira de Deus tratar os israelitas, a partir de Êxodo capítulo 19, vemos quatro níveis de intimidade que podemos escolher ter com Deus. Moisés ia sozinho ao topo da montanha para falar com Deus, mas Deus estabeleceu limites em mais três níveis da montanha aos quais os outros também poderiam subir para se aproximarem dele. Os limites coincidiam com o nível de maturidade e comprometimento correspondentes para buscá-lo.

O primeiro limite era no sopé da montanha:

> E disse o SENHOR a Moisés: Eis que eu virei a ti numa nuvem espessa, para que o povo ouça, falando eu contigo, e para que também te creiam eternamente. Porque Moisés tinha anunciado as palavras do seu povo ao SENHOR. Disse também o SENHOR a Moisés: Vai ao povo, e santifica-os hoje e amanhã, e lavem eles as suas roupas, e estejam prontos para o terceiro dia; porquanto no terceiro dia o SENHOR descerá diante dos olhos de todo o povo sobre o monte Sinai. E marcarás limites ao povo em redor, dizendo: Guardai-vos, não subais ao monte, nem toqueis o seu termo; todo aquele que tocar o monte, certamente morrerá (Êxodo 19:9-12, ACF).

Então o Senhor convidou Arão, Nadabe, Abiu e setenta anciãos de Israel para se aproximarem da Sua morada na montanha e adorarem à distância, demonstrando assim um segundo nível de relacionamento com Deus. Foi permitido a Josué subir ao terceiro nível antes que Moisés o deixasse para se aproximar do Senhor sozinho.

Êxodo 24:9-17 explica:

> Moisés, Arão, Nadabe, Abiú e setenta autoridades de Israel subiram e viram o Deus de Israel, sob cujos pés havia algo semelhante a um pavimento de safira, como o céu em seu esplendor. Deus, porém, não estendeu a mão para punir esses líderes do povo de Israel; eles viram a Deus, e depois comeram e beberam. Disse o SENHOR a Moisés: "Suba a mim, ao monte, e fique aqui; e lhe darei as tábuas de pedra com a lei e os mandamentos que escrevi para a instrução do povo". Moisés partiu com Josué, seu auxiliar, e subiu ao monte de Deus. Disse ele às autoridades de Israel: "Esperem-nos aqui, até que retornemos. Arão e Hur ficarão com vocês; quem tiver al-

guma questão para resolver, poderá procurá-los". Quando Moisés subiu, a nuvem cobriu o monte, e a glória do SENHOR permaneceu sobre o monte Sinai. Durante seis dias a nuvem cobriu o monte. No sétimo dia o SENHOR chamou Moisés do interior da nuvem. Aos olhos dos israelitas a glória do SENHOR parecia um fogo consumidor no topo do monte.

Por que Deus deixaria que algumas pessoas subissem apenas até certo nível da Sua presença, mas permitiria que outras se aproximassem mais, e outras, como Moisés, o vissem face a face? Em Êxodo 32, vemos que o nível de comprometimento de cada grupo demonstrado para com Deus é paralelo ao nível de intimidade que cada grupo experimentou na montanha de Deus. Decidimos até que proximidade da Sua presença entraremos pelo nosso nível de obediência à Sua instrução em nossas vidas.

A todos que ficaram no primeiro limite, Deus estava dizendo: "Estou vindo visitá-los, mas vocês só podem vir até esta altura da minha presença." E eles se sentiram confortáveis permanecendo no sopé da montanha onde podiam ouvir a voz de Deus enquanto Ele falava com Moisés. Eles não se moveram além desse limite porque para eles Deus parecia um fogo consumidor. Lembre-se de que esse era o mesmo grupo que, mais tarde, fundiu suas joias de ouro e fez um bezerro de ouro para adorar, porque eles cansaram de esperar que Moisés voltasse da sua visita a Deus. Pense nisto — eles adoraram os brincos que Deus lhes dera quando saíram do Egito (ver Êxodo 32:1-6)!

Arão estava entre os sacerdotes e anciãos que subiram ao segundo nível e foram privilegiados em ver a beleza dos pés de Deus (ver Êxodo 29: 9-10), porém, mais tarde ele ajudou os filhos de Israel a preparar um altar para os sacrifícios impuros. E seus filhos, Nadabe e Abiú, que compartilharam o encontro com Deus, acabaram por perder suas vidas ao realizar um sacrifício não autorizado.

Josué, para ajudar Moisés, teve permissão para subir até o terceiro nível de intimidade com Deus onde ele viu Moisés entrar na nuvem da presença de Deus. Vemos a humildade e a dedicação de Josué em servir ao Senhor enquanto o observamos ajudando Moisés fielmente sempre que era necessário. Quando Josué não estava executando uma tarefa para Moisés, ele podia ser encontrado orando (ver Êxodo 33:10-11). Ele foi um dos doze espias enviados à Terra Prometida, e um dos dois que voltaram com um bom relatório de fé sobre a capacidade de Deus lhes dar a terra (ver Números 13). Deus escolheu Josué para substituir Moisés quando chegou a hora de levar o povo para entrar na terra que lhes havia prometido.

RELACIONAMENTO REQUER COMPROMISSO

Mas somente Moisés subiu ao topo da montanha e entrou na presença íntima de Deus. Está claro a partir da Bíblia que Moisés havia feito grandes sacrifícios pessoais e assumido riscos para obedecer a Deus. Ele recusou oportunidades de promoção pessoal para ver o povo de Deus ser abençoado. Quando descobriu que não era egípcio, mas israelita, ele se recusou a ser conhecido como o filho da filha de Faraó (ver Hebreus 11:24-29). Que decisão importante foi essa para ele! Uma vez que crescera na casa de Faraó, ele era rico, possuindo todos os tesouros terrenos que uma pessoa pode ter. Os israelitas, entretanto, eram pobres escravos que não desfrutavam de nenhum dos luxos a que ele estava acostumado.

Hebreus 11:25 diz a respeito de Moisés: "Preferindo ser maltratado com o povo de Deus a desfrutar os prazeres do pecado durante algum tempo." Ora, essa é uma passagem poderosa! Moisés poderia ter continuado se divertindo na carne, mas ele optou por buscar algo mais. Nem todos pagariam esse preço.

Moisés passou no teste da ambição e do egoísmo. Ele queria a intimidade com Deus mais do que qualquer coisa. Moisés passou tempo com Deus por quarenta dias e quarenta noites e recebeu os Dez Mandamentos. Deus falava com Moisés face a face, como um homem fala com seu amigo (ver Êxodo 33:11). A glória manifesta de Deus brilhava no rosto de Moisés com tamanha intensidade que ele tinha de usar um véu porque o brilho do seu rosto cegava as pessoas (ver Êxodo 34:30-35).

Esses mesmos quatro níveis de intimidade são demonstrados naqueles que conheciam Jesus. Sabemos que Jesus indicou pelo menos setenta pessoas para viajarem adiante dele a todas as cidades e lugares onde Ele mesmo estava indo (ver Lucas 10:1). Desses setenta, Jesus escolheu doze discípulos para compartilhar um nível mais profundo de intimidade com Ele, e dos doze havia três — Pedro, Tiago e João — que foram levados por Jesus a situações que nenhum dos outros podia compartilhar. Mas desses três, que eram mais próximos de Jesus, só João se sentiu confortável o suficiente para descansar a cabeça no peito de Jesus enquanto ouvia o Senhor ensinar e falar sobre o reino de Deus.

Jesus tinha setenta conhecidos, doze discípulos, três amigos íntimos e um que o amava como um irmão. Jesus amava todos eles, e todos eles amavam Jesus, mas nem todos estavam dispostos a entrar no mesmo nível de compromisso desfrutado por aqueles que entraram em um relacionamento mais íntimo com Ele.

Nem todo mundo está disposto a pagar o preço necessário para estar próximo de Deus. Nem todos estão dispostos simplesmente a dedicar tempo para estar próximo ao Senhor. Deus não pede *todo* o nosso tempo. Ele quer que façamos outras coisas além de nos envolvermos em atividades espirituais. Ele nos projetou com um corpo, uma alma e um espírito, e espera que cuidemos de cada área do nosso ser.

Exercitar o nosso corpo requer tempo e esforço. A nossa alma precisa de cuidados. Nossas emoções precisam receber ministração, precisamos nos divertir, e precisamos ter comunhão com outras pessoas. Do mesmo modo, temos uma natureza espiritual que precisa de atenção. Se alguma parte do nosso ser ficar em desequilíbrio, o espiritual começa a sofrer; então as nossas vidas logo ficam desequilibradas, e as coisas não funcionam como deveriam.

Creio que todo o problema da intimidade com Deus é uma questão de tempo. Dizemos que não temos tempo para buscar a Deus, mas dedicamos tempo para fazer as coisas que são importantes para nós. "Estou ocupado" pode ser uma desculpa. Todos nós temos de combater as distrações todos os dias para proteger o nosso tempo de buscar a Deus. Ele é a necessidade mais importante de nossas vidas, então por que Ele não tem esse lugar de importância no nosso tempo? Talvez seja porque quando começamos a fazer um investimento espiritual, queremos ter gratificação instantânea. Mas buscar a Deus significa continuar procurando por Ele.

Não teremos gratificação instantânea. Precisamos semear antes de colher; precisamos investir antes de termos lucro. Em outras palavras, precisamos perder antes de ganhar; precisamos abrir mão do tempo antes de experimentarmos intimidade com Deus.

TEMPO COM DEUS É UMA NECESSIDADE VITAL

Talvez tenhamos de tratar com severidade a nossa carne para resistirmos ao espírito de passividade que tenta nos impedir de crescer no conhecimento de Deus. O compromisso de passar tempo com Deus é tão sério quanto qualquer compromisso que possamos fazer.

A Palavra de Deus diz: "Busque a minha face! A tua face, Senhor, buscarei" (Salmos 27:8). Deus promete: "Vocês me procurarão e me acharão quando me procurarem de todo o coração" (Jeremias 29:13). Amo essa passagem — ela nos diz que devemos precisar de Deus como uma necessidade vital em nossas vidas.

Meu tio, que agora está em casa com o Senhor, tinha um marca-passo em seu coração que precisava ser carregado de tantos em tantos dias. Em certo sábado, Dave e eu convidamos meu tio e minha tia para sairmos para jantar, mas eles não puderam ir porque meu tio deveria carregar o seu marca-passo naquele dia.

Inicialmente, não entendi por que minha tia disse que eles não poderiam ir. Então falei:

— Bem, ele pode carregar o marca-passo amanhã!

Ela respondeu:

— Joyce, ele não estará aqui amanhã se não carregar o marca-passo hoje.

Se meu tio não dedicasse tempo para recarregar o seu marca-passo, seu coração pararia de bater. Era uma *necessidade vital*, para ele, manter seu compromisso com aquela máquina. Se víssemos o nosso tempo com Deus como a oportunidade de recarregar o marca-passo do nosso coração, ele seria importante o bastante para nos certificarmos de dedicar tempo a isso. Se ao menos mantivéssemos o nosso compromisso com Deus como mantemos outros compromissos, estaríamos em boa forma. Mas acontecem coisas e, de repente, estamos fora de casa fazendo outra atividade qualquer.

Se eu precisasse de diálise devido a uma doença nos rins e tivesse de estar no hospital duas vezes por semana para fazer o tratamento às 8 horas da manhã, certamente não aceitaria um convite para fazer outra coisa, por mais atraente que fosse. Eu saberia que a minha vida dependia de manter o meu compromisso. É assim que deveríamos encarar o nosso tempo com Deus. A qualidade da nossa vida é extremamente afetada pelo tempo que passamos com Ele, e essa atividade deve ter um lugar de prioridade em nossa agenda.

Talvez devido ao fato de Deus estar sempre disponível, achamos que podemos passar tempo com Ele mais tarde, então escolhemos responder ao que parece urgente, em vez de darmos a Deus um lugar de prioridade em nossas vidas. Mas se passássemos mais tempo prioritário com Deus, não teríamos tantas emergências que roubam o nosso tempo. Precisamos remir o tempo por meio da oração.

Quando você se senta na presença de Deus, mesmo que não sinta que está aprendendo algo novo, você ainda assim está semeando uma boa semente em sua vida que irá gerar uma boa colheita. Com persistência, chegará ao ponto em que entenderá mais a Palavra, em que estará tendo uma grande comunhão com Deus, em que você estará falando com Ele, e Ele estará falando com você. Você sentirá a Sua presença e começará a ver mudanças na sua vida que lhe impressionarão. Não desperdice o seu tempo correndo atrás de bênçãos. Corra atrás de Deus, e as bênçãos correrão atrás de você.

As bênçãos de Deus são liberadas a nós de acordo com o nosso nível de maturidade nele. Vemos em 3 João 1:2: "Amado, oro para que você tenha boa saúde e tudo lhe corra bem, assim como vai bem a sua alma."

A maturidade é demonstrada por intermédio do nosso estilo de vida diário, pela maneira como tratamos a nossa família e amigos. A verdadeira espiritualidade não está evidente apenas nos domingos de manhã na igreja, mas ao longo de toda a semana enquanto fazemos o que Deus nos diz para fazer, quer tenhamos vontade ou não. A nossa maturidade será testada por pessoas capazes de extrair o pior que ainda existe em nós.

Quando você passa tempo com Deus, todo mundo sabe. Você fica mais calmo, fica mais fácil de conviver e não perde o controle das suas emoções tão rapidamente. A sua paciência aumenta e o seu coração logo entende o que Deus aprecia e o que o ofende. Como acontece com qualquer amigo, quanto mais tempo passar com Deus, mais você se tornará semelhante a Ele.

Passar tempo com Deus faz com que você seja sensível ao amor que Ele quer demonstrar a você e aos outros por seu intermédio. A sua consciência o alerta da Sua presença quando você está falando com alguém da maneira errada. O seu coração se entristece quando Ele se entristece, e você ora rapidamente: *Oh, Deus, sinto muito. Por favor, perdoa-me.* O desejo de pedir perdão à pessoa a quem você ofendeu enche o seu coração. Logo você descobre que dizer: "Sinto muito; eu não tive intenção de ferir os seus sentimentos" não é tão difícil, afinal.

Os desejos do seu coração e a maneira como você trata os outros revelam mais sobre você e acerca do seu relacionamento com Deus do que qualquer sinal exterior. Moisés tinha um nível profundo de intimidade com Deus, e ele desejava que Deus abençoasse o Seu povo. Quando Deus disse a Moisés que ele era favorecido aos olhos de Deus (ver Êxodo 33:12), Moisés entendeu que aquilo significava que ele podia pedir tudo que o seu coração desejasse. (O que você teria pedido se estivesse no lugar de Moisés?)

Moisés disse a Deus: "Agora, pois, se achei graça aos teus olhos, rogo-te que me faças saber neste momento o teu caminho, para que eu te conheça e ache graça aos teus olhos; e considera que esta nação é teu povo" (Êxodo 33:13, ARA). Moisés já havia visto Deus realizar os milagres mais significativos da História, mas ele queria aprender mais sobre os caminhos de Deus para poder continuar a encontrar favor junto ao Senhor. E ele se lembrou de pedir a Deus para abençoar o povo que Ele colocara sob os seus cuidados.

Ficar sempre no mesmo nível de intimidade com Deus não pode nos satisfazer. Três distrações óbvias que nos impedem de passar tempo com Deus são: o nosso desejo por distração, o nosso trabalho e as exigências das outras pessoas. Todos esses três fatores são inevitáveis — e até necessários — de modo que temos de tomar uma decisão de qualidade de querer mais de Deus do que qualquer coisa e aprender a encontrar equilíbrio dedicando tempo para buscar o Senhor.

É terrível querer estar em um lugar, mas não poder encontrar uma maneira de chegar lá. Quero ajudá-lo a chegar onde você deseja estar. As pessoas leem livros e frequentam seminários para aprender a viver uma vida de sucesso, para serem promovidas e para desfrutar relacionamentos melhores. Deus tem respostas para cada necessidade; tudo que temos de fazer é cooperar com Ele. Deus não vai lhe dizer para fazer algo que está além da sua capacidade — tudo que Ele quer é a sua disposição, e então Ele fará a obra.

CONFIE COMPLETAMENTE EM DEUS

Lembro-me de quando o Senhor me disse para deixar meu emprego em tempo integral, no qual eu estava ganhando tanto dinheiro quanto meu marido. Além disso, eu era "a chefe", então tinha muitos benefícios por causa da minha posição elevada. Mas o Senhor começou a trabalhar em mim, dizendo: "Você terá de deixar isto de lado e ficar em casa e se preparar para o ministério."

Fora do meu trabalho, eu era uma dona de casa da cidade de Fenton, no Missouri, com três filhos pequenos. Como eu sequer poderia saber com certeza que estava ouvindo a voz de Deus? Deus tratou comigo, e continuou trabalhando em mim, mas eu tinha medo de deixar o trabalho. Finalmente, procurei fazer um acordo com Ele, dizendo: "Vou dizer uma coisa ao Senhor; não vou mais trabalhar em tempo integral, mas vou trabalhar meio expediente."

Assim fui trabalhar meio expediente para uma empresa, porque eu tinha medo de confiar em Deus completamente. Dave e eu não tínhamos tantos rendimentos quanto antes, mas descobri que podíamos sobreviver com aquela redução na nossa renda. Tivemos de cortar algumas despesas, mas podíamos pagar as nossas contas — e estava tudo bem para mim. Pareceu-me um bom plano, mas não era o plano de Deus.

Aprendi que Deus não quer fazer "acordos" conosco, e acabei sendo despedida! Eu não era o tipo de pessoa que era despedida de um emprego. Eu nunca fui despedida. Sempre estivera no comando. Eu costumava despedir as pessoas, e agora tinha sido despedida. Depois que perdi meu emprego, eu estava onde Deus queria que eu estivesse o tempo todo — totalmente dependente dele.

Quando fiquei sem o emprego, tive de aprender a confiar em Deus para as pequenas coisas, como meias, roupas íntimas, uma frigideira, panos de prato e os tênis dos meus filhos. Esta situação continuou por seis anos, e durante esses anos, aprendi muito sobre a fidelidade de Deus. Hoje Dave e eu precisamos confiar em Deus em um nível muito mais alto para o que precisamos para dirigir o nosso ministério. Se eu não tivesse passado por aqueles anos de teste em que a minha fé foi provada, não estaria onde estou hoje.

Muitas pessoas desistem durante os anos de teste. Elas nunca passam nos seus testes, então, a vida toda andam em círculos sem parar em volta das mesmas montanhas (ver Deuteronômio 2:3). Talvez você não entenda o que está passando neste instante, mas mais tarde verá o propósito, se você se recusar a desistir.

Não estou lhe dizendo para deixar o seu emprego para se preparar para o ministério. Só estou lhe contando esta história para explicar que meu marido e eu não levantamos da cama uma manhã de repente e começamos a trabalhar para Deus com milhares de pessoas em um ministério mundial. A Bíblia diz que Jesus adquiriu experiência por intermédio daquilo que Ele sofreu e foi preparado para o Seu ofício como Sumo Sacerdote. Até Jesus passou por coisas que o ajudaram em Seu ministério nos anos posteriores (ver Hebreus 5:5-10).

Deus *me* disse para parar de trabalhar para que eu pudesse adquirir experiência em confiar nele para tudo o que eu precisava. Mas, por favor, não deixe o seu emprego nem tente fazer alguma coisa "na carne". Deus não diz a muitas pessoas para simplesmente pararem de fazer o que elas estão fazendo, mas Ele teve de me ensinar a viver pela fé por causa das coisas que Ele sabia que Dave e eu teríamos de crer nele para fazer agora. Só a experiência pode nos preparar para a fé que precisamos ter diariamente a fim de continuar fazendo o que Deus nos chamou para fazer.

Nos primeiros dias da minha caminhada com Deus, o meu desejo de conhecê-lo se desenvolveu e resultou nesta oração pela minha vida, que eu o encorajo a fazer também, se você tem fome por mais de Deus:

Deus, se encontrei favor aos Teus olhos, mostra-me os Teus caminhos. Quero pensar e ser como Tu. Quero conhecer-te e o poder da Tua ressurreição. Ajuda-me a andar demonstrando o fruto do Espírito. Ajuda-me a não maltratar as pessoas. Ajuda-me a ser uma bênção em todos os lugares onde eu for hoje.

Decidi que: *se alguém pode ter mais de Deus, eu quero ter mais também.*

2

Sim, Existe Mais!

Em uma manhã de sexta-feira de fevereiro de 1976, eu estava dirigindo para o trabalho e me sentia desanimada. Meu marido e eu havíamos discutido antes de sairmos para o trabalho, algo que acontecia com muita frequência.

Parecia-me que eu estava fazendo tudo que a igreja dizia que eu deveria fazer. Esperava que a minha rotina de boas obras me trouxesse a paz e a alegria prometidas na Bíblia. Em vez disso, via-me muito desanimada porque nada parecia estar funcionando.

Dave e eu estávamos, os dois, envolvidos na obra da igreja. Ele era um presbítero, e eu fazia parte da diretoria da igreja — a primeira e única mulher naquela época a servir naquela diretoria. Ajudar a tomar decisões na igreja era extremamente frustrante por causa de toda a burocracia. Em geral, eram necessárias várias reuniões para decidir um pequeno assunto, quase insignificante.

Dave e eu estávamos na equipe de Evangelismo; uma noite por semana íamos de porta em porta falando às pessoas sobre Jesus. A nossa vida girava em torno da igreja. Nossos filhos frequentavam a escola ali. Fazíamos parte de todos os clubes sociais e equipes esportivas e frequentávamos todos os jantares da igreja. Tínhamos amigos que eu pensava ser bons amigos, mas logo descobriria o contrário.

Embora estivesse fazendo o que pensava que Deus queria de mim, ainda sentia que precisava de uma mudança em minha vida, mas não sabia exatamente o que precisava. Eu estava buscando, mas não sabia o que buscava.

Naquela manhã, movida por um completo desespero e frustração, clamei a Deus, dizendo que sentia que não conseguiria seguir em frente do jeito que as coisas estavam. Lembro-me de ter dito: "Deus, algo está faltando. Não sei o que é, mas algo está faltando."

Eu era como uma pessoa morrendo de inanição. Estava tão faminta espiritualmente que estava pronta para receber qualquer coisa, desde que eu soubesse que vinha de Deus. As pessoas podem estar famintas, mas ainda assim ser exigentes quanto ao que vão comer; entretanto, se ficarem famintas o bastante, elas comerão qualquer coisa que for colocada diante delas. Por causa da minha grande fome espiritual, eu estava totalmente aberta a Deus naquela altura da minha vida.

Para a minha surpresa, ouvi a voz audível de Deus naquela manhã em meu carro. Ele chamou o meu nome e me falou sobre paciência. Daquele momento em diante, eu soube com certeza que Deus ia fazer alguma coisa a respeito da minha situação. Eu não sabia o que Ele faria nem quando, mas sabia que Ele estava prestes a se mover em minha vida.

Depois do trabalho nas sextas-feiras, eu ia arrumar o cabelo. Depois, Dave e eu íamos jogar boliche como parte de uma equipe. Naquela noite de sexta-feira, fui para casa ao sair do cabeleireiro, deixando a Highway 270 e entrando na saída de Gravois para ir para Fenton, subúrbio de St. Louis, onde morávamos. Enquanto estava no carro diante de um farol vermelho, senti meu coração se encher de fé quanto ao que Deus iria fazer. Embora eu não tivesse a menor ideia do que seria, comecei a agradecer a Ele por isso.

Naquele exato momento, Jesus me encheu com a presença do Espírito Santo de uma maneira que nunca experimentei. Eu não sabia o que estava acontecendo, mas sabia com certeza que Deus se manifestara de uma maneira diferente e poderosa.

A melhor maneira que posso descrever o meu sentimento naquele momento é dizer que foi como se alguém tivesse derramado amor líquido sobre todo o meu ser. Durante cerca de três dias, senti-me como se estivesse embriagada pelo amor de Deus. Aquilo afetou o meu comportamento. Eu estava em paz, feliz, empolgada e era uma pessoa fácil de conviver. Sentia-me como se amasse a tudo e a todos.

Lembro-me de passar por um campo de ervas daninhas e de pensar como elas eram lindas, simplesmente porque eu sabia que Deus as havia criado. Tudo que tinha qualquer coisa a ver com Deus me parecia lindo. As pessoas com quem antes eu não queria estar de repente me pareciam agradáveis e amigáveis. Na verdade, era eu que estava diferente, mas quando nós mudamos, tudo e todos parecem mudar para nós.

Levantei-me naquela manhã me sentindo como se tudo tivesse chegado a um fim desanimador. Fui me deitar naquela noite sabendo que estava em um momento de novos começos. É assim que Deus é. Ele se move *de repente* em nossas vidas. Creio que se você está lendo este livro, você tem um "de repente" que está chegando à sua vida.

Abra o seu coração para Deus de uma maneira maior do que nunca. Peça-lhe para transformar você e a sua vida da maneira que Ele achar adequada e apropriada. Nenhum de nós pode se dar ao luxo de ficar parado sem mudar. Se não estivermos avançando com Deus, estamos recuando.

Depois daquela experiência com Deus, o meu comportamento mudou a ponto de as pessoas começarem a me perguntar o que havia acontecido. Eu não sabia como chamar aquilo, mas logo o Senhor colocou um material em minhas mãos que me ensinou o que acontecera.

FÉ *VERSUS* EXPERIÊNCIA

Ao compartilhar a minha experiência, não quero dar a entender que você deve buscar ter uma experiência com Deus. Estou compartilhando a minha história simplesmente para ilustrar que se você não está satisfeito com o seu relacionamento com Deus, existe sempre mais a se conhecer a respeito dele. Devemos buscar o Senhor, e não uma experiência, e só Ele decide como e quando manifestar a Sua presença em nossas vidas. Ele trata cada um de nós individualmente, mas promete que se o buscarmos, nós o encontraremos. Se pedirmos ao Pai para nos dar o Espírito Santo em maior medida, Ele o fará.

Jesus disse aos Seus seguidores:

> Por isso lhes digo: Peçam, e lhes será dado; busquem, e encontrarão; batam, e a porta lhes será aberta. Pois todo o que pede, recebe; o que busca, encontra; e àquele que bate, a porta será aberta. Qual pai, entre vocês, se o filho lhe pedir um peixe, em lugar disso lhe dará uma cobra? Ou se pedir um ovo, lhe dará um escorpião? Se vocês, apesar de serem maus, sabem dar boas coisas aos seus filhos, quanto mais o Pai que está no céu dará o Espírito Santo a quem o pedir! (Lucas 11:9-13).

Deus é fiel e sempre age de acordo com a Sua Palavra (ver Hebreus 10:23). Ele não faz acepção de pessoas (ver Atos 10:34). O que está disponível a um, está disponível a todos. Deus talvez não responda a cada um de nós exatamente da mesma maneira, mas responderá às nossas orações e suprirá as nossas necessidades.

A nossa busca deve ser sincera e devemos estar sempre prontos para assumir um compromisso mais profundo. Quando for este o caso, Deus se moverá e enviará o Seu Espírito Santo para tocar cada um de nós de uma maneira especial. Peça e creia pela fé que Deus fará algo maravilhoso. Enquanto você espera que Ele o faça, agradeça e dê louvor a Ele.

Você aguarda ansiosamente o momento de estar na igreja e acha isso interessante, ou frequenta por obrigação, aguardando ansiosamente que tudo termine? Você tem certo grau de sucesso, ou mesmo muito sucesso em sua vida, mas percebe que alguma coisa está faltando? Talvez você seja um cristão que está apenas fazendo as coisas por fazer, como eu era.

Existem muitas pessoas que receberam Jesus como Senhor e Salvador, e que viverão a sua vida cristã e irão para o céu, sem nunca lançar mão da plena capacidade do Espírito Santo que está disponível a elas, sem nunca ser capazes de ter o verdadeiro sucesso que Deus pretende que elas tenham. As pessoas podem estar a caminho do céu sem, no entanto, jamais apreciarem a viagem.

Costumamos olhar para aqueles que têm riquezas, posição, poder, fama e outros atributos associados a aquisições materiais e as consideramos pessoas totalmente bem-sucedidas. Mas muitas pessoas que são vistas como pessoas de sucesso ainda têm falta de bons relacionamentos, de boa saúde, de paz, alegria, contentamento e de outras verdadeiras bênçãos que estão disponíveis somente em um relacionamento pessoal com Deus por intermédio de Jesus Cristo. Essas pessoas ainda são independentes; elas nunca aprenderam a ser totalmente dependentes da capacidade do Espírito Santo.

Algumas pessoas que são autossuficientes pensam que é sinal de fraqueza depender de Deus. Mas lançando mão da capacitação do Espírito Santo, elas podem realizar mais em suas vidas do que poderiam trabalhando na sua própria força. E as pessoas que dependem da sua própria força, às vezes, descobrem que há momentos em que elas parecem incapazes de ajudar outros, mas o Espírito Santo pode revesti-las de poder e operar por intermédio delas.

Deus nos criou de tal maneira que, embora tenhamos pontos fortes, também temos fraquezas e precisamos da ajuda dele. Sabemos que Ele está disposto a nos ajudar porque Ele enviou um Auxiliador Divino para viver dentro de nós (ver João 14:16; 1 Coríntios 6:19).

Existe uma série incontável de coisas que enfrentamos sozinhos quando poderíamos estar recebendo a ajuda do Espírito Santo. Muitas pessoas nunca encontram as respostas certas para os seus problemas porque buscam fontes erradas para lhes dar conselho em vez de perguntar ao Divino Conselheiro que está dentro delas. É impressionante quantas pessoas podem nos dar conselhos que não têm qualquer efeito sobre nós. Mas quando Deus nos diz alguma coisa, é algo cheio de poder, e a paz vem com ela.

Jesus não morreu para nos dar uma religião. Ele morreu para que por intermédio da fé nele pudéssemos ter um relacionamento íntimo com Deus. O nosso pior dia com Deus ainda é melhor que o nosso melhor dia sem Ele.

Muitas pessoas vivem todos os dias atormentadas pelo medo. Infelizmente, a maioria delas não entende que a ajuda lhes está disponível pela capacitação do Espírito Santo. O Espírito Santo quer nos ajudar, consolando-nos quando precisarmos. Ele nos consolará quando formos decepcionados, magoados, ou maltratados, ou quando sofrermos perdas. Ele também nos consolará durante as mudanças em nossas vidas, quando estivermos simplesmente cansados, ou quando tivermos fracassado de alguma maneira. Algumas pessoas nunca experimentam esse consolo porque elas não sabem que Ele está disponível, basta que peçam.

Passei por muitas dores emocionais em minha vida que resultaram em rejeição. Como todas as pessoas, detesto o sentimento de solidão que vem quando somos rejeitados. Como seres humanos, todos nós queremos aceitação, e não rejeição.

Durante muitos anos, sofri de rejeição porque eu não sabia que havia algo que eu poderia fazer a respeito, mas graças a Deus porque tudo isso mudou. Pouco tempo atrás, algo aconteceu que trouxe de volta aquelas velhas dores da rejeição. Estendi a mão para alguém que me ferira muito na minha infância. Em vez de desculpas, recebi a culpa por algo que não fiz, assim como uma mensagem clara de que aquela pessoa não tinha um verdadeiro interesse por mim.

Instantaneamente, experimentei aquele velho sentimento de querer me retirar para um canto em algum lugar e cuidar das minhas feridas.

A dor em minhas emoções foi intensa. Eu queria me esconder e sentir pena de mim mesma, mas graças a Deus agora sei que existe uma solução para essas situações. Imediatamente, pedi a Deus o consolo do Espírito Santo. Pedi a Ele para curar as minhas emoções feridas e para me capacitar a lidar com a situação exatamente da maneira que Jesus lidaria com ela. À medida que continuei a me apoiar em Deus, senti um calor dentro de mim. Foi quase como se um óleo tranquilizante estivesse sendo derramado nas minhas feridas.

Pedi a Deus para me ajudar a perdoar a pessoa que me magoara, e Ele me deu a graça de lembrar-me do que digo a outros: "Pessoas feridas ferem pessoas." A Sua resposta íntima e pessoal trouxe cura ao meu espírito ferido.

Em 2 Coríntios 1:3-4, a Palavra diz que Deus é um Pai de misericórdia, e que Ele é a Fonte de toda consolação. Diz que Ele nos consola, conforta e encoraja em todos os problemas, calamidades e aflições. Pergunte a si mesmo: "Tenho um relacionamento íntimo e pessoal com Deus? Conheço-o na intimidade?"

Jesus quer entrar em nossas vidas para nos estabelecer em um relacionamento pessoal com Deus. Ele nos fortalecerá e nos capacitará a fazer com facilidade o que teríamos dificuldades para fazer, e jamais poderíamos fazer sem Ele. Por intermédio de Jesus, Deus nos deu o Espírito Santo para aprofundar o nosso relacionamento com Deus transformando-o em um relacionamento íntimo, tornando real para nós tudo o que Deus é. Por exemplo, Deus não quer apenas nos *dar* forças; Ele quer *ser* a nossa força por meio do Divino Fortalecedor.

Se Deus o criou para precisar dele, mas você agir como se não precisasse, como você poderá ficar satisfeito? Você não quer experimentar a presença e a plena capacitação do Espírito Santo em sua vida? Para conhecer a Deus intimamente, você precisa receber Jesus como o seu único Senhor e Salvador, nascendo do Espírito.

NASCIDO DO ESPÍRITO

Em João, capítulo 3, Jesus disse a Nicodemos que o procurou fazendo perguntas:

> Ninguém pode ver o Reino de Deus, se não nascer de novo (João 3:3).

Nicodemos disse a Ele:

> Como alguém pode nascer, sendo velho? É claro que não pode entrar pela segunda vez no ventre de sua mãe e renascer! (v. 4)

Jesus respondeu:

> Digo-lhe a verdade: Ninguém pode entrar no Reino de Deus, se não nascer da água e do Espírito (v. 5).

Quando uma pessoa aceita Jesus Cristo como Salvador, crendo na Sua obra substitutiva na cruz,[1] essa pessoa nasce do Espírito Santo ou *nasce de novo* (ver v. 3). Isto não se baseia em nenhuma boa obra que a pessoa fez ou poderia fazer, mas unicamente na graça (ou poder), misericórdia e eleição (ou escolha) de Deus. A Bíblia nos diz:

> Pois vocês são salvos pela graça, por meio da fé, e isto não vem de vocês, é dom de Deus; não por obras, para que ninguém se glorie. (Efésios 2:8-9).

Em Tito 3:5, a Palavra nos ensina que somos salvos "... não por causa de atos de justiça por nós praticados, mas devido à sua misericórdia, ele nos salvou pelo lavar regenerador e renovador do Espírito Santo." O Espírito Santo está envolvido na nossa salvação, e Ele estará conosco até o fim. Deus designou o Espírito Santo para andar com cada um de nós, crentes, por este mundo e para nos entregar em segurança ao Senhor no céu, no momento devido.

Você nasceu do Espírito? Se não nasceu, faça a seguinte oração agora mesmo, sabendo que quando render sinceramente a sua vida a Jesus Cristo, você nascerá do Espírito ou nascerá de novo. Então você poderá começar a experimentar a verdadeira *intimidade com Deus* por intermédio do Seu Santo Espírito.

ORAÇÃO POR UM RELACIONAMENTO PESSOAL COM O SENHOR

Deus quer que você receba o Seu dom gratuito da salvação. Jesus quer salvá-lo e enchê-lo do Espírito Santo mais do que qualquer coisa. Se você nunca convidou Jesus, o Príncipe da Paz, para ser o seu Senhor e Salvador, convido-o a fazer isso agora, e se for realmente sincero nisto, você terá uma nova vida em Cristo. Simplesmente faça esta oração em voz alta:

Pai,

Tu amaste tanto o mundo que deste o Teu único Filho para morrer pelos nossos pecados para que todo aquele que crê nele não pereça, mas tenha a vida eterna.

A Tua Palavra diz que somos salvos pela graça por meio da fé como um dom que vem de Ti. Não há nada que possamos fazer para ganhar a salvação.

Creio e confesso com a minha boca que Jesus Cristo é o Teu Filho, o Salvador do mundo. Creio que Ele morreu na cruz por mim e levou todos os meus pecados, pagando o preço por eles. Creio em meu coração que Tu ressuscitaste Jesus dentre os mortos.

Peço-te que perdoes os meus pecados. Eu confesso Jesus como meu Senhor, de acordo com a Tua Palavra, sou salvo e passarei a eternidade contigo! Obrigado, Pai. Sou muito grato! Em nome de

Jesus, amém (ver João 3:16; Efésios 2:8-9; Romanos 10:9-10; 1 Coríntios 15:3-4; 1 João 1:9; 4:14-16; 5:1, 11, 12, 13).

IMERSO NO ESPÍRITO SANTO

O que me aconteceu naquela sexta-feira, em fevereiro de 1976, quando eu dirigia para casa ao sair do cabeleireiro, foi a experiência relatada em Atos capítulos 1 e 2, assim como em muitos outros lugares das Sagradas Escrituras. Eu fui imersa ou cheia do Espírito Santo.

Antes de Jesus ser levado aos céus, depois dos quarenta dias que passou na terra após ressuscitar dos mortos (Atos 1:3), Ele reuniu os discípulos e lhes disse que não deixassem Jerusalém, mas que esperassem pela promessa do Pai: "... da qual lhes falei. Pois João batizou com água, mas dentro de poucos dias vocês serão batizados com o Espírito Santo" (Atos 1:4-5).

A promessa do Pai foi o derramamento do Espírito Santo. Jesus disse: "Mas receberão poder quando o Espírito Santo descer sobre vocês, e serão minhas testemunhas em Jerusalém, em toda a Judeia e Samaria, e até os confins da terra" (Atos 1:8).

Depois que Jesus disse essas coisas aos Seus discípulos, Ele foi elevado às alturas, e encoberto por uma nuvem até desaparecer da vista deles (ver v. 9).

Esses discípulos eram os mesmos a quem Ele aparecera brevemente depois da Sua ressurreição. Naquela época, Ele soprou sobre eles e disse: "Recebam o Espírito Santo!" (João 20:22). Creio que foi nesse momento que eles nasceram de novo. Se eles já tivessem recebido o Espírito Santo, o que aconteceu, por que então eles precisavam esperar *para ser batizados com o Espírito Santo* como Jesus lhes instruiu para fazer imediatamente antes de subir ao céu?

É possível encher um copo com água sem enchê-lo totalmente. Do mesmo modo, quando nascemos de novo, temos o Espírito Santo *em* nós, mas podemos não estar ainda totalmente cheios do

Espírito. Em Atos 1:8, Jesus promete que o Espírito Santo também virá *sobre* nós com o Seu poder (capacidade, eficácia e força) para sermos testemunhas de Cristo até os confins da terra. Atos 4:31 relata que "... todos ficaram cheios do Espírito Santo e anunciavam corajosamente a Palavra de Deus".

No Antigo Testamento, o Espírito do Senhor veio sobre os Seus servos como Gideão, Sansão, Davi, Elias e Eliseu, e ocorreram milagres além da capacidade humana deles, que demonstravam o poder de Deus ao mundo perdido. Vivemos no tempo mais empolgante da História, porque o Espírito Santo está sendo derramado sobre todos que querem recebê-lo. Agora podemos desfrutar a presença do Espírito de Deus habitando em nós por meio da salvação e também ter a expectativa de que o Seu poder nos enche para demonstrar a Sua glória às pessoas perdidas que nos cercam.

Em João 1:29-33, João Batista disse que ele batizava com água, mas que aquele que viria depois dele batizaria com o Espírito Santo. Em Mateus 28:19, Jesus disse aos Seus seguidores para saírem, fazendo discípulos, batizando-os em nome do Pai, do Filho e do Espírito Santo.

O batismo nas águas é um sinal externo de uma decisão interna de seguir Jesus e de entregar sua vida a Ele. Significa a morte da velha vida e a ressurreição da nova. O batismo de João, mencionado em João 1:33, era um batismo de arrependimento. Aqueles que eram batizados estavam dizendo, na essência, que queriam se afastar do pecado e viver uma nova vida.

Uma pessoa pode ter o desejo de fazer alguma coisa e ainda assim não ter o poder de executá-la. Creio que esse poder vem com o batismo no Espírito Santo. Durante muitos anos, disseram-me o que eu deveria fazer, e eu queria obedecer, mas simplesmente não conseguia. Somente depois que fui batizada ou imersa no Espírito Santo é que encontrei o verdadeiro desejo de fazer a vontade de Deus e o poder para executá-la. Existem níveis variados de "querer". Eu sempre quis obedecer a Deus, mas o meu desejo não era forte o bastante para me levar a atravessar os estágios difíceis da obediência.

Depois que fui cheia do Espírito Santo, o meu "querer" foi fortalecido para me levar até o fim.

A palavra grega traduzida como *batizar*, usada por João com referência ao batismo nas águas em João 1:33, é a mesma palavra grega usada por Jesus em Atos 1:5 com referência a ser batizado com o Espírito Santo: "Pois João batizou com água, mas dentro de poucos dias vocês serão batizados com o Espírito Santo." Em ambos os versículos, com referência aos dois tipos de batismo, o significado de *batizar* é "submergir, imergir".[2]

Se uma pessoa nascida de novo está aberta para Deus, esse indivíduo pode ser imerso e cheio do Espírito Santo.

Em Atos 1:8, Jesus disse aos discípulos que depois que tivessem recebido o poder do alto, eles estariam capacitados para *ser* testemunhas. A ênfase no *ser* é minha; coloquei-a para deixar claro que existe uma diferença entre fazer e ser.

Antes de ser imersa no Espírito Santo, eu saía uma vez por semana para *fazer* evangelismo de porta em porta, mas não tinha poder suficiente na minha vida diária para *ser* o que a Bíblia me ensinava que eu deveria ser. Eu queria, mas não tinha poder para realizar o que queria. No que se refere a ter poder para lidar com êxito com os acontecimentos da vida diária, não havia muita diferença entre mim e qualquer incrédulo que eu conhecia — talvez um pouco, mas não tanto quanto deveria haver. Embora tivesse nascido de novo, eu precisava de algo mais.

UNGIDA COM O ESPÍRITO SANTO

Quando João batizou Jesus nas águas, o Espírito Santo desceu sobre Ele na forma de uma pomba:

> Então veio Jesus da Galiléia ter com João, junto do Jordão, para ser batizado por ele. Mas João opunha-se-lhe, dizendo: Eu careço de ser batizado por ti, e vens tu a mim?

> Jesus, porém, respondendo, disse-lhe: Deixa por agora, porque assim nos convém cumprir toda a justiça. Então ele o permitiu. E, sendo Jesus batizado, saiu logo da água, e eis que se lhe abriram os céus, e viu o Espírito de Deus descendo como pomba e vindo sobre ele (Mateus 3:13-16, ACF).

É difícil, mas necessário, entender o ensinamento de Filipenses 2:6-7 sobre a verdadeira natureza de Jesus. Embora Ele possuísse a plenitude dos atributos de Deus, fosse a Palavra de Deus, e fosse o próprio Deus que se fez carne (ver João 1:1-14), Jesus se despiu de todos os Seus privilégios divinos para assumir a forma de um servo, com isso tornando-se um homem em todos os aspectos, e nascendo como um ser humano. Depois, Ele demonstrou os passos que queria que seguíssemos.

Jesus foi imerso não apenas em água, mas também no Espírito Santo. Em outras palavras, Ele foi imerso em poder, que o capacitou a desempenhar a tarefa que Seu Pai o enviara para realizar. Atos 10:38, diz: "Como Deus ungiu a Jesus de Nazaré com o Espírito Santo e poder, e como ele andou por toda parte fazendo o bem e curando todos os oprimidos pelo Diabo, porque Deus estava com ele."

Antes de o ministério público de Jesus começar, Ele foi ungido com o Espírito Santo e com poder. Quando somos cheios com o Espírito Santo, somos equipados para o serviço no reino de Deus porque somos capazes de extrair o *poder (capacidade, eficácia e força)* (ver Atos 1:8) do Espírito Santo que recebemos quando Ele vem sobre nós para sermos as Suas testemunhas. Esse poder nos capacita a fazer o que Deus quer que façamos.

A descrição de João 1:32 da descida do Espírito Santo sobre Jesus indica que o Espírito Santo esteve permanentemente com Ele. O Espírito "habitou nele" para nunca mais deixá-lo, ou, nas palavras da *Nova Versão Internacional*, para "... permanecer sobre Ele".

> João Batista disse: "Eu vi o Espírito descer do céu como pomba e permanecer sobre ele. Eu não o teria reconhecido, se aquele que me enviou para batizar com água não me tivesse dito: 'Aquele sobre quem você vir o Espírito descer e permanecer, esse é o que batiza com o Espírito Santo'. Eu vi e testifico que este é o Filho de Deus" (João 1:32-34).

O fato de o Espírito Santo habitar com Jesus é significativo porque sob a velha aliança o Espírito Santo vinha sobre as pessoas para que elas realizassem tarefas específicas, mas Ele não ficava permanentemente com elas. Depois que o Espírito desceu e permaneceu sobre Jesus, o Espírito o conduziu de uma maneira mais definitiva.

O Espírito Santo o conduziu ao deserto para ser tentado pelo diabo por quarenta dias e quarenta noites (ver Lucas 4:1-2). Ele passou em todos os testes e então começou a pregar: "Arrependam-se... pois o reino de Deus está próximo" (Mateus 4:17). Ele começou a fazer milagres, inclusive a expulsar demônios e a curar os enfermos (ver Lucas 4 e 5). É importante vermos que até mesmo Jesus não fez qualquer milagre ou ato poderoso até depois de ser revestido do poder pelo Espírito Santo. Se Jesus precisou ser batizado para cumprir toda a justiça (ver Mateus 3:15) e para ser revestido de poder pelo Espírito Santo, por que nós não precisaríamos?

Paulo também foi cheio e revestido de poder pelo Espírito Santo.

PAULO FOI CHEIO DO ESPÍRITO SANTO

> Então Ananias foi, entrou na casa, impôs as mãos sobre Saulo e disse: "Irmão Saulo, o Senhor Jesus, que lhe apareceu no caminho por onde você vinha, enviou-me para que você volte a ver e seja cheio do Espírito Santo" (Atos 9:17).

Muitos dizem que os crentes recebem tudo que precisam ou necessitam quando aceitam Jesus como Salvador. Isto pode acontecer com alguns crentes, mas certamente não com todos. Pessoas diferentes têm experiências diferentes. Não estou negando que algumas pessoas podem nascer de novo e ser batizadas com o Espírito Santo ao mesmo tempo; mas outras não, e Paulo foi uma delas.

Como você provavelmente sabe, Paulo, anteriormente, chamava-se Saulo e era um homem muito religioso, um fariseu entre os fariseus (ver Atos 23:6). Ele estava perseguindo os cristãos e acreditava que prestava um serviço a Deus ao fazer isso (ver Filipenses 3:5-6).

Atos 9:4 nos diz como, um dia, quando ele estava viajando pela estrada que vai de Jerusalém a Damasco para levar os crentes para serem julgados e punidos, uma luz do céu brilhou ao redor de Saulo, e ele caiu ao chão. Então ele "ouviu uma voz que lhe dizia: 'Saulo, Saulo, por que você me persegue?'"

Tremendo, ele disse: "Senhor, que queres que eu faça?" (Atos 9:6, ACF). Este foi o momento da conversão de Saulo, o momento da sua rendição. Ele recebeu ordens para se levantar e ir até a cidade e esperar lá por maiores instruções.

Paulo ficou cego durante essa experiência. Seus olhos estavam abertos, mas ele não podia ver nada. Então, os seus companheiros de viagem o conduziram pela mão até Damasco. Durante três dias, ele não pôde ver, e não comeu nem bebeu.

O Senhor falou com um discípulo chamado Ananias em Damasco em uma visão, dizendo-lhe onde encontraria Saulo, observando que ele estaria orando. Ao mesmo tempo, Saulo teve uma visão em que viu um homem chamado Ananias entrando e impondo as mãos sobre ele para que recuperasse a visão. Ananias ouvira falar de Saulo e de quanto mal fizera aos santos. Então, naturalmente, relutou em ir. Mas o Senhor lhe disse: "Vá", e então ele foi. O Senhor disse a Ananias que Saulo era um instrumento Seu, escolhido para levar o Seu nome perante os gentios e os descendentes de Israel (ver Atos 9:15).

Ananias foi à casa onde Saulo estava hospedado. Ali Ananias impôs as mãos sobre Saulo e disse, exatamente com estas palavras: "Irmão Saulo, o Senhor Jesus, que lhe apareceu no caminho por onde você vinha, enviou-me para que você volte a ver e seja cheio do Espírito Santo" (ver v. 17). Imediatamente, algo semelhante a escamas caiu dos olhos de Saulo, e ele se levantou e foi batizado.

Isto parece muito claro. Saulo converteu-se antes, e três dias depois ele foi cheio do Espírito Santo e batizado nas águas. Se Saulo, que se tornou o apóstolo Paulo, precisou ser cheio do Espírito Santo, então creio que nós também precisamos.

OS GENTIOS TAMBÉM FORAM CHEIOS DO ESPÍRITO SANTO

> Enquanto Pedro ainda estava falando estas palavras, o Espírito Santo desceu sobre todos os que ouviam a mensagem (Atos 10:44).

Em Atos 10, lemos como mais uma vez Deus concedeu a dois homens diferentes visões que os uniram para o Seu propósito.

Pedro teve uma visão que ele ia pregar à família de Cornélio, algo que ele jamais teria feito por si mesmo porque Cornélio era um gentio, e os judeus não se relacionavam com os gentios. Por volta da mesma hora, Cornélio teve uma visão mostrando que ele deveria mandar chamar Pedro. Por meio desse acontecimento sobrenatural, os dois se reuniram.

Quando Pedro começou a falar aos gentios reunidos na casa de Cornélio, o Espírito Santo desceu sobre eles como havia descido sobre os judeus crentes em Pentecostes. Os gentios começaram todos a falar em outras línguas da mesma maneira que os 120 discípulos de Cristo que esperavam no Cenáculo no Dia de Pentecostes tinham feito (ver Atos 1:13; 2:1-4). Depois que aqueles que estavam na casa de Cornélio foram cheios do Espírito Santo, Pedro sugeriu que eles fossem batizados nas águas, e eles foram.

Antes do que aconteceu na casa de Cornélio, Atos capítulo 8 nos diz como Filipe pregara o evangelho em Samaria. Um daqueles que creram e que foram batizados nas águas era um homem chamado Simão, que era um mágico famoso. Quando os apóstolos em Jerusalém ouviram falar que os samaritanos receberam Jesus, eles enviaram Pedro e João para orar por eles para que pudessem receber o Espírito Santo. Quando Simão viu que aquele poder era transmitido às pessoas pela imposição das mãos dos apóstolos, ficou tão impressionado que ofereceu dinheiro para comprá-lo e foi severamente repreendido por Pedro (ver Atos 8:9, 13-15, 17-23).

Simão era um crente. Ele fora batizado nas águas e ficou perto de Filipe desde então, observando os "... sinais e milagres de grande poder que estavam sendo realizados" (v. 13). Então, o que ele estava vendo agora que era tão impressionante que ele queria comprar? Pedro, naturalmente, disse-lhe que se ele não pedisse a Deus para perdoá-lo por oferecer dinheiro para comprar esse poder, ele pereceria com o seu dinheiro por pensar que o dom de Deus poderia ser comprado. Mas o ponto é que Simão evidentemente viu algo muito mais poderoso do que estava acostumado a ver.

Jesus, Paulo e os gentios foram revestidos de poder ao serem cheios do Espírito Santo. Por que iríamos querer passar pela vida sem sermos revestidos de poder como eles foram?

3

A Casa de Deus

Mais do que qualquer coisa, quero ouvir claramente a voz de Deus e estar ciente da Sua presença habitando em mim em todo o tempo. Sei o que Deus me chamou para fazer, e sei que não posso fazer isso sem saber que Ele está comigo. Sou ávida pela presença manifesta de Deus em minha vida, e sei que não posso viver na carne e desfrutar essa comunhão íntima.

Como expliquei, durante muitos anos acreditei em Jesus Cristo como o meu Salvador, mas não desfrutava de uma comunhão íntima com Deus. Eu sentia que estava sempre em busca dele, e falhando em atingir o meu objetivo. Um dia, quando estava diante do espelho penteando o cabelo, eu lhe fiz uma pergunta simples: "Deus, por que me sinto constantemente como se estivesse buscando o Senhor e não conseguindo encontrá-lo?"

Imediatamente, ouvi estas palavras dentro do meu espírito: "Joyce, você está procurando *fora*, é preciso procurar *dentro*."

A Palavra de Deus diz que Ele vive *dentro* de nós, mas muitas pessoas acham essa verdade difícil de entender. A Bíblia diz em 2 Coríntios 4:6-9:

> Pois Deus, que disse: "Das trevas resplandeça a luz", ele mesmo brilhou em nossos corações, para iluminação do conhecimento da glória de Deus na face de Cristo. Mas temos esse tesouro em vasos de barro, para mostrar que este poder que a tudo excede provém de Deus, e não de nós. De todos os lados somos pressionados, mas não desanimados; ficamos perplexos, mas não desesperados; somos perseguidos, mas não abandonados; abatidos, mas não destruídos.

Temos o tesouro da presença de Deus dentro de nós; mas assim como os vasos terrenos podem conter água sem ser cheios e sem transbordar, nós também podemos estar em uma fila para receber oração, ser batizados no Espírito Santo e receber o dom de falar em línguas — mas um único enchimento não significa que somos espirituais. Ser espiritual é estar ciente da presença de Deus e agir de acordo com isso.

A igreja de Corinto operava em todos os dons do Espírito Santo, mas Paulo lhes disse que eles ainda eram carnais (ver 1 Coríntios 3:3). "Como sei que vocês são carnais?" Ele perguntou. "Porque vocês têm ciúmes, inveja, ganância, e fofocam. Nada disto deveria estar acontecendo dentro de vocês."

Jesus corrigiu muitas pessoas religiosas, dizendo-lhes: "Ai de vocês, mestres da lei e fariseus, hipócritas! Vocês são como sepulcros caiados: bonitos por fora, mas por dentro estão cheios de ossos e de todo tipo de imundície. Assim são vocês: por fora parecem justos ao povo, mas por dentro estão cheios de hipocrisia e maldade" (Mateus 23:27-28).

Essa passagem trouxe-me um aperto ao coração. Eu não queria ser um sepulcro caiado, cheio de ossos de pessoas mortas! Jesus teve mais problemas com os falsos e hipócritas do que com qualquer pessoa.

Certo dia, eu estava me arrastando pela cozinha com a cabeça baixa — estava abatida! Murmurava e reclamava, dizendo:

"Senhor, estou tão cansada de tudo isto. Quando vais fazer alguma coisa? Quando terei uma virada em minha vida? Quando vou ser abençoada?"

Foi então que ouvi a voz de Deus dizer: "Joyce, você não sabe que tem a vida do Deus Todo-Poderoso dentro de você? Isto deveria ser suficiente para mantê-la saltando de alegria desde agora até Jesus voltar para buscá-la."

Efésios 3:17 diz: "... para que Cristo habite no coração de vocês mediante a fé; e oro para que, estando arraigados e alicerçados em amor...".

Se você nasceu de novo, sabe que Jesus está habitando dentro de você por meio do poder do Espírito Santo, mas será que Deus está confortável, e será que Ele se sente em casa aí dentro de você? Levei muito tempo para entender que Deus vive em mim com todas as outras coisas que estão acontecendo na minha vida interior.

Deus me deu uma ilustração de como é para Ele viver em um coração onde a murmuração e a reclamação ainda habitam. Suponhamos que você vá à casa de uma amiga que lhe diz: "Oh, entre. Vou lhe pegar uma xícara de café. Sente-se, sinta-se em casa." Então você apoia os pés para ficar confortável, e de repente sua amiga começa a gritar com o marido dela. Eles começam a ter todo tipo de discussão enquanto você fica ali assistindo. Bem na sua frente, eles esbravejam, ficam enfurecidos e continuam berrando. Como você acha que se sentiria na casa deles com toda essa contenda?

Ou suponhamos que você vá à casa de outra amiga visitá-la e, de repente, ela começa a falar mal de outra boa amiga sua a quem você ama muito. Você se sentiria em casa no meio desse tipo de fofoca e difamação? No entanto, quantas vezes os cristãos falam mal de alguém a quem Jesus ama e com quem Ele é comprometido?

Pelo fato de muitos cristãos não estarem dispostos a se submeterem aos apelos internos do Espírito Santo, eles não são cheios de paz. Eles mantêm a sua vida interior em uma constante zona de guerra. Não sentem o descanso do Senhor dentro deles porque, embora em si mesmo o Senhor esteja em descanso, esses cristãos resistem aos Seus apelos para que "deixem as coisas para lá e confiem nele". O tumulto íntimo deles aumenta porque não se rendem aos Seus apelos, e não podem ficar descansados se a sua vida interior não estiver em harmonia com a natureza de Cristo.

Se quisermos ser uma casa confortável para o Senhor, precisamos desistir de resmungar, reclamar, encontrar defeitos e murmurar. As nossas palavras devem ser cheias de louvor. Precisamos despertar de manhã e dizer: "Oh!, bom dia, Jesus. Quero que o Senhor se sinta confortável em mim hoje. Eu te louvo, Pai. Amo-te, Senhor. Obrigada por todas as coisas boas que tu estás fazendo."

A Bíblia diz que Deus habita nos louvores do Seu povo (ver Salmos 22:3). Ele está confortável no meio dos nossos doces louvores, mas não está confortável no meio das nossas atitudes amargas.

Estou encorajando-o a fazer um inventário da sua vida interior porque aí é o lugar da habitação de Deus. Quando Deus costumava habitar em um tabernáculo portátil que os filhos de Israel carregavam pelo deserto, eles entendiam que o pátio interno era um lugar santo. Mas agora, no mistério do plano de Deus, somos como um tabernáculo portátil; vamos de um lugar para outro, e Deus habita dentro de nós. Ainda existe um pátio interno, um lugar santo, e um lugar santíssimo. O pátio externo é o nosso corpo, o lugar santo é a nossa alma, e o lugar santíssimo é o nosso espírito.

Quando examinamos a nossa vida interior, estamos olhando para solo santo, onde o Espírito de Deus quer fazer a Sua habitação. A nossa vida interior é algo que interessa a Deus mais seriamente do que a nossa vida exterior. É por isso que precisamos estar mais preocupados com a nossa vida interior do que com a nossa vida exterior. A nossa vida exterior reflete a nossa reputação diante das pessoas, mas a nossa vida interior determina a nossa reputação diante de Deus.

A Bíblia diz: "Isso tudo se verá no dia em que Deus julgar os segredos dos homens, mediante Jesus Cristo, conforme o declara o meu evangelho" (Romanos 2:16). Tudo que fazemos passará pelos olhos de fogo no Dia do Juízo, e tudo que não for feito com uma motivação totalmente pura será destruído! Queimado! Desaparecerá!

> O dia do Senhor, porém, virá como ladrão. Os céus desaparecerão com um grande estrondo, os elementos serão desfeitos pelo calor, e a terra, e tudo o que nela há, será desnudada. Visto que tudo será assim desfeito, que tipo de pessoas é necessário que vocês sejam? Vivam de maneira santa e piedosa, esperando o dia de Deus e apressando a sua vinda. Naquele dia os céus serão desfeitos pelo fogo, e os elementos se derreterão pelo calor. Todavia, de acordo com a sua promessa, esperamos novos céus e nova terra, onde habita a justiça. Portanto, amados, enquanto esperam estas coisas, empenhem-se para serem encontrados por ele em paz, imaculados e inculpáveis (2 Pedro 3:10-14).

Essa passagem deveria invocar um temor reverente e um assombro em nós. É uma perda de tempo procurar impressionar as pessoas; o que importa é o que Deus pensa a nosso respeito. Devíamos passar o nosso tempo fazendo coisas que têm um valor eterno, coisas que são inspiradas por motivos retos e puros.

O QUE EXISTE DENTRO DE VOCÊ?

As nossas vidas podem ser pacotes lindamente embrulhados com nada dentro. A nossa vida exterior pode ter uma boa aparência, mas a nossa vida interior pode ser seca e vazia. Podemos parecer espirituais por fora, mas não ter poder algum no nosso interior, se não permitirmos que o Espírito Santo faça o Seu lar no nosso coração.

À medida que nos submetermos ao senhorio de Cristo no mais íntimo do nosso ser, veremos a Sua justiça, a Sua paz e a Sua alegria no Espírito Santo se levantar dentro de nós para nos revestir de poder para uma vida abundante (ver Romanos 14:17).

O Salmo 45:13 diz: "A filha do rei está esplendente lá dentro do palácio; as suas vestes são entretecidas de ouro" (AA). Deus coloca o Espírito Santo dentro de nós para trabalhar na nossa vida interior: nossas atitudes, nossas reações e nossos objetivos. Por intermédio da Sua obra em nós, a nossa vida interior pode ser testada e refinada para se tornar um ambiente onde o Senhor se sinta confortável em habitar.

Quando eu não sabia muito sobre a minha vida interior, eu não era uma cristã muito feliz. Mas agora o Espírito Santo age mais ou menos como um guarda de trânsito dentro de mim. Quando faço as coisas certas, recebo uma luz verde dele, e quando faço coisas erradas, recebo uma luz vermelha. Se estiver prestes a me meter em problemas, mas ainda não tomei totalmente a decisão de seguir em frente, recebo um aviso de atenção.

Quanto mais paramos e pedimos direção a Deus, tanto mais sensíveis nos tornamos aos sinais internos do Espírito Santo. Ele não grita nem berra conosco; Ele simplesmente sussurra, "Ei, psiu, eu não faria isso se fosse você". Ele sempre nos conduzirá à vida e à paz interior, se nos rendermos a Ele.

Romanos 7:6 explica isso desta forma: "Mas agora, morrendo para aquilo que antes nos prendia, fomos libertados da Lei, para que sirvamos conforme o novo modo do Espírito, e não segundo a velha forma da Lei escrita."

Desde aquele dia em que Deus me disse para olhar para dentro, no meio de uma experiência comum em um dia comum, Deus começou a me revelar uma verdade bíblica vital. Tal verdade é esta: *Somos a habitação de Deus*. Creio que é necessário que cada um de nós entenda esta verdade a fim de desfrutar de uma comunhão íntima com Deus.

O apóstolo Paulo nos diz em 1 Coríntios 6:19-20:

> Acaso não sabem que o corpo de vocês é santuário do Espírito Santo que habita em vocês, que lhes foi dado por Deus, e que vocês não são de si mesmos? Vocês foram comprados por alto preço. Portanto, glorifiquem a Deus com o seu próprio corpo.

Por que Deus iria querer viver em nós? E como Ele pode fazer isso? Afinal, Ele é santo, e nós somos carne humana fraca com fragilidades, falhas e fracassos.

A resposta é simplesmente esta: Ele nos ama e *escolhe* fazer a Sua habitação em nós. Ele faz isso porque Ele é Deus — Ele tem a capacidade de fazer o que quer, e Ele escolhe fazer a Sua habitação no nosso coração. Essa eleição ou escolha não se baseia em nenhuma boa ação que tenhamos feito ou que poderíamos fazer, mas unicamente na graça (ou poder), misericórdia e eleição (ou escolha) de Deus. Nós nos tornamos a casa de Deus quando cremos em Cristo (como Deus nos diz na Bíblia para fazermos) a fim de nos tornarmos o lugar da Sua habitação.

Jesus explicou por que algumas pessoas nunca experimentam intimidade com Deus, dizendo: "E o Pai que me enviou, ele mesmo testemunhou a meu respeito. Vocês nunca ouviram a sua voz, nem viram a sua forma, nem a sua palavra habita em vocês, pois não creem naquele que ele enviou. Vocês estudam cuidadosamente as Escrituras, porque pensam que nelas vocês têm a vida eterna. E são as Escrituras que testemunham a meu respeito; contudo, vocês não querem vir a mim para terem vida" (João 5:37-40).

Devemos simplesmente crer que o sacrifício de Jesus pelos nossos pecados foi suficiente para nos permitir a entrada na presença de Deus. Deus fixa residência dentro de nós quando entregamos a nossa vida a Jesus por crermos nele como único Salvador e Senhor. A partir dessa posição, pelo poder do Espírito Santo, Ele inicia uma obra maravilhosa em nós. Essa verdade é tão tremenda que é difícil para as nossas mentes finitas captarem e crerem nela.

UM NOVO CORAÇÃO E UM NOVO ESPÍRITO

Ezequiel 36 contém a promessa de Deus por intermédio da boca do profeta de que viria o dia em que Ele daria às pessoas um novo coração e colocaria o Seu Espírito *dentro* delas.

> Darei a vocês um coração novo e porei um espírito novo em vocês; tirarei de vocês o coração de pedra e lhes darei um coração de carne. Porei o meu Espírito em vocês e os levarei a agirem segundo os meus decretos e a obedecerem fielmente às minhas leis (Ezequiel 36:26-27).

Como temos visto, sob a velha aliança o Espírito Santo estava com as pessoas e vinha sobre as pessoas para realizar propósitos especiais, mas Ele não vivia dentro delas. Deus habitava em um tabernáculo feito por mãos humanas durante aquela dispensação. Mas sob a nova aliança, assinada e selada com o sangue de Jesus Cristo (ver Hebreus 13:20), Ele não pretende habitar mais em um tabernáculo feito por mãos humanas, mas no coração dos homens que lhe entregaram suas vidas.[1]

Ninguém podia nascer de novo e se tornar um lugar de habitação para o Espírito de Deus até que Jesus morreu e ressuscitou dos mortos. Ele é chamado "... o primogênito de muitos irmãos" (Romanos 8:29). Depois que Jesus ressuscitou, Ele apareceu primeiro aos Seus discípulos, que estavam escondidos atrás de portas fechadas por medo dos judeus. Quando Ele lhes declarou a paz e depois soprou sobre eles e disse: "Recebam o Espírito Santo!" (João 20:22), foi nesse momento que os discípulos nasceram de novo ou nasceram do Espírito. Eles tiveram um despertar espiritual, por assim dizer.

Esse evento marcou um novo começo para eles; mas ainda restava uma obra a ser feita neles para prepará-los adequadamente para o serviço no Reino de Deus. A Palavra de Deus explica:

> Mas agora, abandonem todas estas coisas: ira, indignação, maldade, maledicência e linguagem indecente no falar. Não mintam uns aos outros, visto que vocês já se despiram do velho homem com suas práticas e se revestiram do novo, o qual está sendo renovado em conhecimento, à imagem do

seu Criador. Nessa nova vida já não há diferença entre grego e judeu, circunciso e incircunciso, bárbaro e cita escravo e livre, mas Cristo é tudo e está em todos (Colossenses 3:8-11).

SANTIFICADOS E FEITOS SANTOS

De acordo com João 16:13-15, o Espírito Santo nos guia a toda a verdade. Tudo que o Pai tem pertence a Jesus, e Jesus transmite essa herança a nós. O Espírito Santo recebe de Jesus tudo que pertence a Jesus e o transmite a nós.

Em 1 Pedro 1:2, também nos é dito que somos santificados pelo Espírito Santo. Ser santificado é ser separado para um propósito sagrado. De acordo com o *Dicionário Vine de Palavras do Antigo e Novo Testamento,* a palavra *santificação* é definida como "(*a*) separação para Deus" e "(*b*) o curso da vida beneficiando os que assim foram separados". É "esse relacionamento com Deus no qual os homens entram pela fé em Cristo, e para o qual o seu único título é a morte de Cristo".

O Dicionário Vine prossegue explicando: "Santificação também é usada no NT [Novo Testamento] com relação à separação do crente das coisas e caminhos maus. Essa santificação é a vontade de Deus para o crente... e o Seu propósito de chamá-lo por meio do evangelho... ela deve ser aprendida de Deus... como Ele a ensina pela Sua Palavra... e deve ser buscada pelo crente, sinceramente e sem se desviar... Pois o caráter santo, *hagiosune*... não é vicário, isto é, não pode ser transferido ou imputado, ele é um bem individual, edificado, pouco a pouco, em resultado da obediência à Palavra de Deus, e de se seguir o exemplo de Cristo... no poder do Espírito Santo. O Espírito Santo é o Agente da santificação".[2]

Como o Dicionário Vine deixa implícito aqui, a palavra *santificação* é um sinônimo da palavra *santidade.*

Quando recebemos Cristo como Salvador, Jesus vem viver em nós pelo poder do Espírito Santo, e a nossa vida começa a mudar.

Como? Vemos em 1 João 3:9: "Todo aquele que é nascido de Deus não pratica o pecado, porque a semente de Deus permanece nele; ele não pode estar no pecado porque é nascido de Deus." Jesus vem como uma Semente de tudo que Deus Pai é. Então quando nascemos de novo aceitando Jesus como nosso Salvador, a santidade é plantada em nós como uma semente e continua a crescer em direção à plenitude e a dar fruto à medida que trabalhamos com o Espírito Santo, que está constantemente nos transformando à imagem de Jesus Cristo.

O ESPÍRITO SANTO NOS TRANSFORMA

> E todos nós, que com a face descoberta contemplamos a glória do Senhor, segundo a sua imagem estamos sendo transformados com glória cada vez maior, a qual vem do Senhor, que é o Espírito (2 Coríntios 3:18).

Dessa passagem aprendemos que tanto a Palavra de Deus quanto o poder do Espírito Santo são necessários para que os crentes sejam transformados em representantes adequados de Jesus Cristo.

Todos nós que viemos a Cristo precisamos mudar. Podemos e deveríamos desejar essa mudança, mas não podemos mudar a nós mesmos. Precisamos depender inteiramente do poder do Espírito Santo para realizar a mudança necessária. Existe, é claro, uma obra de cooperação que nós, crentes, precisamos realizar, mas nunca devemos esquecer-nos de que o Espírito Santo é o Agente do processo de santificação. Em outras palavras, a santidade é impossível sem o Espírito Santo.

Devo confessar que, na minha ignorância, houve muitos anos em que busquei a Deus diligentemente pelo Seu poder. Eu queria ver sinais, maravilhas e milagres e ter autoridade sobre espíritos malignos e fazer coisas grandes e poderosas em nome de Jesus; mas eu era uma cristã "apenas na aparência". Eu era uma cristã batizada no espírito há pelo menos 10 anos quando comecei a entender alguma coisa sobre a vida interior. Então, Deus começou a me ensinar que o Seu reino está dentro de mim. À medida que permiti que Jesus governasse a minha vida interior, comecei a ver mais poder na minha vida exterior.

Os discípulos de Jesus também não entendiam muito o que Ele estava querendo dizer sobre o Seu reino. Eles sempre pensavam que Ele iria estabelecer um reino na terra e que todos eles seriam governantes no Seu novo governo.

"Certa vez, tendo sido interrogado pelos fariseus sobre quando viria o Reino de Deus, Jesus respondeu: O Reino de Deus não vem de modo visível, nem se dirá: 'Aqui está ele', ou 'Lá está'; porque o Reino de Deus está entre vocês" (Lucas 17:20-21).

Em Romanos 14:17-19, o apóstolo Paulo explica o reino um pouco mais: "Pois o Reino de Deus não é comida nem bebida, mas justiça, paz e alegria no Espírito Santo; aquele que assim serve a Cristo é agradável a Deus e aprovado pelos homens. Por isso, esforcemo-nos em promover tudo quanto conduz à paz e à edificação mútua."

O reino de Deus está dentro de nós, e se quisermos desfrutar a presença de Deus, precisamos deixar Jesus ser Senhor sobre a nossa vida interior por meio do poder do Espírito Santo. Se fizermos de Jesus o Senhor da nossa vida, devemos permitir que Ele governe sobre a totalidade desse reino que está dentro de nós. O Seu Espírito sempre nos conduzirá àquilo que traz paz e edificação mútua aos que nos cercam.

O fato de que o Espírito Santo vive em nós, crentes, é em si mesmo prova da Sua disposição de estar sempre disponível para nos ajudar quando precisamos dele. Aqueles que desejam a santidade ainda passarão pela tentação, mas graças a Deus, Ele nos deu o Seu Espírito para nos capacitar a resistir a ela e a fazer escolhas certas. Mudamos gradualmente, pouco a pouco, ou como 2 Coríntios 3:18 declara: "... de glória em glória." Enquanto essas mudanças estão ocorrendo, ainda cometemos erros, e o perdão de Deus está sempre disponível a nós por intermédio de Jesus Cristo. Receber esse perdão realmente nos fortalece e nos capacita a continuar seguindo em frente para novos níveis de santidade ou um comportamento melhor.

O perdão nos liberta e limpa o nosso coração da contenda, do egoísmo e do descontentamento. Quando nos tornamos cientes da presença do Senhor no nosso coração, não queremos mais nos aferrar a atitudes que não procedem de Deus. Deus subjuga o poder do pecado em nós e trabalha para nos transformar, à medida que colocamos a nossa mente nas coisas que gratificam o Espírito Santo e as buscamos.

Quando nos sentimos derrotados e condenados por cada erro que cometemos, isso nos enfraquece. Em vez de usar a nossa energia espiritual para nos sentirmos mal conosco mesmos, devemos usá-la para avançar a novos níveis em Deus. Qualquer crente que tem a atitude certa no coração para com Deus continuará a seguir em direção à perfeição, mas nenhum de nós chegará totalmente à perfeição enquanto estivermos vivendo em um corpo de carne e osso no mundo presente.

Recentemente, eu estava me sentindo mal por causa de uma atitude errada que havia tomado. Peguei um livro que estava lendo, e meus olhos caíram sobre estas palavras: "Existe 100% de chances de você cometer um erro hoje." Essas palavras lembraram-me de que Jesus morreu por pessoas exatamente como eu, pessoas que têm o coração voltado para fazer o que é certo, mas que nem sempre têm êxito.

Deus, em Sua graça e misericórdia, fez provisão para os nossos pecados (erros, falhas, fraquezas, enfermidades e fracassos). Essa provisão é o perdão. Quando você falhar, receba o perdão de Deus, mas não pare de procurar melhorar.

AS TRÊS PESSOAS DA TRINDADE

Jesus disse aos Seus discípulos que quando partisse, o Pai enviaria outro Consolador, o Espírito Santo, que viveria neles, aconselhando, ensinando, ajudando, fortalecendo, intercedendo, realizando as funções de um advogado, convencendo do pecado e também da justiça. O Espírito Santo teria comunhão íntima com eles, os conduziria a toda a verdade e lhes transmitiria tudo que era deles como coerdeiros com Jesus Cristo (ver João 16:7-15; Romanos 8:17).

Deus jamais esperaria que fizéssemos qualquer coisa sem nos dar o que precisamos para isso. Precisamos do Espírito Santo, e Deus o deu a nós. Tudo que é bom vem de Deus, que é a Fonte de "... toda boa dádiva" (ver Tiago 1:17), por meio do sacrifício de Seu Filho Jesus Cristo, e é administrada a nós pelo Espírito Santo.

A Santa Trindade, que é Deus em três Pessoas, é um conceito que nossas mentes finitas não podem captar com facilidade. Não funciona de forma matemática; não obstante, é a verdade. Servimos a um Deus, que é o único Deus verdadeiro, mas Ele ministra a nós em três Pessoas — Deus Pai, Jesus Cristo, o Filho, e o Espírito Santo.

Como temos visto, tudo que precisamos de Deus Pai vem por intermédio de Jesus Cristo, o Filho, e é administrado pelo Espírito Santo. Menciono novamente este ponto para enfatizar o quanto é importante não apenas conhecer Deus, o Pai, e Jesus, Seu Filho, mas também conhecer o Espírito Santo pessoalmente e ter íntima comunhão com Ele.

A prova bíblica da Trindade está em muitos lugares da Bíblia. Por exemplo, Gênesis 1:26 diz: "Então disse Deus: 'Façamos o homem à nossa imagem, conforme a nossa semelhança.'" Nesse versículo, Deus não está se referindo a si mesmo como "Eu" e "Meu", mas como "Nós" e "Nosso". Vemos a Trindade em Mateus 3:16-17, no batismo de Jesus, quando o Espírito Santo desceu como uma pomba, e ao mesmo tempo uma voz (a voz do Pai) desceu do céu dizendo: "Este é o meu Filho amado, em quem me agrado" (v. 17). Em João 14:16, Jesus disse aos Seus discípulos: "E eu pedirei ao Pai, e ele lhes dará outro Conselheiro."

Em Mateus 28:19, Jesus disse aos discípulos que eles batizassem em nome do Pai, e do Filho e do Espírito Santo. A bênção apostólica encontrada em 2 Coríntios 13:14 diz: "A graça do Senhor Jesus Cristo, o amor de Deus e a comunhão do Espírito Santo sejam com todos vocês."

Quando Jesus morreu na cruz, Ele estava confiando que Deus o ressuscitaria dos mortos, o que Deus fez — pelo poder do Espírito Santo. Essa verdade é apresentada em Romanos 8:11.

Com base nessas e em outras passagens, é impossível negar a existência concomitante das três Pessoas da Santa Trindade. Sim, a Trindade é um fato bíblico, e é tempo de o Espírito Santo receber o lugar de honra em nossas vidas que lhe é devido. Ele tem sido ignorado por tempo demais e por pessoas demais. Que Ele possa perdoar-nos pela nossa ignorância e negligência para com Ele.

CONHEÇA O ESPÍRITO SANTO

É a revelação e a obra da Pessoa do Espírito Santo que estou procurando colocar em evidência neste livro. Abordo este assunto com temor e tremor, pois como carne humana pode escrever sobre o tema do Espírito Santo com precisão, a não ser que o próprio Espírito Santo seja o Líder do projeto? Portanto, peço sabedoria e direção do Auxiliador (o Espírito Santo) e dependo inteiramente dele para trazer a revelação a respeito dele mesmo a você por intermédio deste livro.

É meu desejo que você entenda o ministério do Espírito Santo, para que possa valorizá-lo, cooperar com ele e — por intermédio dele — entrar em um novo nível de *intimidade com Deus*, um nível que o conduza ao Seu bom plano para a sua vida.

O poder externo só vem da pureza interior, e essa purificação interior (ou santificação) é uma obra do Espírito Santo que habita em nós. Ele quer enchê-lo com a Sua presença, dar-lhe o poder para viver a vida abundante que está disponível por intermédio da fé em Jesus Cristo.

Esteja disposto a fazer um inventário sério do que está se passando na sua vida interior. Não do que está acontecendo nas circunstâncias relacionadas à sua casa, não do que está acontecendo na sua conta bancária, não do que está acontecendo no seu casamento ou ministério, mas do que está acontecendo dentro de você. Permita que o Espírito Santo o conduza à Sua perfeita paz.

4

Viva Debaixo da Nova Aliança

Quando Adão e Eva estavam no Jardim do Éden com Deus antes de caírem em pecado, eles tinham comunhão e intimidade com Ele; estavam vivos espiritualmente.[1] O espírito deles, alerta à presença de Deus, era o líder de seu corpo e de sua alma.[2] Eles foram advertidos de que se desobedecessem a Deus, morreriam (ver Gênesis 2:16-17). Não foi da morte física que foram avisados, mas da morte espiritual.[3]

Quando Adão e Eva desobedeceram, de repente entenderam a magnitude da santidade de Deus. Envergonhados da sua própria natureza pecaminosa, esconderam-se dele. Eles conheceram Deus como um amigo; andaram ao lado dele e falaram com Ele face a face. Mas agora tinham medo dele — como se Ele fosse um fogo consumidor.

O pecado não pode sobreviver na presença da santidade de Deus, por isso quando Adão e Eva ouviram o som do Senhor andando no jardim, eles instintivamente quiseram esconder a vergonha da sua nudez. Mesmo diante da sua desobediência, Deus demonstrou a

Sua compaixão por eles fazendo-lhes vestes de peles de animal para cobrir a sua nudez, marcando a primeira morte e o primeiro sacrifício de sangue para cobrir a consequência do pecado (ver Gênesis 3:9-21).

Teria sido trágico para Adão e Eva se esconderem de Deus por toda a eternidade, então Gênesis 3:22-24 explica que Deus os expulsou do Éden para que não comessem da árvore da vida e não tivessem de viver para sempre naquele estado, separados de Deus pelo pecado.

As vidas de Adão e Eva viraram de cabeça para baixo. Eles passaram a ser governados pela alma e pelo corpo, e estavam espiritualmente mortos, não sendo mais sensíveis à presença íntima de Deus.

Permanecemos em um estado de separação de Deus até que aceitamos a obra substitutiva de Jesus Cristo, e por meio da fé o recebemos como nosso Salvador. Com os nossos pecados perdoados, já não estamos mais separados da presença de Deus; somos livres para desfrutar de uma amizade íntima com o nosso Criador como Ele planejou desde o princípio. Mas agora, Deus não escolhe nos encontrar nos nossos jardins no fim de cada dia. Ele não escolhe viver em uma montanha próxima, onde podemos ir visitá-lo apenas quando Ele nos convida. Ele não escolhe viver em uma tenda da congregação como fez com Moisés quando os filhos de Israel viajavam pelo deserto. E Ele não escolhe viver em um tabernáculo feito pelas nossas mãos.

Quando aceitamos a Cristo, o Espírito Santo vem habitar *dentro* de nós (ver João 14:20). Deus escolhe mudar-se para o nosso espírito — a parte central das nossas vidas — onde Ele pode estar mais próximo de nós do que qualquer coisa viva. Quando o Espírito Santo de Deus se muda para o nosso espírito humano, o nosso espírito é preparado como um lugar de habitação para Deus (ver 1 Coríntios 3:16-17) e é feito santo porque Deus está ali.

Esse estado de santidade no qual nós, crentes, somos colocados, é então trabalhado na nossa alma e no nosso corpo para ser visto na nossa vida diária. Ele ocorre como um processo, e as fases de mudanças pelas quais passamos realmente passam a ser o nosso testemunho para aqueles que nos conhecem.

Gênesis, capítulo 3, nos diz como Eva foi enganada por Satanás e como convenceu Adão a se unir a ela na desobediência. Os seus atos de desobediência fizeram Deus, na Sua misericórdia, imediatamente executar um plano para a redenção da Sua criação. Ele compraria o Seu povo de volta do cativeiro do pecado e o colocaria em uma posição para desfrutar novamente a Sua presença e viver vidas santas (ver Atos 20:28; 1 Coríntios 6:20).

Ao longo de milhares de anos, Deus executou o Seu plano. Embora Ele estivesse esperando pelo tempo determinado da chegada de Jesus, o Espírito Santo estava *com* o homem. O homem sabia diferenciar o certo do errado porque Deus lhe dera a Lei. A Lei era santa e perfeita, mas o homem não era perfeito e, portanto, não podia guardar a Lei com perfeição. Durante esses anos, quando o homem tinha de fazer sacrifícios pelos seus pecados, ele jamais poderia ser liberto da consciência do pecado. Ele estava sempre ciente de ser um pecador, o que lhe trazia condenação e culpa.

A Lei dada a Moisés fez provisão para a humanidade para cobrir os seus pecados por intermédio dos sacrifícios do sangue de touros e bodes, mas os pecados deles jamais poderiam ser removidos completamente (ver Hebreus 10:1-14).

Deus nunca deu a Lei esperando que o homem a cumprisse, mas sim para torná-lo ciente da sua posição pecaminosa e impotente, e da sua necessidade desesperadora de um Salvador (ver Romanos 5:20). Veja, não receberemos nada que não cremos que necessitamos. Deus tinha o Seu Filho preparado como um sacrifício a ser recebido pela fé por aqueles que creem, mas o Espírito Santo também precisava vir e trabalhar nas vidas dos incrédulos para convencê-los do pecado e da necessidade deles de um Libertador.

Antes de as pessoas aceitarem a Cristo como Salvador, elas precisam ser convencidas da sua necessidade de um Salvador. Algumas pessoas são convencidas muito antes que outras. É triste dizer que algumas nunca se convencem, e muitas outras desperdiçam a maior parte de suas vidas querendo salvar-se antes de finalmente se renderem a Jesus.

O Espírito Santo trabalha nas vidas dos incrédulos para torná-los conscientes ou cientes do seu estado pecaminoso e da sua necessidade de salvação. Quando eles aceitam Jesus como seu Salvador, esse aspecto do trabalho dele está concluído. Então, Ele vem viver dentro deles para ajudá-los de todas as maneiras que precisem. Essa ajuda inclui o processo de santificação, que significa ser liberto do pecado e separado para um propósito especial, mas não se limita a ele.

Quando Jesus morreu, Ele foi o perfeito Cordeiro de Deus, o sacrifício final que jamais necessitaria ser refeito (ver João 1:29; Hebreus 7:26-27). Daquele momento em diante, todos os que acreditassem e confiassem nele para a sua salvação poderiam ter uma consciência íntegra e desfrutar a presença de Deus. Eles poderiam ter comunhão e intimidade com Deus, como Adão e Eva tinham antes de pecar.

NÃO HÁ MAIS SACRIFÍCIO PELO PECADO!

> *Mas quando este sacerdote acabou de oferecer, para sempre, um único sacrifício pelos pecados, assentou-se à direita de Deus...* Onde esses pecados foram perdoados, não há mais necessidade de sacrifício por eles (Hebreus 10:12-18, grifos da autora).

Que boa notícia! Não são necessários mais sacrifícios para fazer expiação pelos pecados. Agora podemos nos voltar para Jesus Cristo, o sacrifício definitivo e válido por todos os tempos, e receber *continuamente* perdão e cancelamento da penalidade do pecado.

Na velha aliança, o sumo sacerdote entrava uma vez por ano no Santo dos Santos onde Deus se encontrava com ele no trono de misericórdia. Ele pegava o sangue de touros e bodes e o sacrificava para fazer expiação pelos próprios pecados e pelos pecados do povo (ver Hebreus 9:7).

Mas assim que esse ritual era realizado, a conta de pecados começava a somar novamente para o ano seguinte. Isto seria como trabalhar o ano inteiro para pagar as dívidas do Natal do ano passado, e logo depois de pagar a última conta, voltar a fazer dívidas para o Natal deste ano. Você só ficava sem dívidas por alguns minutos. Deveria ser terrível nunca poder escapar do sentimento de culpa e condenação.

Aqueles que estavam debaixo da velha aliança acreditavam na vinda de um Messias que os libertaria de todos os seus pecados, mas nunca viram realmente o resultado da sua fé, exceto nos seus corações.[4] Eles trabalhavam continuamente para tentar agradar a Deus.

CRENTES DA NOVA ALIANÇA QUE AINDA VIVEM DEBAIXO DA VELHA ALIANÇA

> Não se amoldem ao padrão deste mundo, mas transformem-se pela renovação da sua mente, para que sejam capazes de experimentar e comprovar a boa, agradável e perfeita vontade de Deus (Romanos 12:2).

Embora um novo e vivo caminho tenha nos sido oferecido em virtude da morte sacrificial de Jesus Cristo e da Sua ressurreição (ver Hebreus 10:19-20), muitos que creem em Cristo ainda se mantêm debaixo do sistema da velha aliança. Eles ainda continuam aprisionados nas obras da carne, que é querer alcançar Deus pelas boas obras.

Não temos mais de querer alcançar Deus. Ele nos alcançou e tomou posse de nós por intermédio de Jesus Cristo. Deus não pode aproximar-se mais de nós do que oferecendo-se para viver dentro de nós, no nosso espírito ou no nosso coração.

Aceitei Jesus como meu Salvador aos 9 anos de idade. Tomei consciência do meu estado pecaminoso e busquei o perdão de Deus por meio de Jesus. Embora tivesse nascido do Espírito, eu nunca soube disso. Eu não recebia ensinamentos sobre isso, e assim continuava vivendo em trevas em minhas experiências diárias, embora a Luz estivesse vivendo em mim.

Quando jovem, eu ia à igreja fielmente, fui batizada, frequentava aulas de confirmação e fazia tudo que entendia ser necessário, mas nunca desfrutei de comunhão e intimidade com Deus. Creio que existem multidões nessa situação hoje, e tem sido assim ao longo dos séculos.

Jesus não morreu para nos dar religião; Ele morreu para nos dar um relacionamento pessoal com Deus por Seu intermédio e pelo poder do Espírito Santo que Ele enviaria para habitar em cada crente.

Nasci do Espírito, mas ainda me faltava revelação do que eu possuía. As pessoas podem ser ricas, mas se acreditarem que são pobres, sua experiência não será diferente da experiência de outros cujas vidas são cheias de pobreza. Se as pessoas têm uma grande herança, mas não sabem disso, não podem gastá-la.

Romanos 12:2 nos informa que Deus tem um plano em mente para nós. A vontade dele para nós é boa, perfeita e agradável, mas precisamos renovar completamente a nossa mente antes de experimentarmos essa boa coisa que Deus planejou (ver vs. 1-2). Renovamos a nossa mente, adotamos uma nova atitude e novos ideais, estudando a Palavra de Deus. A Sua Palavra é a verdade (ver João 17:17) e expõe todas as mentiras de Satanás nas quais acreditávamos e que nos enganaram.

Adão e Eva acreditaram na mentira de Satanás de que havia algo fora da provisão de Deus que os satisfaria (ver Gênesis 3:1-7). Podemos cometer esse mesmo erro até aprendermos que *nada* pode nos satisfazer profundamente exceto a presença do Deus Todo-Poderoso.

Nosso contentamento não pode depender do nosso cônjuge. Nossa alegria não pode vir dos nossos filhos, ou dos nossos amigos, ou daqueles que trabalham conosco. As pessoas inevitavelmente nos decepcionarão, porque Deus nos criou para ter comunhão com Ele, e nada satisfará esse anseio a não ser Ele.

Mas Satanás ainda nos sussurra mentiras dizendo: "Ah!, isto fará você feliz. É disto que você precisa." Então, gastamos toda a nossa energia implorando a Deus por *isto*. Não posso sequer contar as vezes que pensei: *Ah, é disto que eu preciso, Senhor!* E depois eu dedicava todas as minhas energias espirituais, minhas orações e meu estudo buscando receber o que desejava.

Às vezes, os desejos do nosso coração podem até parecer nobres. Durante anos, quis que o meu ministério crescesse. Quando isso não aconteceu, fiquei frustrada e insatisfeita. Jejuei, orei e tentei tudo que sabia para fazer com que mais pessoas fossem às minhas reuniões.

Lembro-me de reclamar quando Deus não me dava o crescimento que eu queria, e isso me deixava angustiada na maior parte do tempo. Eu fazia uma reunião, mas todos se atrasavam, ninguém estava empolgado e, às vezes, a frequência era a metade da vez anterior. Então, eu saía da reunião questionando: "O que estou fazendo de errado, Senhor? Por que Tu não estás me abençoando? Estou jejuando. Estou orando. Estou dando e acreditando. Tu vês todas as minhas boas obras, e não Te moves em meu favor."

Eu estava tão frustrada que achava que ia explodir. Perguntei:

— Deus, por que estás fazendo isto comigo?

Ele disse:

— Joyce, estou lhe ensinando que o homem não vive apenas de pão.

Eu sabia que Deus me falava com base na Bíblia, mas naquela época eu não tinha familiaridade suficiente com ela para saber onde podia encontrar essa passagem. Eu sabia que Ele falara a Sua Palavra, uma palavra *rhema* (uma mensagem pessoal e individual) para mim. Então, procurei nas Escrituras a fim de obter maiores explicações, mas não gostei do que encontrei. Deuteronômio 8:2-3 diz:

> Lembrem-se de como o Senhor, o seu Deus, os conduziu por todo o caminho no deserto, durante estes quarenta anos, para humilhá-los e pô-los à prova, a fim de conhecer suas intenções, se iriam obedecer aos seus mandamentos ou não. Assim, ele os humilhou e os deixou passar fome. Mas depois os sustentou com maná, que nem vocês nem os seus antepassados conheciam, para mostrar-lhes que nem só de pão viverá o homem, mas de toda palavra que procede da boca do Senhor.

Deus queria que os meus desejos fossem unicamente por mais dele. O Senhor me disse: "Qualquer coisa que você precise ter além de mim para ser satisfeita é algo que o diabo pode usar contra você."

Não é que não devemos querer as coisas; Deus simplesmente não quer que as coloquemos na frente do nosso desejo por Ele. Ele quer que encontremos um lugar nele onde estejamos vivendo na Sua presença manifesta e estejamos satisfeitos com o próprio Deus. Ele exige o primeiro lugar em nossas vidas. Considere 1 João 5:21 na versão *Amplified* da Bíblia:

> Filhinhos, guardem-se dos ídolos — [de qualquer coisa e de tudo que ocupe o lugar nos seus corações que é devido a Deus, de qualquer espécie de substituto para Ele que ocupe o primeiro lugar em suas vidas] (tradução da AMP).

A NOVA ALIANÇA TEM TUDO QUE VOCÊ PRECISA

Colossenses 3:1 nos diz "... procurem as coisas que são do alto, onde Cristo está." Os versículos 2 e 3 dizem: "Mantenham o pensamento nas coisas do alto, e não nas coisas terrenas. Pois... a sua vida está escondida com Cristo em Deus."

O que temos na nossa mente o dia inteiro? Em que estamos pensando o tempo todo? Se a nossa mente estiver voltada para os nossos problemas, então não estamos buscando a Deus. Se estivermos querendo descobrir como podemos fazer com que Deus faça determinada coisa para nós, então não o estamos buscando com um coração puro.

Isaías 49:8-10 profetiza a promessa de Deus de nos responder e de saciar o nosso anseio por Ele:

> Assim diz o Senhor: "No tempo favorável eu lhe responderei, e no dia da salvação eu o ajudarei; eu o guardarei e farei que você seja uma aliança para o povo, para restaurar a terra e distribuir suas propriedades abandonadas, para dizer aos cativos: Saiam, e àqueles que estão nas trevas: Apareçam!" Eles se apascentarão junto aos caminhos e acharão pastagem em toda colina estéril.

O versículo 10 é muito empolgante:

> Não terão fome nem sede; o calor do deserto e o sol não os atingirão. Aquele que tem compaixão deles os guiará e os conduzirá para as fontes de água.

Realmente, temos sede por mais de Deus, mas se não soubermos que é por Ele que ansiamos, podemos ser facilmente enganados. Satanás oferece uma miragem, como ele fez com Adão e Eva. Ele diz: "É disto que você precisa; isto vai satisfazê-lo." Mas se colocarmos a nossa mente em buscar a Deus — se dermos a Ele o primeiro lugar nos nossos desejos, pensamentos, conversas e escolhas — a nossa sede realmente será saciada, e não seremos enganados.

Davi expressou o seu anseio pelo Senhor no Salmo 42:1, dizendo: "Como a corça anseia por águas correntes, a minha alma anseia por ti, ó Deus." O versículo 2 na versão Almeida Atualizada diz: "A minha alma tem sede de Deus, do Deus vivo; quando entrarei e verei a face de Deus?"

Temos necessidades, e Deus diz: "Eis-me aqui. Eu tenho tudo que você precisa." Devemos buscar a Deus como um homem sedento no deserto. Em que um homem sedento pensa? Em nada a não ser água! Ele não está preocupado com nada mais, além de encontrar o que é necessário para saciar a sua sede.

Se estivermos à procura de coisas materiais ou de melhorar as circunstâncias ao nosso redor em vez de buscarmos a Deus, Satanás apresentará uma miragem para nos colocar no caminho errado. Mas se estivermos buscando a Deus, o diabo não poderá nos enganar, porque Deus prometeu que aqueles que o buscam de todo coração o encontrarão.

Deus diz: "O meu povo não será mais guiado por miragens, mas eles saberão me buscar, a Água Viva. Aqueles que vêm a mim nunca mais terão sede" (ver João 4:10,14, AMP).

Até que o nosso desejo por mais de Deus ocorra primeiro na nossa vida, o diabo terá uma porta para avançar lentamente contra nós. À medida que conhecermos a verdade, ele perderá a sua vantagem, e estaremos na posição de começar a fazer um progresso radical no nosso relacionamento e comunhão com Deus. A maioria de nós tentará praticamente tudo o mais antes de finalmente aprender que o que precisamos não é o que Deus pode nos dar, mas o próprio Deus. Esses momentos em geral representam anos de frustração e miséria, mas graças a Deus, porque o Seu Santo Espírito que habita em nós nos ensina e nos revela a verdade à medida que continuamos a estudar, a ler e a ouvir a Palavra de Deus.

> Disse Jesus aos judeus que haviam crido nele: "Se vocês permanecerem firmes na minha palavra, verdadeiramente serão meus discípulos. E conhecerão a verdade, e a verdade os libertará" (João 8:31-32).

Se for diligente em buscar a Deus, você o conhecerá de uma maneira mais profunda e mais íntima. Deus se revelará a você; Ele será encontrado por você. Quando Deus quiser manifestar-se, Ele o fará, portanto não fique frustrado querendo *encontrar* Deus. Simplesmente aprenda a esperar nele e orar: *Deus, revela-te a mim. Manifesta a Tua presença a mim.*

Deus manifesta a Sua presença de muitas maneiras. Às vezes, não podemos vê-lo, mas, como o vento, podemos ver a obra que Ele faz em nós. Se eu estiver cansada, esgotada, exausta, frustrada ou incomodada com alguma coisa, e sou renovada depois de passar tempo com Deus, então sei que o vento do Senhor soprou sobre mim.

Deus quer trazer refrigério para a sua vida, como um poderoso vento. Não seja atingido pela pobreza em sua alma quando a resposta está vivendo dentro de você. Se estiver ocupado demais para passar tempo com Deus, então faça alguns ajustes no seu estilo de vida. Não fique esgotado, angustiado, exausto e estressado quando existem tempos de refrigério disponíveis para você.

> Arrependam-se, pois, e voltem-se para Deus, para que os seus pecados sejam cancelados, para que venham tempos de descanso da parte do Senhor, e ele mande o Cristo, o qual lhes foi designado, Jesus (Atos 3:19-20).

Aprenda a se separar das atividades da vida para passar tempo com Deus como Jesus fazia. Digo às pessoas: "É melhor você se separar antes de desmoronar." Você não pode esperar que todos ao seu redor aprovem o tempo que precisa passar com Deus. Alguém sempre encontrará alguma coisa que acha que você deveria estar fazendo para ele ou ela.

Não procure substituir o tempo usado trabalhando para Deus pelo tempo passado na presença de Deus. Eu sentia orgulho de mim mesma porque tinha um trabalho na igreja, ia a todas as reuniões de oração e aconselhava as pessoas sobre os caminhos de Deus. Mas lembro-me exatamente de onde eu estava no dia em que Deus me disse: "Joyce, você trabalha *para* mim, mas não passa tempo nenhum *comigo.*"

Deste modo, decidi separar um tempo cada dia para passar com o Senhor. Quando comecei a ter esse tempo regular com o Senhor, meus filhos não estavam acostumados a me ver passar tempo longe deles.

Eles vinham até mim e reclamavam:

— Mamãe, você está sempre neste quarto.

— Não — eu dizia. — Eu não estou *sempre* neste quarto. Eu estou aqui por certo tempo, e quando terminar, vou sair.

— Mas por que você não sai e fala conosco? Por que você não vem fazer o nosso café da manhã?

Eu respondia:

—Vocês podem colocar cereal em uma tigela e derramar leite nela.

Agora, não estou dizendo que não devemos cuidar de nossas famílias e atender às necessidades delas. Mas naquela época da minha vida eu estava com muitos problemas, e sabia que alguma coisa tinha de ser feita a respeito. Eu não estava agindo muito bem. Eu não controlava o meu temperamento muito bem. Eu não estava atuando no fruto do Espírito, e precisava buscar a Deus.

Deste modo, finalmente disse aos meus filhos:

— Em vez de querer me tirar daqui, é melhor orarem para que eu fique aqui! É melhor me ajudarem a encontrar uma maneira de entrar neste quarto e passar tempo com Deus para que eu seja uma pessoa melhor. Vocês deveriam dizer: "Vou lavar a louça, mamãe! Vá para o seu quarto!"

Eu sabia que, se não passasse tempo com Deus, a minha família não gostaria muito de mim.

A carne não pode vencer a carne. Precisamos nos voltar para o Espírito Santo e confessar: "Não posso transformar a mim mesmo, Senhor, mas Tu podes me transformar. Vou buscar a Tua face. Preciso que sopres sobre mim como um vento impetuoso e tragas refrigério à minha vida."

Deus será encontrado por você quando o buscar de todo o coração. Você será renovado além de qualquer coisa que possa imaginar. Ele o encherá de paz e alegria. Mas sei pelo Espírito de Deus que você terá de podar algumas coisas da sua vida e abrir mais espaço para Ele no seu horário apertado.

Talvez você esteja fazendo coisas que poderia podar, coisas que não faz ideia por que está fazendo, para início de conversa. Você não gosta delas; talvez até se ressinta por ter de fazê-las. Talvez as deteste porque elas o esgotam, frustram e tiram a sua alegria — mas continua fazendo-as. É tempo de viver com propósito e fazer escolhas que o ajudem a conhecer a Deus mais intimamente.

Toda pessoa que aceita Cristo como Salvador inicia uma jornada; essa jornada leva a uma amizade íntima com Deus, e que jornada tremenda ela é!

Nível de Intimidade 2:

O Poder Transformador de Deus

A nossa cidadania, porém, está nos céus, de onde esperamos ansiosamente o Salvador, o Senhor Jesus Cristo. Pelo poder que o capacita a colocar todas as coisas debaixo do seu domínio, ele transformará os nossos corpos humilhados, tornando-os semelhantes ao seu corpo glorioso.

— FILIPENSES 3:20-21

5

"Não por Força Nem por Violência, mas pelo Meu Espírito"

Não por força nem por violência, mas pelo meu Espírito, diz o Senhor dos Exércitos.

ZACARIAS 4:6

Jamais teremos êxito em nada na vida exceto pelo poder do Espírito Santo. Trabalhar para adquirir bens ou fama só nos frustrará e nos cansará. Mas permitir que o Espírito Santo faça boas obras por intermédio de nós trará contentamento e profunda alegria para a nossa vida.

Em João 17:4-5, Jesus diz: "Pai, glorifica-me agora, pois eu te glorifiquei completando a obra que tu me deste para fazer" (paráfrase). Essa passagem tocou meu coração um dia e comecei a chorar. Pensei: *Oh!, Pai, se tão-somente eu puder comparecer diante de Ti no último dia, olhar-te nos olhos, e não ter de me envergonhar, mas poder dizer "Senhor, eu consegui. Com a Tua ajuda consegui chegar até o fim. Completei o que tu me deste para fazer."*

Entendi que a verdadeira alegria vem de ser um vaso vazio para o uso e a glória de Deus: deixar que Ele escolha aonde vai me levar, o que Ele fará comigo, quando Ele vai fazer isso — e não discutir a respeito do assunto. Uma coisa é estar disposto a fazer *tudo* para a glória de Deus (1 Coríntios 10:31); outra, inteiramente diferente, é estar disposto a fazer *qualquer coisa* para a glória de Deus.

O Espírito Santo vive dentro de nós e está trabalhando para nos ajudar a tirar a nossa mente de nós mesmos e dos nossos problemas. Devemos depositar os nossos problemas em Deus, uma vez que não podemos fazer nada a respeito deles de qualquer forma, e passar o nosso tempo fazendo alguma coisa por aqueles que nos cercam e que estão sofrendo, ou que têm necessidades que precisam ser atendidas. A presença do Senhor em nós nos ungirá para fazer boas coisas pelos outros com facilidade.

> Pois vocês são salvos pela graça, por meio da fé, e isto não vem de vocês, é dom de Deus; não por obras, para que ninguém se glorie. Porque somos criação de Deus realizada em Cristo Jesus para fazermos boas obras, as quais Deus preparou antes para nós as praticarmos (Efésios 2:8-10).

Anos atrás, quando comecei a andar em maior intimidade com o Senhor, eu costumava esperar por uma palavra de Deus para tudo que queria fazer — até que aprendi que o Seu Espírito *habita* em mim para fazer boas obras. Nos primeiros anos andando com Deus, estava em meu coração dar a uma mulher necessitada dez dólares (que poderiam comprar mais coisas do que hoje). Fiquei com esse desejo comigo por três semanas até que finalmente orei: *Pai, é realmente o Senhor me dizendo para dar o dinheiro a esta pessoa? Farei isso se for "realmente" o Senhor!*

Ele respondeu muito claramente: "Joyce, mesmo que não seja *realmente* eu, não ficarei zangado se você abençoar alguém!"

Um dos frutos do Espírito de Deus que vive dentro de nós é a bondade (ver Gálatas 5:22-23). Portanto, temos um desejo de ser bons para as pessoas. Deus disse a Abraão que iria abençoá-lo tanto que ele poderia distribuir bênçãos aos outros (ver Gênesis 12:2).

Imagine como seria glorioso chegar a um ponto em que vivêssemos simplesmente para amar a Deus e deixar que as boas obras fluíssem de nós diariamente.

Sempre existe alguém, em algum lugar, que precisa de uma palavra de encorajamento. Alguém precisa de uma babá. Alguém precisa de uma carona. O mundo está cheio de pessoas com necessidades. Permanecer na presença de Deus tira a nossa mente dos nossos problemas e a coloca nas necessidades dos outros; então Ele nos unge com poder para fazer boas obras para a Sua glória.

Se simplesmente pedirmos a Deus a cada dia para nos mostrar como abençoar alguém para a Sua glória, experimentaremos a alegria, o contentamento e a paz que ansiamos.

VOCÊ ESTÁ CHEIO DE SI?

Deus uma vez me disse: "Joyce, as pessoas são infelizes porque estão cheias de si mesmas." Se estivermos cheios de nós mesmos, estaremos preocupados com as nossas necessidades e desejos o tempo todo, em vez de pensar nas necessidades e desejos dos outros.

Costumo demonstrar nas minhas reuniões que quando estamos cheios de nós mesmos parecemos aos olhos dos outros como robôs que ficam andando e repetindo: "E eu? E eu? E eu?"

Mas se estivermos cheios de Deus, ficaremos tão felizes que não fará diferença alguma quais são as nossas circunstâncias. Se ficarmos cheios de Deus, a Sua vida de ressurreição se levantará dentro de nós e nos transformará à semelhança de Cristo. O apóstolo Paulo demonstrou que ele desejava ser cheio de Deus quando disse:

> Quero conhecer Cristo, o poder da sua ressurreição e a participação em seus sofrimentos, tornando-me como ele em sua morte para, de alguma forma, alcançar a ressurreição dentre os mortos (Filipenses 3:10-11).

Quando estamos cheios de nós mesmos, estamos cheios de morte e trevas. Quando estamos cheios de Deus, estamos cheios de vida e luz. Devemos orar como Paulo: *Oh, Deus, que eu possa conhecer-te e o poder da Tua ressurreição que me levanta dentre os mortos mesmo enquanto estou no corpo*. Orar assim nos impedirá de manipularmos as pessoas para fazerem o que queremos que elas façam, e de ter um ataque quando as coisas não saem do nosso jeito.

Acredite, eu era especialista em ter ataques, até que o Senhor me ensinou a confiar nele para tudo. Por exemplo, uma vez eu queria parar em certo lugar para comer a caminho de uma reunião.

Disse a Dave:

— Eu realmente gostaria de parar neste lugar, porque aqui eles têm bons sanduíches, sopa, salada e café. Vou trabalhar duro todo o final de semana, e gostaria de fazer uma boa refeição antes de mergulhar nisso. Gostaria realmente de fazer isso.

Mas Dave respondeu:

— Gostaria de levá-la, mas não vejo como isso será possível. Se eu fizer isso, vamos chegar lá atrasados, e preciso verificar as mesas das fitas. Existem muitas outras coisas que ainda preciso fazer para preparar tudo para a reunião.

Deus vinha tratando comigo sobre a importância de não ser egoísta e cheia de mim mesma. Deste modo, embora estivesse decepcionada, percebi que se apenas pensasse no que queria e não me importasse em nada com a necessidade e a responsabilidade de Dave de chegar à reunião cedo, eu ficaria infeliz. Eu tinha uma escolha: agir de acordo com a carne ou de acordo com o Espírito. Então, eu disse:

— Tudo bem, Dave. Entendo que você tem muitas coisas para fazer.

Mas dois, três, quatro anos antes, eu teria tido um ataque por não pararmos onde eu queria parar. Sei que Dave é um amante da paz, por isso se tivesse implicado e insistido, ele provavelmente teria me levado onde eu queria comer. Poderia ter vencido Dave, mas teria perdido com Deus. Precisamos aprender que conseguir as coisas do nosso jeito pode agradar à nossa carne, mas nem sempre agrada a Deus. Dar a alguém a possibilidade de conseguir as coisas do seu jeito pode ser o que irá agradar a Deus.

Costumava pensar que eu era a única pessoa que tinha alguma coisa para fazer quando chegávamos às nossas reuniões. Não entendia que Dave também enfrentava um prazo apertado. Dave finalmente ficou um pouco inflexível comigo um dia, quando eu estava me importando demais com o lugar onde íamos comer. (Não é impressionante os ataques que temos por causa de comida? Até aqueles que não comem muito têm alguns ataques bem feios por querer a comida do jeito que querem, quando querem!) Naquele dia, toda a nossa equipe ia sair para tomar café da manhã, mas tive de ficar para trás estudando, então queria que eles trouxessem alguma coisa para mim. Mas Dave disse:

— Eu realmente não acho que vamos ter tempo para fazer isso. Eu gostaria, mas não vou chegar à reunião a tempo de cuidar das fitas se fizer isso. Você não poderia comer frutas esta manhã?

Imediatamente, o meu "ataque de raiva" entrou em ação, e eu disse:

— Tudo bem! Pode me deixar aqui neste quarto de hotel e todos vocês saiam e se divirtam. Vou ficar aqui e me preparar para a reunião e morrer de fome!

Você já teve um ataque por algum motivo? Podemos ter ataques silenciosos ou podemos ter ataques em alto volume. Existem os ataques de beicinho, quando nós simplesmente nos fechamos dentro de nós mesmos. E há os ataques de "cabeça baixa", os ataques de "boca fechada", e os ataques do "Sr. e Sra. Rosto de Pedra". Ou podemos ter um ataque de suspiros para nos convencermos de que ninguém pensa em nós, embora façamos todo tipo de coisas boas pelos outros e eles nem se importam se vamos comer ou não.

Então, ali estava eu, tendo um ataque — até que Dave foi um pouco firme comigo. (Às vezes, precisamos que alguém seja um pouco firme conosco.) Dave disse:

— Oh, Joyce, todas as pessoas desta equipe não fazem outra coisa a não ser tentar facilitar as coisas para você.

Eu sabia que Dave estava certo, mas era difícil admitir.

Muitas vezes quando queremos as coisas do nosso jeito, nem sequer pensamos o que as pessoas que nos cercam estão passando. Todos têm as próprias situações para lidar. Todos têm coisas pelas quais estão passando. Se quisermos ser realmente felizes, precisamos deixar de viver envolvidos apenas conosco mesmos.

APRENDA A CONFIAR EM DEUS EM TODAS AS COISAS

Temos uma escolha, 1) tentar conseguir as coisas do nosso jeito, tendo ataques para manipular as pessoas, ou 2) fazer o que Deus quer que façamos, confiando nele para resolver tudo de acordo com o Seu plano perfeito para nós e para todos os demais que estejam envolvidos em nossas circunstâncias.

Dave costumava me dizer:

—Você quer parar de tentar me convencer? *Você* não vai conseguir me convencer. Deixe Deus me convencer caso eu precise ser convencido.

Eu tinha dificuldade em deixar Deus convencer qualquer pessoa de alguma coisa. Eu não tinha problemas em confiar em Deus para tentar convencer Dave, mas não tinha certeza de que podia confiar em Dave para *ouvir* a Deus. É difícil evitar tentar ajudar a Deus. Temos as nossas maneiras de cuidar das circunstâncias — e de todos que estão envolvidos com elas.

Mas a recompensa é grande para aqueles que aprendem a depender de Deus e a confiar nele para resolver todas as coisas para o seu próprio bem (ver Provérbios 3:5; Romanos 8:28). Aprender a confiar em Deus leva algum tempo, portanto, não desanime se você não conseguir abrir mão de cuidar de si mesmo nas próximas 24 horas. Entretanto, encorajo-o firmemente a começar a colocar em prática a confiança em Deus para cuidar de você e de todas as suas necessidades. Confiar nele para resolver as circunstâncias adversas em vez de usar o próprio poder e força trará uma alegria profunda e satisfatória à sua vida. Quando você der aquele passo inicial e confiar todas as coisas nas mãos de Deus, logo perceberá que é divertido ver o que Ele irá fazer.

Em João 15:5, Jesus disse: "Sem mim vocês não podem fazer coisa alguma." Hebreus 13:5 nos diz que Ele jamais nos deixará ou nos abandonará. Em outras palavras, Ele estará sempre conosco (ver Mateus 28:20; João 14:18). O motivo pelo qual Jesus promete estar sempre conosco é porque Ele sabe que precisamos de ajuda na nossa vida diária.

Em geral, levamos muito tempo para nos humilhar e para entender que precisamos de ajuda em tudo. Gostamos de acreditar que podemos fazer qualquer coisa que precise ser feita independentemente e sem a ajuda de ninguém. Entretanto, o Senhor nos enviou um Auxiliador divino; portanto, devemos precisar de ajuda. O próprio Jesus intercede por nós *continuamente* enquanto está sentado à direita de Deus (ver Hebreus 7:25; Romanos 8:34); portanto, devemos precisar *continuamente* da intervenção de Deus em nossas vidas. Na verdade, somos muito necessitados e totalmente incapazes de lidar com a vida da maneira adequada sozinhos.

Embora possa parecer que conseguimos administrar nossas vidas por algum tempo, mais cedo ou mais tarde começamos a desmoronar de uma maneira ou de outra se não estivermos recebendo a ajuda divina. Em geral, nos saímos bem até surgirem os problemas.

Pode ser um casamento desfeito, a morte de um ente querido, alguma doença ou enfermidade, dificuldades financeiras, a perda de um emprego ou de algo importante para a vida. Mas mais cedo ou mais tarde, todos nós chegamos ao ponto de ter de reconhecer a nossa necessidade. Pelo menos precisamos reconhecê-la se pretendemos viver a vida da maneira que ela deve ser vivida — com justiça, paz e alegria (ver Romanos 14:17).

Por fora, muitas pessoas parecem ter tudo resolvido, ao passo que por dentro elas são muito infelizes. Algumas lutam a vida inteira porque são orgulhosas demais para se humilharem e pedirem ajuda. Talvez haja outras pessoas que estejam convencidas de que elas têm êxito, mas na verdade são um fracasso. Elas podem até ter convencido a si mesmas de que são bem-sucedidas, mas é triste dizer que a maioria delas termina sem nada a não ser elas mesmas — ou seja, em uma existência triste e vazia.

Quando eu era o que costumo chamar de "crente religiosa", só pedia ajuda a Deus quando era confrontada com o que sentia que era uma situação desesperadora ou um problema grave para o qual não conseguia encontrar uma resposta. Eu orava de uma maneira geral todos os dias — não muito, mas orava.

Depois que me tornei o que chamo de um "crente relacional", aprendi depressa que o Espírito Santo estava vivendo em mim para me ajudar e que eu realmente precisava de ajuda em tudo, desde ter o meu cabelo arrumado da maneira adequada, ter uma boa pontuação no boliche e escolher o presente certo para alguém, a tomar as decisões certas e passar pelas situações desesperadoras e pelos problemas sérios da vida. Quando entendi essa verdade e percebi que Jesus não morreu para me dar determinado tipo de religião, mas sim para me levar a um relacionamento pessoal e profundo com Deus, passei de uma "crente religiosa" a uma "crente relacional". A minha fé já não se baseava mais nas minhas obras, mas nas obras dele. Vi que a Sua misericórdia e bondade abriram um caminho para que eu estivesse em íntima comunhão com Ele.

Quando Jesus morreu, o véu do templo que separava o Lugar Santo do Lugar Santíssimo foi rasgado a partir do alto, de cima para baixo (ver Marcos 15:37-38). Isto abriu o caminho para que qualquer pessoa entrasse na presença de Deus. Como temos visto, antes da morte de Jesus, só o sumo sacerdote podia entrar na presença de Deus, e somente uma vez por ano com o sangue de animais mortos, para cobrir e fazer expiação pelos seus pecados e pelos pecados do povo.

É muito significativo o fato de que o véu do templo tenha se rasgado de cima para baixo. O véu ou cortina era tão alto e grosso que nenhum ser humano poderia tê-lo rasgado — ele foi rasgado sobrenaturalmente pelo poder de Deus, mostrando que Ele estava abrindo um novo e vivo caminho para que o Seu povo se aproximasse dele.[1]

Desde o início Deus desejou ter comunhão com o homem; este foi o Seu propósito ao criar o homem. Ele nunca quis excluir as pessoas da Sua presença, mas sabia que a Sua santidade era tão poderosa que destruiria qualquer coisa não santa que se aproximasse dela. Assim, Deus precisava providenciar uma maneira de os pecadores serem completamente purificados, antes de o homem ter acesso à presença de Deus.

Em Êxodo 3:2-5, lemos como Deus apareceu a Moisés na sarça ardente e disse-lhe para tirar as sandálias dos pés porque ele estava pisando em terra santa. Acredito que o significado disto é que nada que tocou a terra poderia tocar a santidade de Deus.

Estamos *no* mundo, mas não devemos pertencer *a ele* (João 17:14-16). O nosso mundanismo e os nossos caminhos terrenos nos separam da presença de Deus. A menos que estejamos recebendo constantemente pela fé o sacrifício do sangue de Jesus e nos mantendo limpos, não podemos desfrutar da intimidade e ter a comunhão adequada com Deus.

A FRAQUEZA HUMANA TORNA O HOMEM DEPENDENTE

> Eu sei, Senhor, que não está nas mãos do homem o seu futuro; não compete ao homem dirigir os seus passos (Jeremias 10:23).

Jeremias disse bem no versículo citado: é realmente impossível para o homem governar a própria vida adequadamente. Você e eu precisamos de ajuda, e muita. Admitir esse fato é sinal de maturidade espiritual, e não sinal de fraqueza. Somos fracos a não ser que encontremos a nossa força em Deus, e quanto mais cedo encararmos este fato, tanto melhor estaremos.

Você talvez seja como eu fui um dia — alguém que se esforça muito para fazer as coisas darem certo, mas que fracassa sempre. O seu problema não é que você seja um fracasso; o seu problema é simplesmente o fato de você não ter ido à fonte certa para obter ajuda.

Deus não permitirá que tenhamos êxito sem Ele. Lembre-se de que o verdadeiro sucesso não é apenas a capacidade de acumular riqueza material; é a capacidade de realmente desfrutar a vida e tudo que Deus nos oferece com ela. Muitas pessoas têm posição, riqueza, poder, fama e outros atributos similares, mas elas talvez não tenham o que realmente importa — bons relacionamentos, uma posição reta diante de Deus, e a capacidade de desfrutar a vida. Nem tudo que parece estar bem *está* bem!

De acordo com o Salmo 127:1, a não ser que o Senhor edifique a casa, aqueles que a edificam trabalham em vão. Pode ser que consigamos construir, mas o que construirmos não durará se Deus não estiver envolvido nisso. Ele é o nosso Parceiro na vida, e como tal, Ele deseja fazer parte de tudo que fazemos. Deus está interessado em cada aspecto da nossa vida. Crer nesta verdade é o início de uma jornada empolgante com Ele. Isso torna essa jornada pessoal, e não apenas global.

Sabemos que Jesus morreu para o mundo, mas precisamos crer que Ele ama cada um de nós como um indivíduo único e imperfeito. O Seu amor é incondicional; isto significa que se baseia em quem Ele é, e não em quem nós somos ou no que fazemos.

Quero desafiá-lo a dar um passo de fé e começar a se aproximar de Deus como uma criancinha. No momento em que escrevo este livro, tenho uma neta de dezoito meses, e ela com certeza depende de outras pessoas literalmente para tudo. Ela depende principalmente dos seus pais. É claro que ela vai crescer e começar a fazer certas coisas sozinha, e é bom que seja assim. Entretanto, o princípio que Jesus nos deu em Marcos 10:13-15 continua sendo verdade: a não ser que nos aproximemos dele como uma criancinha, de maneira alguma entraremos no reino de Deus. Como nós, adultos, nos aproximamos dele como uma criança? Aproximando-nos dele com a atitude de uma criança.

Achamos que devemos ser como adultos crescidos, e de algumas maneiras realmente precisamos crescer. Mas ao mesmo tempo, de outras maneiras necessitamos nos tornar como criancinhas. Ser infantil é diferente de ser como uma criança. A infantilidade está ligada à imaturidade, às emoções e paixões descontroladas, e também a uma atitude egocêntrica. Ser como uma criança está ligado à humildade, à modéstia e à prontidão para perdoar.

Uma pessoa humilde não tem dificuldade em pedir ajuda. O apóstolo Paulo certamente era considerado um grande homem e, no entanto, em 2 Coríntios 3:5 ele escreveu: "Não que possamos reivindicar qualquer coisa com base em nossos próprios méritos, mas a nossa capacidade vem de Deus."

Paulo sabia de onde vinham a sua capacidade e o seu poder, e ele sabia que não era dele mesmo. Ele afirmava ter fraquezas humanas, mas disse que a força de Cristo se aperfeiçoava nas suas fraquezas (ver 2 Coríntios 12:9).

Jesus entrou nas nossas vidas para nos ajudar e para nos fortalecer, nos capacitando a fazer com facilidade o que jamais poderíamos fazer sem Ele. Dizem que a *Graça* representa as *Riquezas de Deus à Custa de Cristo.* A graça de Deus vem a nós como um dom gratuito, a ser recebido pela fé (ver Efésios 2:8-9). Entretanto, temos de admitir que precisamos dela, ou não estaremos abertos para recebê-la.

FAZENDO O BEM

> Sei que nada de bom habita em mim, isto é, em minha carne. Porque tenho o desejo de fazer o que é bom, mas não consigo realizá-lo (Romanos 7:18).

Devido ao novo nascimento, que ocorre quando recebemos Jesus como nosso Salvador, temos o desejo em nós de sermos bons e de fazer o bem, mas ao mesmo tempo parece que não temos poder para fazer isso. Qual é o problema?

Quando nascemos de novo, Deus coloca uma nova natureza em nós (ver 2 Coríntios 5:17), mas nos deixa em um corpo carnal com uma alma que tem fraquezas inatas. Isto acontece com o único propósito de nos tornar necessitados. Lembre-se, se não precisarmos de Jesus, em geral não prestaremos muita atenção a Ele, principalmente no início da nossa caminhada juntos.

Todo bem vem de Deus. O homem não é bom; Deus é bom. Até Jesus disse a alguém que o chamou de "Bom Mestre" que não existe ninguém bom a não ser Deus (ver Mateus 19:16-17, ACF). Embora Jesus seja na verdade o próprio Deus, a segunda pessoa da Trindade, neste caso Ele estava se referindo ao Seu lado humano.

Lembre-se de que Jesus era tanto o Filho de Deus quanto o Filho do homem. Na Sua natureza humana, Ele sabia que o único bem que podia fazer era o que o Espírito Santo faria por intermédio dele. Lucas, capítulo 1, nos fala que Sua mãe, Maria, ficou grávida por um ato do Espírito Santo (o que será discutido mais tarde). Deus era o Seu Pai. Então Jesus era realmente Deus encarnado no homem. Ele estava na mesma posição em que nós estamos como filhos nascidos de novo de Deus. Somos carne humana com Deus vivendo dentro de nós! Isto quase parece bom demais para ser verdade, mas como vimos, pode ser provado biblicamente inúmeras vezes.

VOCÊ ESTÁ APENAS FAZENDO AS COISAS POR FAZER?

> Mas o Conselheiro, o Espírito Santo, que o Pai enviará em meu nome, lhes ensinará todas as coisas e lhes fará lembrar tudo o que eu lhes disse (João 14:26).

Lamento por todos os anos que desperdicei sendo religiosa, simplesmente fazendo as coisas por fazer, seguindo fórmulas, e não tendo a revelação de que Jesus estava vivo em mim por intermédio do poder do Espírito Santo.

Perguntamos às pessoas o tempo todo se elas receberam Jesus, sem nunca pensarmos realmente o que isso significa. Se o recebemos, então o que fazemos com Ele? Certamente não o colocamos em uma caixinha escrita "Domingo de manhã", depois o retiramos naquele dia, cantamos algumas canções para Ele, falamos um pouco com Ele, e depois o colocamos de volta na caixa até o domingo seguinte. Se nós o recebemos, então nós o temos. Uma vez que Ele disse que nunca nos deixaria nem nos abandonaria, Ele deve ser nosso, para que o tenhamos conosco.

Incentivo-o a começar a tirar plena vantagem do seu relacionamento com Deus comprado pelo sangue, por intermédio de Jesus, pelo poder do Espírito Santo. Não esconda Deus em algum lugar para usá-lo em caso de emergência e nos domingos pela manhã. Permita que Ele trabalhe em todas as áreas da sua vida por meio do poder do Espírito Santo. Por que você não ergue suas mãos para Ele em adoração agora mesmo e diz sinceramente: "Bem-vindo, Espírito Santo!"?

O Espírito Santo nos ajudará a fazer boas coisas, mas Ele também nos auxiliará nos lembrando de darmos a Deus a glória e não tentarmos ficar com ela para nós mesmos. Um dos ministérios do Espírito Santo é nos lembrar do que precisamos saber quando precisamos disso.

Inúmeras vezes, ao longo dos anos, o Espírito Santo me lembrou de onde estavam as coisas que eu havia colocado no lugar errado e também de fazer coisas que eu me esquecera de fazer. Ele também me manteve no caminho certo me lembrando do que a Palavra de Deus diz sobre certas questões em momentos-chave de decisão em minha vida.

Aprendi que eu podia confiar em Deus para me ajudar a tomar decisões importantes, e a levar a Ele minhas pequenas necessidades também. Uma vez, tínhamos alguns membros da família em casa e queríamos assistir a um filme, mas não conseguíamos encontrar o controle remoto. Todos estavam reunidos na sala de visitas, mas nem Dave nem eu sabíamos como operar a TV sem o controle remoto, então estávamos ansiosos para encontrá-lo.

Nós o procuramos em toda parte. Procuramos nos quartos, debaixo dos sofás e debaixo das almofadas. Telefonamos para dois de nossos filhos que haviam usado a TV mais cedo naquele dia para ver se eles se lembravam de tê-lo colocado em algum lugar, mas nada estava nos ajudando a encontrar o controle remoto.

Decidi orar. Então, eu disse silenciosamente em meu coração: *Espírito Santo, mostre-me onde está o controle remoto, por favor.*

Imediatamente em meu espírito pensei no banheiro e, com certeza, ali estava ele.

O mesmo aconteceu comigo com relação às chaves do carro. Eu estava pronta para sair. Estava em cima da hora e não conseguia encontrar as chaves. Procurei freneticamente sem sucesso e então decidi orar. No meu espírito, vi as chaves no banco da frente do meu carro, e era exatamente ali que elas estavam.

Um dos dons do Espírito Santo mencionado em 1 Coríntios 12 é a palavra de conhecimento. Deus me deu uma palavra de conhecimento sobre o controle remoto assim como sobre as chaves perdidas. Esses dons estão disponíveis àqueles que são cheios do Espírito Santo. Eles são doações sobrenaturais de poder dadas aos crentes para ajudá-los a viver a vida natural de uma maneira sobrenatural. Sim, podemos contar com o Espírito Santo para nos lembrar das coisas que precisamos lembrar. Se não precisássemos de ajuda lembraríamos sempre de tudo perfeitamente e nunca precisaríamos que Ele nos lembrasse de nada; mas se formos sinceros, todos nós sabemos que este não é o caso. Se o Senhor se importa o suficiente para falar conosco sobre controles remotos e chaves perdidas, pense no quanto Ele deve estar ansioso para falar conosco a respeito das coisas mais íntimas.

Alguns empresários não têm problema em ter uma secretária para lhes lembrar de certas coisas, e eles dependem dessa pessoa para fazer isso. Sim, essas mesmas pessoas podem ter uma enorme dificuldade em depender de Deus para o mesmo tipo de pequenos detalhes para os quais dependem de suas secretárias. Isto acontece por duas razões: 1) eles nem sequer sabem que é apropriado depender de Deus com relação a detalhes tão pequenos de nossas vidas — eles não acreditam que Ele esteja interessado nesse tipo de coisas; e 2) eles não querem se humilhar para demonstrar esse tipo de necessidade.

Como seres humanos orgulhosos, não gostamos de parecer necessitados. Lembre-se, em João 15:5 Jesus disse que sem Ele, nada podemos fazer. Nada quer dizer nada — quanto mais cedo aprendermos este fato, tanto melhor para nós, porque a Bíblia nos diz que Deus ajuda o humilde, mas resiste aos orgulhosos (ver Tiago 4:6; 1 Pedro 5:5).

Não agrada a Deus que as pessoas o deixem de fora de suas vidas diárias e, depois, procurem arranjar fórmulas religiosas para querer agradá-lo. Não desperdice o seu tempo simplesmente fazendo as coisas por fazer. Tenha um verdadeiro relacionamento com Deus que seja vivo e significativo, ou encare o fato de que você não o tem, e faça tudo que for preciso para tê-lo.

Faça estas perguntas a si mesmo, e descobrirá bem depressa quem você é espiritualmente:

Você está crescendo diariamente no conhecimento de Deus e dos Seus caminhos?

Você aguarda ansiosamente o momento de ir à igreja, ou é algo que você faz por obrigação? É interessante para você, ou você fica feliz quando tudo termina para poder ir almoçar?

Você se sente próximo de Deus?

Na sua vida, você está manifestando o fruto do Espírito — amor, alegria, paz, paciência, bondade, benignidade, fidelidade, mansidão (humildade) e domínio próprio (ver Gálatas 5:22-23)?

O quanto você mudou desde que entregou sua vida a Cristo?

Se você não estiver satisfeito com suas respostas a estas perguntas, abra seu coração totalmente para Deus e peça ao Espírito Santo para se envolver em todos os aspectos da sua vida. Se você fizer isso com honestidade e sinceridade, Ele começará a atuar em você de uma maneira poderosa e empolgante.

Não fique paralisado nas velhas maneiras de fazer as coisas, que eram certas em determinado momento, mas que já não são mais eficazes, porque Deus quer que você use outros métodos para ultrapassar essa fase. Não tenha medo de coisas novas; simplesmente certifique-se de que elas sejam bíblicas. Creio que Deus deseja levá-lo a novas alturas nele por intermédio do poder do Espírito Santo. Ele está batendo à porta do seu coração.Você vai abrir bem a porta e dar as boas-vindas a Ele?

Se você não tem oferecido um bom lar para o Espírito Santo, Ele tem sentido sua falta, e quer você saiba, quer não, você tem sentido falta dele.

Muito da insatisfação que muitas pessoas sentem deve-se à falta de comunhão e intimidade com Deus por meio do Espírito Santo. Se você é uma dessas pessoas, creio que este livro pode significar um momento de decisão em sua vida. Por que não dar meia-volta depressa, para poder começar a desfrutar a Deus mais do que nunca?

VOCÊ NÃO PODE VENCER AS SUAS BATALHAS SEM A AJUDA DE DEUS

> Assim lhes diz o Senhor: "Não tenham medo nem fiquem desanimados por causa desse exército enorme. Pois a batalha não é de vocês, mas de Deus" (2 Crônicas 20:15).

Vemos que 2 Crônicas 20 descreve um tempo de crise na vida do povo de Judá. Eles estavam de frente para um imenso exército determinado a destruí-los. Mas o profeta de Deus lhes disse que não tivessem medo porque a batalha não era deles; ela pertencia ao Senhor.

No versículo 12 deste capítulo, lemos uma oração sábia que foi oferecida a Deus por Josafá, rei de Judá: "Ó nosso Deus, não irás tu julgá-los? Pois não temos força para enfrentar esse exército imenso que vem nos atacar. Não sabemos o que fazer, mas os nossos olhos se voltam para ti."

Estudei essa oração muitas vezes ao longo dos anos, e fazer isso me ajudou a chegar ao ponto de poder pedir ajuda com facilidade. Em geral, ficamos *patinando* tentando fazer alguma coisa que não somos capazes de fazer e agindo como se soubéssemos algo que não sabemos. Descobri da maneira mais difícil que é muito mais fácil dizer simplesmente: "Não sei o que fazer, e ainda que soubesse, não poderia fazer sem ajuda. Espírito Santo, ajude-me!"

O orgulho é um monstro terrível que nos impede de pedir ajuda. Queremos ser autossuficientes e independentes. Entretanto, Deus nos criou de tal maneira que embora tenhamos pontos fortes, também temos fraquezas e sempre precisaremos de ajuda.

Deus quer que dependamos inteiramente dele; é isto que a fé realmente é. A *Amplified Bible* dá uma definição de fé em Colossenses 1:4 que realmente amo. Ela diz que a fé em Jesus é "apoiar toda a sua personalidade nele em absoluta confiança no Seu poder, sabedoria e bondade".

Podemos depender de Deus para nos manter na Sua vontade. É complicado demais querer permanecer na Sua vontade no nosso próprio poder. Qual de nós pode sequer dizer que sabemos com 100% de certeza o que devemos fazer a cada dia? A nossa mente planeja o nosso caminho, mas Deus dirige os nossos passos (ver Provérbios 16:9).

Você pode fazer tudo que sabe para tomar uma decisão certa. Você pode estar certo, mas existe uma possibilidade de que esteja errado. Como pode saber se está certo? Isto não é possível. Você tem de confiar em Deus para mantê-lo na Sua vontade, para endireitar quaisquer caminhos tortuosos diante de você, para mantê-lo no caminho estreito que conduz à vida, e fora do "... amplo caminho que leva à perdição" (ver Mateus 7:13).

Precisamos orar: "Deus, que a Tua vontade seja feita em minha vida." Em algum momento, algumas pessoas desenvolveram a teoria de que nunca devemos orar "Seja feita a Tua vontade". Mas Jesus orou assim (ver Lucas 22:42), dizendo: "Não seja feita a minha vontade, mas a Tua" (ver João 17:4-5).

Sei de algumas coisas sobre a vontade de Deus para a minha vida, mas não sei tudo, então aprendi a descansar em paz entregando-me a Deus, orando para que a vontade dele seja feita, e confiando nele para me guardar. Aprendi isso quando Deus estava tratando comigo para tomar certa decisão. Eu estava angustiava: "Mas, oh, Deus, e se eu estiver errada? E se eu cometer um erro? E se eu falhar contigo, Deus?"

E Ele disse: "Joyce, se você errar o caminho, estou aqui para encontrá-la e trazê-la de volta."

Apoiar-se em alguém é bom, desde que estejamos nos apoiando em algo ou em alguém que não vai desabar quando menos esperamos! Deus é uma boa escolha de apoio. O Senhor tem um histórico comprovado de fidelidade para com aqueles que entregam suas vidas a Ele.

6

O Auxiliador Divino

> Mas o Conselheiro, o Espírito Santo, que o Pai enviará em meu nome, lhes ensinará todas as coisas e lhes fará lembrar tudo o que eu lhes disse.
>
> João 14:26

Existem inúmeras coisas com as quais lutamos quando poderíamos estar recebendo ajuda do Auxiliador Divino. O Espírito Santo é um Cavalheiro; Ele não vai forçar o caminho para entrar em nossas vidas ou nos nossos assuntos diários. Quando é convidado, Ele é rápido em atender, mas Ele precisa ser convidado.

Como a terceira pessoa da Trindade, o Espírito Santo tem uma personalidade. Ele pode se ofender e se entristecer. Ele precisa ser tratado com grande respeito. Uma vez que temos o entendimento de que Ele vive dentro daqueles que creem, devemos fazer tudo que pudermos para que Ele se sinta em casa.

O Espírito Santo está sempre disponível. A Bíblia se refere a Ele como aquele que está pronto pronto a nos socorrer. Amo essa característica específica porque gosto de pensar nele simplesmente como alguém que está de prontidão ao meu lado o tempo todo caso eu precise de ajuda com alguma coisa. Pense simplesmente nisso por um instante, e as coisas ficam bem animadoras. Uma das orações mais poderosas que podemos fazer é; "Senhor, ajude-me!"

O Espírito Santo não apenas está de prontidão para nos ajudar em qualquer situação que necessite de ajuda, como Ele também está disponível para nos aconselhar. Quantas vezes corremos para os nossos amigos quando deveríamos pedir conselho ao Espírito Santo? Ele deseja conduzir, orientar e dirigir as nossas vidas; quando pedimos o Seu conselho, nós o honramos.

Sinto-me honrada quando meus filhos adultos pedem meus conselhos, e sinto-me especialmente honrada quando eles os aceitam. Sempre tenho o que é melhor para eles em mente, e jamais lhes diria qualquer coisa em que eu não acreditasse firmemente que os ajudaria. Se nós, como seres humanos, podemos fazer isso, quanto mais não pode o Espírito Santo fazer por nós se nos voltarmos para Ele?

Creio que muitas pessoas nunca encontram respostas para os seus problemas porque buscam as fontes erradas para obter conselhos.

COMO O ESPÍRITO SANTO NOS ACONSELHA?

Já vimos em João 14:26 que o Espírito Santo é o nosso Conselheiro. Mas você pode estar relutante em ir até Ele em busca de conselhos porque não sabe como ouvi-lo. Como Ele fala conosco?

Uma das maneiras mais incríveis de Deus orientar o Seu povo é por intermédio do testemunho interior. Em outras palavras, simplesmente sabemos dentro de nós o que é certo ou o que é errado. É um nível mais profundo de conhecimento que o conhecimento mental. Esse tipo de conhecimento está no espírito — simplesmente temos paz ou falta de paz e, por essa paz ou falta dela, sabemos o que devemos fazer.

Certa vez, conversei com uma mulher que precisava tomar uma decisão séria. Sua família e seus amigos estavam lhe dando conselhos, mas ela precisava saber no seu íntimo qual era a resposta correta porque ela era a pessoa que teria de viver com aquilo. Ela havia participado de determinado tipo de negócio por toda a sua vida, e estava sentindo que queria sair dele e ficar em casa com seus filhos. É claro que isto representaria sérias mudanças financeiras assim como mudanças pessoais para ela que poderiam afetá-la emocionalmente. Ela precisava saber de uma Fonte Superior, acima das outras pessoas, qual era a coisa certa a fazer.

Essa mulher foi a um retiro com um parente. Em algum momento durante o curso naquele fim de semana, quando ela estava sentada louvando e adorando o Senhor e ouvindo o palestrante, um conhecimento e uma paz vieram ao seu coração que lhe diziam que ela realmente estava certa em encerrar o negócio. Ela disse que houve determinado momento em que ela simplesmente soube o que era certo. Desde aquele momento ela sentiu paz a respeito do assunto.

É impressionante quantas pessoas podem nos dizer coisas que não exercem qualquer efeito sobre nós, mas quando Deus nos diz algo, nós nos sentimos completamente diferentes. As outras pessoas nem sempre podem nos dar paz com os seus conselhos, mas Deus pode.

Outra maneira pela qual Deus fala conosco é por meio da Sua Palavra. Podemos estar buscando-o para ter certa resposta e, à medida que lemos a Sua Palavra, nos deparamos com uma passagem que fala claro ao nosso coração de tal modo que sabemos o que devemos fazer.

Há muitas vezes que peço ao Espírito Santo para me dirigir em uma conversa ou em uma decisão, e embora eu não sinta nenhuma direção específica, creio que, à medida que vou passando pela situação, Ele está definitivamente me conduzindo. A minha pregação e ensino são bons exemplos. Sempre tenho um plano, mas também dependo de Deus para me orientar pelo Seu Espírito. Muitas vezes, abro minha boca pensando que vou dizer uma coisa e me vejo seguindo uma direção que não havia absolutamente planejado. Isto é totalmente bíblico, como vemos em Provérbios 16:1: "Ao homem pertencem os planos do coração, mas do Senhor vem a resposta da língua."

Em geral, achamos difícil confiar no que acreditamos que possa ser uma direção do Senhor. Não é que desconfiemos dele, mas é que não confiamos na nossa capacidade de ouvi-lo. Algumas vezes percebi que tive de dar um passo de fé e, mais tarde vim a perceber, pela experiência, como reconhecer a direção do Espírito Santo.

"Aja e descubra", é o que sempre digo. À medida que estamos aprendendo a ser guiados pelo Espírito Santo, estamos propensos a cometer alguns erros, mas Deus sempre nos ajuda a voltar à rota certa, e aprendemos com os nossos erros.

O processo de aprender a ser guiado por Deus não é diferente do processo que os bebês passam quando aprendem a andar. Todos eles caem no processo, mas desde que se levantem e tentem de novo, com o tempo acabarão não apenas andando, como também correndo a toda velocidade.

Tiago capítulo 1 começa nos dizendo como lidar com as provações da vida. Existe uma maneira natural de lidar com os problemas, mas também há uma forma espiritual de lidar com eles:

> Se algum de vocês tem falta de sabedoria, peça-a a Deus, que a todos dá livremente, de boa vontade; e lhe será concedida. Peça-a, porém, com fé, sem duvidar, pois aquele que duvida é semelhante à onda do mar, levada e agitada pelo vento (Tiago 1:5-6).

Tiago está dizendo aqui: "Se vocês estão tendo problemas, perguntem a Deus o que devem fazer." Talvez você não receba uma resposta imediatamente após ter feito o seu pedido, mas, enquanto segue em frente com a sua vida, descobrirá uma sabedoria em ação por seu intermédio, uma sabedoria divina que está além do seu conhecimento natural.

No Salmo 23:2, o salmista nos diz que Deus conduz o Seu povo a pastos verdejantes e junto às águas calmas de descanso. Em outras palavras, se buscarmos a Deus, Ele sempre nos conduzirá a um lugar de paz e segurança.

Observe que Tiago diz "peça". Muitas vezes, não obtemos nenhuma ajuda porque não pedimos. Lembre-se: o Espírito Santo é um Cavalheiro e Ele espera que seja convidado para participar das nossas situações; do contrário, Ele violaria o nosso livre-arbítrio. *Não podemos supor e presumir; precisamos pedir!*

Tiago 4:1-6 nos ensina que a contenda e a discórdia vêm dos desejos malignos ou carnais que se levantam dentro de nós. Temos ciúmes e cobiçamos o que os outros têm e, então, os nossos desejos não se realizam porque tentamos realizá-los da maneira errada. Tiago diz que quando as pessoas ardem de inveja e não conseguem obter a satisfação que desejam, elas lutam e guerreiam. Tiago explica claramente: "Não têm, porque não pedem" (v. 2). De acordo com a concordância de Strong, o significado da palavra grega traduzida como *pedir* neste versículo é "implorar, clamar, ansiar, desejar, exigir".[1] Se Deus nos desse todas as coisas que pedíssemos *de uma maneira casual*, muito provavelmente nós imploraríamos que Ele levasse de volta algumas delas! Deus responde tanto à nossa paixão quanto à pureza das nossas motivações. O versículo 3 de Tiago 4 diz sobre as coisas que desejamos: "Quando pedem, não recebem, pois pedem por motivos errados, para gastar em seus prazeres."

Tiago conclui esse discurso no versículo 6 dizendo que Deus "... nos concede graça maior". Ele nos diz que "Deus se opõe aos orgulhosos e arrogantes, mas concede graça aos humildes".

Vemos que 1 Pedro 5:5 afirma que Deus realmente se opõe, frustra e derrota aqueles que são orgulhosos, mas dá graça (a ajuda do Espírito Santo) aos humildes. Geralmente, estamos tentando fazer alguma coisa acontecer e tudo que estamos conseguindo é frustrado. Isto acontece porque estamos dependendo de nós mesmos ou de alguma fonte natural, e o Espírito Santo fica ofendido e entristecido porque não estamos indo a Ele. Portanto, Ele se opõe a nós em vez de nos ajudar.

Considere as seguintes passagens para ajudá-lo a adquirir entendimento com relação à importância de buscar a Deus para ter o Seu conselho:

> Como é feliz aquele que não segue o conselho dos ímpios, não imita a conduta dos pecadores, nem se assenta na roda dos zombadores! (Salmos 1:1).

> O Senhor desfaz os planos das nações e frustra os propósitos dos povos. *Mas os planos do Senhor permanecem para sempre, os propósitos do seu coração, por todas as gerações* (Salmos 33:10-11, grifos da autora).

> Mas logo se esqueceram do que ele tinha feito e não esperaram para saber o seu plano. Dominados pela gula no deserto, puseram Deus à prova nas regiões áridas. Deu-lhes o que pediram, mas mandou sobre eles uma doença terrível (Salmos 106:13-15).

Milhares de crentes e incrédulos fazem o que os israelitas fizeram no deserto. Eles exigem que as coisas sejam do seu próprio jeito e não têm paciência para esperar que os planos de Deus se desenvolvam. Eles não querem que Deus os aconselhe; querem aconselhar Deus. Eles tentam dizer a Deus o que fazer, e depois ficam impacientes se Ele não fizer com que aquilo aconteça imediatamente.

É exatamente isto que contribui para grande parte da infelicidade e descontentamento entre as pessoas de hoje. Se Deus nos criou para precisarmos dele, e se tentamos viver como se não precisássemos, como podemos nos sentir realizados?

O ESPÍRITO SANTO NOS CONSOLA

> Bendito seja o Deus e Pai de nosso Senhor Jesus Cristo, Pai das misericórdias e Deus de toda consolação, que nos consola em todas as nossas tribulações, para que, com a consolação que recebemos de Deus possamos consolar os que estão passando por tribulações (2 Coríntios 1:3-4).

O Espírito Santo também quer nos ajudar nos consolando quando precisamos ser consolados. Você e eu podemos precisar ser consolados quando nos decepcionamos, quando somos feridos ou maltratados de alguma maneira, ou quando sofremos alguma perda. Também podemos necessitar ser consolados durante as mudanças em nossas vidas ou até quando estamos simplesmente cansados. Outro momento em que podemos precisar ser consolados é quando falhamos de alguma maneira.

Como mencionei, o Espírito Santo na verdade é chamado de Consolador. Os Seus diversos nomes descrevem o Seu caráter. Eles revelam o que Ele faz ou pelo menos o que Ele deseja fazer, pelos crentes. Ele está disposto a fazer muito por nós se estivermos dispostos a receber a Sua ajuda.

Durante muitos anos, eu costumava ficar zangada com meu marido regularmente porque ele não me consolava quando eu sentia que precisava ser consolada. Tenho certeza de que ele tentava, mas hoje entendo que Deus não permitiria que Dave me desse o consolo que eu deveria buscar no Senhor, e que Ele me daria por intermédio do Espírito Santo se eu simplesmente pedisse.

Deus só permitirá que as pessoas façam algo por nós até certo ponto, e não mais. Até as pessoas que são extremamente próximas de nós não podem nos dar tudo que precisamos o tempo todo. Quando esperamos que outros façam por nós o que só Deus pode fazer, as nossas expectativas estão no lugar errado, e sempre nos decepcionaremos.

Nenhum consolo é tão bom quanto o consolo de Deus. O homem nunca poderá nos dar o que realmente precisamos, a não ser que o próprio Deus use outras pessoas para nos alcançar, o que Ele muitas vezes faz.

As pessoas com certeza podem e devem consolar umas às outras, mas Deus é a Fonte de todo verdadeiro consolo. Posso pedir a Deus para me consolar em alguma situação, e Ele pode fazer com que a pessoa certa me ligue, mas ainda estou ciente de que foi Deus quem orquestrou o acontecimento.

Quando pedimos às pessoas para nos ajudarem, em geral elas são incapazes de fazer isso, mas se pedirmos ajuda a Deus, Ele pode dar poder às pessoas e operar por seu intermédio.

A Palavra de Deus nos consola. Muitas vezes, quando preciso de consolo, corro para a Bíblia. Tenho passagens favoritas que leio ou nas quais medito quando preciso de encorajamento extra.

O Salmo 23 é um bom exemplo, e é o favorito de muitas pessoas. Sim, a Palavra de Deus tem com ela a capacidade de consolar. Desde que tenhamos a Sua Palavra escondida no nosso coração ou desde que tenhamos uma Bíblia para consultar, podemos sempre encontrar consolo em momentos de aflição, como Paulo nos diz em Romanos 15:4: "Pois tudo o que foi escrito no passado, foi escrito para nos ensinar, de forma que, por meio da perseverança e do bom ânimo procedentes das Escrituras, mantenhamos a nossa esperança."

Certa vez passei por um período em que estava sendo julgada negativamente por diversas fontes diferentes. Às vezes, quando os problemas surgem, eles vêm de várias maneiras. Sempre que isso acontece comigo, é como se me desse uma dica de que Satanás está me atacando. Sei por experiência própria que devo ficar firme na minha fé porque, fazendo isso, simplesmente sobreviverei ao diabo. Aprendi que se eu permanecer firme e estável, o inimigo logo descobrirá que está perdendo tempo.

Isto não significa que eu não estava sofrendo naquele momento de dificuldade; na verdade, eu estava sofrendo e precisava de consolo. Durante aquele período busquei Escrituras específicas e as li. Também meditei e pensei em outras.

No Salmo 20:6, Davi escreveu: "Agora sei que o Senhor dará vitória ao seu ungido." Citei esse versículo muitas vezes para mim mesma durante um período de dois dias em que eu me recuperava do choque de saber que as pessoas estavam falando coisas negativas a meu respeito. Isto não deveria ter me surpreendido, porque sei como o diabo é e como as pessoas são, mas suponho que eu sempre espero que mais cedo ou mais tarde as pessoas recebam bastante amor de Deus nelas e parem de julgar os outros.

Sempre digo que tenho coisas suficientes para cuidar de modo que não preciso cuidar dos assuntos das outras pessoas. Entretanto, nem sempre fui forte nessa área. Esta era uma área na qual eu tive de crescer. Eu poderia acrescentar que houve um tempo em que eu era muito crítica e julgadora; por isso, posso dizer sinceramente: "Ali estaria eu, se não fora pela graça de Deus."

Quando alguém é uma figura de autoridade de qualquer espécie ou aos olhos do público, como eu sou no meu ministério, sempre vai atrair mais julgamento e crítica do que aqueles que não estão em tais posições. O julgamento e a crítica simplesmente parecem fazer parte do terreno ganho, por assim dizer. Essas coisas ainda doem, mas Jesus passou por elas, e nós também vamos passar.

Sou muito grata pela Palavra de Deus porque experimentei o seu poder por inúmeras vezes em minha vida. Ela tem a capacidade de consolar em todos os tipos de aflições.

Em Isaías 61:2 foi profetizado que o Messias vindouro consolaria "... todos os que andam tristes". No Sermão do Monte, Jesus disse que aqueles que choram são bem-aventurados porque eles serão consolados (ver Mateus 5:4). O consolo de Deus que é administrado pelo Seu Espírito Santo é tão tremendo que quase vale a pena ter um problema apenas para poder experimentá-lo. Como acontece com a maioria das coisas, ele vai muito além de qualquer tipo de consolo comum.

Permita que Deus seja a sua Fonte de consolo. No futuro, quando estiver sofrendo, simplesmente peça a Ele para consolá-lo. Depois espere na Sua presença enquanto Ele trabalha no seu coração e nas suas emoções. Ele não vai falhar com você, se você apenas lhe der a chance de vir em seu socorro.

O ESPÍRITO SANTO NOS FORTALECE

> O Deus de toda a graça, que os chamou para a sua glória eterna em Cristo Jesus, depois de terem sofrido durante pouco de tempo, os restaurará, os confirmará, lhes dará forças e os porá sobre firmes alicerces (1 Pedro 5:10).

O Espírito Santo também oferece a Sua ajuda como nosso Fortalecedor. Imagine ter um poço de força dentro de você, uma fonte à qual você pode recorrer sempre que sentir necessidade. Quando você se sentir fraco ou cansado ou desanimado a ponto de desistir, simplesmente pare por alguns minutos. Feche os olhos, se possível, e peça ao Espírito Santo para fortalecê-lo. Enquanto espera na Sua presença, você poderá muitas vezes sentir a força de Deus vindo sobre você.

Não é sábio dizer simplesmente que faremos alguma coisa sem considerar Deus ou mesmo sem refletir sobre o assunto. Geralmente, nos comprometemos com coisas demais e depois ficamos fracos e esgotados. Deus nos fortalecerá por intermédio do Seu Espírito, mas Ele não vai nos fortalecer para fazermos coisas que estão fora da Sua vontade. Ele não vai nos fortalecer para sermos tolos! Quando nos comprometemos em fazer alguma coisa, Deus espera que mantenhamos a nossa palavra e que sejamos pessoas íntegras, então o Seu conselho para nós por meio da Sua Palavra é: "... não façam nada precipitadamente" (ver Atos 19:36).

Amo a maneira como a *Bíblia Viva* traduz Eclesiastes 5:1:

> Quando você entrar no templo de Deus, abra bem os ouvidos e feche bem a boca! Não seja tolo a ponto de pensar que fazer promessas apressadas a Deus não é pecado. Ele está lá no céu, e você, cá embaixo, na terra; por isso, fale bem pouco. Quando uma pessoa trabalha muito, tem muitos sonhos quando dorme; quem é tolo, fala demais e diz muitas bobagens.

Tive de aprender a perguntar ao Espírito Santo *antes* de me oferecer para fazer alguma coisa em um momento de entusiasmo. Eu tinha a doença da "boca solta" que me fazia fazer promessas em momentos de empolgação emocional, e depois eu me perguntava como teria a energia suficiente para cumpri-las.

Eu convidava várias pessoas para um churrasco; depois, passava o tempo todo murmurando e reclamando por causa de todo o trabalho que eu tinha de fazer para preparar tudo. Uma vez, marquei vários compromissos e depois me vi tentando encontrar uma maneira de escapar deles porque não queria mais cumpri-los.

Deus me mostrou uma verdade importante, uma verdade que afetou enormemente minha vida de uma maneira positiva. Ele disse: "Joyce, se você quiser levar a Minha unção e o Meu poder, você precisa manter a sua palavra. Cumpra suas promessas e aprenda a pensar, orar e ponderar antes de assumir novos compromissos." Ele deixou claro para mim que quando eu marcava um compromisso, Ele esperava que eu o cumprisse e que o levasse até o fim com uma atitude positiva.

A passagem de Eclesiastes 5:4-7 nos dá instruções claras sobre a seriedade de buscar a Deus antes de fazermos um voto:

> Quando você fizer um voto, cumpra-o sem demora, pois os tolos desagradam a Deus; cumpra o seu voto. É melhor não fazer voto do que fazer e não cumprir. Não permita que a sua boca o faça pecar. E não diga ao mensageiro de Deus "O meu voto foi um engano". Por que irritar a Deus com o que você diz e deixá-lo destruir o que você realizou? Em meio a tantos sonhos absurdos e conversas inúteis, tenha temor de Deus.

Costumo dizer que esperamos no consultório médico e no balcão da farmácia, então por que não esperar em Deus? Ele é o melhor médico que poderíamos encontrar. Marque um encontro com Ele, e não falte. Espere na Sua presença, e você verá que vale a pena esperar pelos resultados. Uma palavra de Deus pode fortalecer a sua fé e lhe dar coragem para fazer coisas que do contrário seriam impossíveis.

Certa vez, quando tive de fazer uma cirurgia, passei por todos os momentos de dúvida e medo que costumam acontecer antes de uma cirurgia séria. Naturalmente, todos os membros da minha família e os que me cercavam estavam me dizendo para confiar em Deus. Eu queria confiar, mas algumas vezes achava mais difícil fazer isso do que em outras. Às vezes, eu me sentia segura e, de repente, um espírito de medo me atacava, e eu ficava assustada outra vez.

Continuei sentindo essa confusão de emoções até que uma manhã, aproximadamente às cinco horas, durante um período em que eu não conseguia dormir, a voz do Senhor falou em meu coração, dizendo: "Joyce, confie em Mim; Eu vou cuidar de você." Daquele momento em diante, eu não tive medo, porque quando Deus fala conosco pessoalmente (quando Ele nos dá uma palavra *rhema*), a fé vem com o que Ele nos diz (ver Romanos 10:17).

Se soubéssemos que podemos ir ao médico e conseguir uma receita de algumas pílulas que nos dessem força instantânea a qualquer momento em que nos sentíssemos fracos, provavelmente não hesitaríamos em fazer isso. Estou lhe dizendo com base nas Escrituras que essa força está disponível a você por intermédio do poder do Espírito Santo.

Há muitas coisas que estão disponíveis para nós no Espírito Santo e que deixamos de receber porque não fomos ensinados adequadamente sobre o Seu maravilhoso ministério nos dias atuais. Sempre falamos sobre o que Jesus fez quando Ele esteve aqui, mas e quanto ao que Ele está fazendo agora por intermédio do poder do Espírito Santo? Não vivamos no passado, mas que consideremos plenamente tudo que o presente tem para nós.

Sejamos como Moisés e os israelitas que conheciam a Fonte de sua força, como vemos em Êxodo 15:1-2:

> Então Moisés e os israelitas entoaram este cântico ao Senhor: Cantarei ao Senhor, pois triunfou gloriosamente. Lançou ao mar o cavalo e o seu cavaleiro! O Senhor é a minha força e a minha canção; ele é a minha salvação! Ele é o meu Deus e eu o louvarei, é o Deus de meu pai, e eu o exaltarei!

Na verdade, Deus não quer apenas nos *dar* força; Ele quer *ser* a nossa força. Em 1 Samuel 15:29 Ele é mencionado como a Força de Israel. Houve um tempo em que Israel sabia que Deus era a sua força. Quando se esqueciam disso, eles sempre começavam a fracassar, e a vida deles começava a ser cheia de destruição.

Em 2 Samuel 22:33-34 Davi escreveu: "É Deus quem me reveste de força e torna perfeito o meu caminho. Ele me faz correr veloz como a gazela e me firma os passos nos lugares altos." Davi tinha muitos inimigos, e ao longo do livro de Salmos ele fala sobre a força de Deus e a respeito de recorrer a essa força.

Parece que muitos dos homens e mulheres sobre os quais lemos na Bíblia sabiam que Deus era a força deles. Se eles não soubessem disso, provavelmente teriam sido esquecidos como tantos outros e não teriam se tornado exemplos para o nosso encorajamento hoje.

O apóstolo Paulo achava a força de Deus tão maravilhosa que em 2 Coríntios 12:9-10 ele disse que se gloriaria nas suas fraquezas, sabendo que quando estava fraco, a força de Deus repousaria sobre ele e supriria as suas fraquezas. Traduzindo na nossa linguagem de hoje, Paulo estava dizendo que ele ficava feliz quando estava fraco porque assim ele podia se valer da força de Deus.

Como recebemos força de Deus? Pela fé. Hebreus 11:11 nos ensina que pela fé Sara recebeu força para conceber um filho quando havia passado da idade de tê-los.

Comece a receber a força de Deus pela fé. Isto vai despertar o seu corpo, assim como o seu espírito e a sua alma. Por exemplo, se você tem problemas nas costas, elas podem ser fortalecidas. Nas nossas conferências, o Espírito Santo já fortaleceu joelhos, tornozelos e costas enquanto orávamos por aqueles que pediam forças a Deus. O Seu poder de cura veio enquanto esperávamos na Sua presença e o recebíamos dele.

Pela fé, você pode receber força para permanecer em um casamento difícil, para criar um filho difícil ou para se manter em um emprego difícil no qual você tem um chefe difícil.Você pode receber força para fazer grandes coisas, embora possa ter debilidades físicas.

A força de Deus é realmente impressionante. Davi escreveu no Salmo 18:29 que com Deus ele podia atacar uma tropa e transpor uma muralha. Em 1 Reis 19:4-8, um anjo veio e ministrou a Elias que estava cansado e deprimido, e ele andou quarenta dias e quarenta noites na força que ele recebeu naquela única visita.

Você tem tentado vencer as dificuldades sozinho? Se tem, faça uma mudança agora mesmo. Comece a adquirir força do seu interior onde o Espírito Santo habita. Se essa força divina ainda não habita em você, tudo que precisa fazer para recebê-la é admitir os seus pecados, se arrepender deles, e pedir a Jesus para ser o seu Salvador e Senhor. Entregue a sua vida, tudo que você é e tudo que não é, a Ele. Peça-lhe para batizá-lo com o Espírito Santo e para enchê-lo cada vez mais com o poder do Espírito Santo. Este livro o ajudará a aprender a começar a andar no Espírito e a viver uma vida de vitória e não de derrota.

Paulo orou pelos efésios para que fossem fortalecidos no homem interior pelo poder do Espírito Santo que habita no seu íntimo e na sua personalidade. Essa passagem específica, em Efésios 3:16, realmente ministrou a mim ao longo dos anos. Graças a Deus, não tenho de desistir só porque me sinto fraca ou cansada mental, emocional, fisicamente, ou até espiritualmente. Posso pedir a Deus para me fortalecer pelo poder do Espírito Santo que habita em mim — e você pode fazer o mesmo!

O ESPÍRITO SANTO É O NOSSO INTERCESSOR

> Da mesma o Espírito nos ajuda em nossa fraqueza (Romanos 8:26).

Por que não podemos simplesmente interceder por nós mesmos? Por que precisamos que o Espírito Santo nos ajude nesta área? A resposta encontra-se em 1 Coríntios 2:11: "Pois, quem conhece os pensamentos do homem, a não ser o espírito do homem que nele está? Da mesma forma, ninguém conhece os pensamentos de Deus, a não ser o Espírito de Deus." Necessitamos da ajuda do Espírito Santo porque Ele é o Único que conhece os pensamentos de Deus.

Se você e eu quisermos orar dentro da vontade de Deus, precisamos saber o que Deus está pensando e o que Ele deseja. Romanos 8:26-28 nos diz que não sabemos como orar como deveríamos, de modo que o Espírito Santo nos ajuda:

> *Da mesma forma o Espírito nos ajuda em nossa fraqueza, pois não sabemos como orar, mas o próprio Espírito intercede por nós com gemidos inexprimíveis.* E aquele que sonda os corações conhece a intenção do Espírito, porque o Espírito intercede pelos santos de acordo com a vontade de Deus. Sabemos que Deus age em todas as coisas para o bem daqueles que o amam, dos que foram chamados de acordo com o seu propósito (grifos da autora).

Se orarmos pelo Espírito Santo, podemos sempre ter certeza de que todas as coisas cooperarão para o nosso bem. Deus é grande e poderoso; não existe situação que Ele não possa usar para o bem quando oramos e confiamos nele. Não ousamos orar como queremos, mas da maneira que o Espírito Santo nos dirige a orar. As orações cheias do Espírito são as únicas que recebem o sim e o amém de Deus (ver 2 Coríntios 1:20).

O ESPÍRITO SANTO É O NOSSO ADVOGADO

> Quem fará alguma acusação contra os escolhidos de Deus? É Deus quem os justifica (Romanos 8:33).

No *Dicionário Vine de Palavras do Antigo e do Novo Testamento,* a palavra grega *parakletos*, traduzida como *advogado,* é definida sob o título CONSOLADOR. De acordo com dicionário, isto significa "chamado para o lado de alguém", isto é, para ajudar alguém.[2] E prossegue dizendo: "A palavra era usada em um tribunal de justiça para indicar um assistente legal, conselho para uma defesa...; alguém que pleiteia a causa de outrem, um intercessor".[3]

Isto nos dá muito que pensar. O Espírito Santo é Alguém que é chamado literalmente para o nosso lado para nos dar ajuda de todas as maneiras. Quando precisamos de defesa, Ele nos defende, agindo como um assistente legal agiria por um cliente. É bom saber que não temos de nos defender quando somos acusados de alguma coisa; podemos pedir a ajuda daquele que é Santo e esperar recebê-la. Ele é o nosso Advogado. Deveríamos nos sentir consolados, apenas em pensar nisso.

A maioria de nós perde muito tempo e energia na vida tentando se defender, defender a reputação, a posição, os atos, as palavras e as decisões. Estamos realmente desperdiçando o nosso tempo. Quando os outros são julgadores para conosco, podemos finalmente depois de muito esforço convencê-los da pureza do nosso coração. Mas o problema está no fato de que se eles são julgadores por natureza ou caráter, logo encontrarão outra coisa para nos julgar. É melhor orar e deixar que Deus seja a nossa defesa.

Observamos nas Sagradas Escrituras que Jesus praticamente nunca se defendia. Filipenses 2:7 diz que Ele "... esvaziou-se a si mesmo". Ele não tentou construir uma reputação, e assim não tinha de se preocupar em defendê-la.

Depois de anos procurando fazer as pessoas pensarem bem a meu respeito, descobri que é muito melhor ter uma boa reputação no céu do que na terra. Quero ter uma boa reputação com as pessoas, e espero viver a minha vida de tal maneira que isso aconteça. Mas não me preocupo mais com isso. Faço o meu melhor e deixo que Deus cuide do restante.

Romanos 8:33 diz que é Deus que nos justifica; não temos de nos justificar, nem mesmo para Deus Pai. Por que então deveríamos tentar nos justificar diante das pessoas? Não temos de fazer isso — se entendermos que o Espírito Santo é o nosso Advogado.

7

Os Sete Espíritos de Deus

João, às sete igrejas da província da Ásia: A vocês, graça e paz da parte daquele que é, que era e que há de vir, dos sete espíritos que estão diante do seu trono (Apocalipse 1:4).

O livro de Apocalipse fala dos sete espíritos que estão diante do trono de Deus. Apocalipse 3:1 e 4:5 se referem aos "sete Espíritos de Deus". Sabemos que existe apenas um Espírito Santo, mas a referência a sete Espíritos nos mostra que Ele tem várias maneiras de se manifestar e de se expressar entre os homens para trazer plenitude às suas vidas. Assim como a Trindade é um Deus em três pessoas, o Espírito Santo é um Espírito com diferentes operações ou modos de expressão.

Neste capítulo, veremos as passagens bíblicas que revelam as sete maneiras diferentes como o Espírito Santo se manifesta ou se expressa na nossa vida diária. Ele opera de vários modos conforme necessário para atender a diferentes tipos de necessidades, embora no final das contas Ele seja tudo que precisamos. Por este ser um livro sobre intimidade com Deus, parece que vale a pena estarmos cientes das diversas maneiras como o Espírito Santo opera em nós e por nosso intermédio.

O ESPÍRITO DA GRAÇA

Hebreus 10:29 nos fala sobre o "Espírito da graça" (o favor imerecido e a bênção de Deus). O "Espírito da graça" é o próprio Espírito Santo.

A graça é o poder do Espírito Santo que está disponível a nós para fazermos com facilidade o que não podemos fazer com esforço. Mas primeiro, é o poder que nos capacita a estarmos retos diante de Deus para que nos tornemos o Seu lar, o lar do Espírito Santo. Com o Espírito Santo dentro de nós, podemos buscar *dentro* de nós o poder do Espírito da Graça para fazermos o que não podemos fazer esforçando-nos na nossa própria força.

Por exemplo, passei anos tentando mudar a mim mesma porque eu via muitos defeitos no meu caráter. Na maior parte do tempo, sentia-me frustrada porque todo o meu esforço e trabalho árduo não estavam produzindo nenhuma mudança. Se eu percebesse que estava dizendo coisas pouco gentis que eu não deveria dizer, eu decidia parar. Mas por mais que eu fizesse, eu não conseguia mudar e, às vezes, até parecia piorar.

Finalmente, clamei a Deus, admitindo que eu não podia mais nem mesmo tentar mudar. Àquela altura, ouvi Deus falar em meu coração: "Bom, agora Eu posso fazer alguma coisa na sua vida."

Em Gálatas 3:3, o apóstolo Paulo faz a pergunta: "Será que vocês são tão insensatos que, tendo começado pelo Espírito, querem agora se aperfeiçoar na carne?" Andar no Espírito Santo é a única maneira de atingir a perfeição. Entender a obra da graça é da maior importância para aprendermos a andar na Sua presença.

Quando Deus faz as mudanças, recebe a glória; portanto, Ele não permitirá que nós mudemos a nós mesmos. Quando *tentamos* mudar ou *tentamos* ser gentis, sem depender de Deus, nós o deixamos "fora do ciclo". Em vez de querermos mudar-nos, precisamos simplesmente pedir a Ele para nos transformar, e depois deixarmos que o Seu Espírito da Graça faça a obra em nós.

Muitas pessoas acham que precisam merecer abrir caminho para Deus fazendo coisas boas para ganhar a aceitação dele. Isto não é verdade. Entramos em relacionamento com Deus recebendo a salvação como um dom gratuito que nos é transmitido pela graça de Deus por meio da nossa fé em Seu Filho Jesus Cristo. É impossível alguém estar em posição reta diante de Deus sem conhecer Jesus.

A graça é uma coisa maravilhosa. Ela é o poder pelo qual os homens são salvos por intermédio da sua fé em Jesus Cristo, como Paulo nos diz em Efésios 2:8:

> Pois vocês são salvos pela graça, por meio da fé, e isto não vem de vocês, é dom de Deus.

O Espírito Santo ministra graça a nós da parte de Deus Pai. A graça é, na verdade, o poder (do Espírito Santo) fluindo do trono de Deus para os homens para salvá-los e capacitá-los a viver vidas santas e realizar a vontade de Deus.

Eu sempre ouvi dizer que a graça é o favor imerecido de Deus, e isto é verdade; entretanto, ela é muito mais que isto. Quando aprendi que a graça é o poder do Espírito Santo disponível a mim para fazer com facilidade o que eu não podia fazer com esforço, fiquei entusiasmada com a graça. Comecei a clamar a Deus por graça, graça, e mais graça.

Em Zacarias 4, lemos sobre um grupo de pessoas que estava tentando reconstruir o templo e que se deparou com muita oposição. Satanás sempre se opõe à obra de Deus. Nos versículos 6 e 7, o anjo do Senhor disse ao profeta que a tarefa designada seria completada: "Não por força nem por violência, mas pelo meu Espírito, diz o SENHOR dos Exércitos." Foi prometido ao povo que a graça de Deus transformaria as suas montanhas em montinhos de terra e que eles terminariam o templo, clamando "Graça, graça de Deus!"

Geralmente, tentamos tirar as nossas montanhas do caminho com a nossa própria força quando deveríamos estar clamando pelo Espírito da Graça para facilitar o nosso trabalho.

Um dos símbolos do Espírito Santo é o óleo (ver Zacarias 4:6). Quando penso em óleo, sempre penso em facilidade. O óleo faz as coisas fluírem com facilidade; na verdade, elas podem se tornar totalmente escorregadias. Algumas pessoas precisam apenas ter um pouco de óleo aplicado às suas vidas; então todas as coisas não serão tão difíceis. Se você é uma dessas pessoas, eu o encorajo a ir a Deus e lhe dizer que você está vindo para "uma obra de lubrificação!"

Não há regozijo na vida sem graça. Com a graça de Deus, a vida pode ser vivida com uma facilidade sem esforço que gera uma abundância de paz e alegria.

Em Romanos 5:2, lemos: "Por meio de quem obtivemos acesso pela fé a esta graça na qual agora estamos firmes; e nos gloriamos na esperança da glória de Deus." Entramos na graça de Deus por meio da fé — da mesma maneira que recebemos todas as outras coisas do Senhor. Esta graça faz com que nos regozijemos e tenhamos esperança de experimentar a glória de Deus.

A glória é a manifestação da excelência e da bondade de Deus. Todos nós queremos glória, mas só podemos esperar experimentá-la porque o Espírito da Graça vive dentro de nós como crentes em Jesus Cristo. É disto que Paulo está falando em Colossenses 1:27 quando ele diz: "A ele quis Deus dar a conhecer entre os gentios a gloriosa riqueza deste mistério, que é Cristo em vocês, a esperança da glória."

Cristo precisa viver em nós; do contrário, não há esperança de jamais experimentarmos a glória de Deus. Mas pelo fato de que Ele vive naqueles entre nós que cremos, porque Ele está continuamente ministrando graça àqueles que sabem como pedir e receber graça, podemos aguardar ansiosamente novas dimensões de glória continuamente.

Quando Paulo e os outros apóstolos saudaram as igrejas dos seus dias com: "Que a graça de nosso Senhor Jesus Cristo seja com todos vocês", eles estavam orando para que o Espírito da Graça — o Espírito Santo de Deus Pai e de Jesus Cristo o Filho — estivessem com as pessoas, ajudando-as, e ministrando a elas o poder que precisavam para a vida diária.

Creio firmemente que deixamos escapar esta verdade por não percebermos que precisamos do poder de Deus para viver não apenas em tempos de dificuldades ou emergências, mas ao curso da nossa vida diária normal — da nossa vida na segunda-feira, terça, quarta, quinta, sexta, sábado e domingo.

Por que não dar as boas-vindas ao Deus da Graça na sua vida agora mesmo? Convide-o para invadir a sua vida diária normal com o Seu poder, que é o poder do Espírito Santo habitando dentro de você. *Você e eu precisamos de uma invasão do Espírito Santo*!

Porque graça é poder, Paulo encorajou os crentes a não receberem a graça de Deus em vão (ver 2 Coríntios 6:1). Em outras palavras, Paulo estava dizendo: "Recebam o Espírito da Graça em suas vidas com um propósito — para ajudá-los a viver uma vida santa, para realizarem a vontade de Deus em vocês, e para capacitá-los a viver para a glória de Deus."

Não podemos fazer isto sem a graça de Deus. Uma das leis espirituais do reino de Deus é: "Use-o ou perca-o." Deus espera que usemos o que Ele nos dá. Quando utilizamos a graça que nos é oferecida, então cada vez mais graça nos é disponibilizada. Não há carência de poder no céu, mas, às vezes, não estamos ligados.

Em Gálatas 2:21, Paulo afirmou: "Não anulo a graça de Deus." O que ele quis dizer com isto? Para descobrir, vamos ver o que ele disse no versículo anterior: "Já não sou mais eu quem vive, mas Cristo vive em mim; e a vida que agora vivo no corpo vivo-a pela fé no Filho de Deus, que me amou e se entregou por mim." Então ele seguiu em frente afirmando que não tornaria inútil a graça de Deus. Veja, a graça de Deus teria se tornado inútil se Paulo tivesse tentado viver a sua vida por conta própria, mas ele havia aprendido a viver pela fé, em outras palavras, pelo poder de Cristo, que vimos que é o Espírito Santo.

Estou certa de que a maioria de nós sabe o quanto é frustrante querer ajudar alguém que sempre nos rejeita. Imagine uma pessoa que está se afogando e que luta e resiste freneticamente ao salva-vidas que está tentando salvá-la. A melhor coisa que essa pessoa pode fazer é relaxar completamente e permitir que o salva-vidas a ponha a salvo; do contrário, ela pode se afogar.

Você e eu costumamos ser como o nadador que está se afogando. O Espírito Santo está em nós. Como o Espírito da Graça, Ele tenta nos ajudar a viver a nossa vida com muito mais facilidade, mas lutamos freneticamente para nos salvarmos e para manter a nossa independência.

De acordo com Efésios 3:2 (nas versões de Almeida), estamos vivendo "na dispensação da graça de Deus". Isto se refere ao tempo em que o Espírito Santo tem sido derramado e está disponível a toda carne. Mas com a segunda vinda de Jesus Cristo, a dispensação da graça chegará ao fim e o Espírito Santo não mais deterá a ilegalidade de Satanás (ver 2 Tessalonicenses 2:6-7).

Na Bíblia nos é dito que o Espírito de Deus não irá sempre contender com o homem (ver Gênesis 6:3). Sejamos sábios o suficiente durante esta grande dispensação da graça para aproveitarmos plenamente tudo que nos é oferecido. Que possamos dar as boas-vindas diariamente ao Espírito Santo às nossas vidas. Fazendo isto, estaremos lhe dizendo que precisamos dele e que estamos muito, muito felizes em saber que Ele nos escolheu como a Sua casa.

O ESPÍRITO DA GLÓRIA

> Se vocês são insultados por causa do nome de Cristo, felizes são vocês, pois o Espírito da glória, o Espírito de Deus, repousa sobre vocês (1 Pedro 4:14).

Pedro afirma que o Espírito de Deus, o Espírito da Glória, repousa sobre nós quando somos insultados pelo nome de Cristo. Imagine, achamos terrível quando as pessoas nos maltratam porque somos cristãos, mas Deus vê isso a partir de uma ótica inteiramente diferente. Deus nunca espera que soframos por Ele sem a Sua ajuda. Portanto, podemos crer firmemente que a qualquer momento em que somos insultados ou maltratados de alguma forma por causa da nossa fé em Cristo, Deus nos dá uma medida extra do Seu Espírito para contrabalançar o ataque.

O Espírito Santo geralmente age como um amortecedor. Os automóveis têm amortecedores para diminuir o impacto de um buraco inesperado na estrada. Existem buracos na estrada da vida, e sinceramente duvido que pudéssemos suportar uma vida inteira cheia deles se Deus não nos protegesse.

Creio que isto é uma evidência do fato de que a maioria das pessoas que não estão servindo a Deus e confiando nele para suprir as suas necessidades, às vezes, parecem e agem como alguém que passou por vários acidentes de carro. O que quero dizer é que elas parecem esgotadas e geralmente parecem mais velhas do que realmente são. O rosto delas demonstra a tensão dos anos que viveram sem a ajuda e a proteção do Espírito Santo. Suas atitudes são azedas devido a uma vida de adversidades. Elas costumam se tornar amargas porque a vida lhes pareceu injusta. Elas não percebem que a sua vida teria sido muito diferente se elas tivessem servido a Deus e dependido do Seu Espírito para guiá-las e protegê-las.

Quando temos o Espírito de Deus em nossas vidas, podemos passar por circunstâncias difíceis e manter a nossa paz e alegria. Como Sadraque, Mesaque e Abedenego em Daniel 3:20-27, podemos entrar na fornalha ardente (os problemas e lutas) e sair sem ter sequer o cheiro de fumaça em nós.

Sofri abuso sexual desde as minhas lembranças mais remotas até os 18 anos. Então, casei-me com o primeiro homem que demonstrou algum interesse por mim, porque eu achava que provavelmente ninguém mais iria me querer. Aquele casamento terminou em divórcio depois que suportei mais cinco anos de abuso mental e emocional, com adultério e abandono. Tenho sido liberta de muitas aflições físicas durante os anos de minha vida, inclusive de câncer de mama. O que estou querendo dizer, em suma, é que, de acordo com todos os padrões de julgamento, tive uma vida bastante dura e, no entanto, sinto-me bem fisicamente. Não tenho a aparência de uma pessoa que passou por dificuldades tão profundas. Por quê? Porque aprendi a depender do Espírito Santo que está dentro de mim.

Nasci de novo aos 9 anos, e embora eu não tivesse a revelação do que realmente estava disponível para mim, Deus estava comigo e vivendo em mim daquele momento em diante. Passei por lutas durante muitos anos, mas com o tempo aprendi sobre o poder do Espírito Santo que estava à minha disposição. Tenho tido um relacionamento íntimo com Deus há anos, e Ele me ensinou a seguir os Seus caminhos e a servi-lo. Assim como todo mundo, ainda cometo erros, mas Ele é paciente e não desistiu de mim.

Deus me restaurou e realmente me tornou melhor, assim creio, do que eu seria se tivesse desfrutado de uma vida fácil. Ele me recompensou com a Sua glória em mais do que o dobro por tudo que Satanás conseguiu roubar de mim, e Ele fará o mesmo por todos aqueles que colocarem a sua fé consistentemente nele e andarem nos Seus caminhos.

Muitas vezes em minha vida fui insultada pelo nome de Cristo, mas agora sei que o Espírito da Glória estava sempre sobre mim. Bem no meio do ataque e da adversidade, Deus continuou tornando a minha vida cada vez melhor. Ele ama pegar o caos e fazer algo glorioso dele.

Se você lhe pedir para fazer isso, Ele pegará o seu caos e o transformará no seu ministério. Você pode ajudar outros que estão enfrentando o mesmo tipo de coisas que Deus o ajudou a vencer. O seu fardo pode se tornar a sua bênção, e a sua fraqueza pode se tornar a sua arma.

Quando a glória de Deus se manifestar na sua vida, os outros olharão para você e dirão: "Uau! Que grande Deus é este a quem você serve!", porque o poder da Sua bondade para com você é evidente visivelmente para eles. Deus quer impactar você e os outros mais ainda!

Um trecho da definição da palavra *glorificar* no dicionário Vine de palavras do hebraico e do grego diz: "A glória de Deus é a revelação e a manifestação de tudo que Ele tem e é".[1] Portanto, quando a glória de Deus vem sobre você, o Seu caráter e bondade excelentes começam a se manifestar na sua vida. Dê as boas-vindas ao Espírito da Glória em sua vida e anime-se em ver a glória de Deus se levantar sobre você.

O ESPÍRITO DE VIDA

> Então o SENHOR Deus formou o homem do pó da terra e soprou em suas narinas o fôlego do espírito de vida, e o homem se tornou um ser vivente (Gênesis 2:7).

Quando Deus criou Adão, ele colocou no chão uma forma sem vida até que soprou dentro dele o fôlego de vida, e ele se tornou uma alma vivente. Em 1 Coríntios 15:45 o apóstolo Paulo diz: "O primeiro homem, Adão, tornou-se alma vivente (uma personalidade individual)". Adão andava ao lado de Deus, falava com Ele, e acreditava nele. A Bíblia diz que Adão tinha a mente voltada para a terra, e podemos ver nos acontecimentos no Éden que ele fez uma escolha errada quando enfrentou a tentação.

No versículo 45 de 1 Coríntios 15, Paulo continua a explicar que "o último Adão (Cristo) se tornou um Espírito vivificante". No versículo 46, ele ressalta que Deus, primeiro, nos dá uma vida física, e depois uma vida espiritual: "Não foi o espiritual que veio antes, mas o natural; depois dele, o espiritual." Esse renascimento espiritual é dado àqueles que colocam a sua confiança em Deus, crendo que Jesus pagou o preço pelo pecado e que Ele morreu por aqueles que se arrependem sinceramente dos seus pecados, mudam a sua mente para melhor, e corrigem os seus caminhos. Todos nós nascemos com a mente voltada para esta terra, como Adão, mas por intermédio de Cristo podemos ter a nossa mente voltada para o céu:

> O primeiro homem era do pó da terra; o segundo homem, dos céus. Os que são da terra são semelhantes ao homem terreno; os que são dos céus, ao homem celestial. Assim como tivemos a imagem do homem terreno, teremos também a imagem do homem celestial (1 Coríntios 15:47-49).

Jesus resistiu à tentação que testou a Sua humanidade e assim cumpriu a lei de Deus que era necessária para que um ser humano fosse justo aos olhos do seu Criador. Depois Jesus se ofereceu, e a Sua justiça, como um sacrifício imaculado a Deus, em troca do direito de purificar a nossa consciência das obras mortas e das práticas destituídas de vida (ver Hebreus 9:14).

Porque a lei de Deus exigia o derramamento de sangue para a purificação da culpa do pecado, o homem sacrificava o sangue de bodes e bezerros para fazer expiação pelos seus pecados; mas Cristo entrou de uma vez por todas em nosso favor no Santo dos Santos e se entregou como pagamento pelos salários do nosso pecado a fim de nos reconciliar com Deus.

Por não poder haver um sacrifício mais perfeito que Jesus, nenhum sacrifício seria aceitável a Deus daquele momento em diante. As nossas boas obras não são uma expiação aceitável pelos nossos pecados. As nossas ofertas ou sacrifícios não são mais perfeitas que o sangue de Jesus. É por isso que as nossas boas obras não podem nos salvar. A única expiação aceitável que nos reconcilia com Deus é a nossa confiança no sacrifício daquele que *é* perfeito. Pela nossa concordância com o Pai de que não há sacrifício mais perfeito que Jesus, somos restaurados da morte para a vida por meio da nossa fé nele.

Hebreus 9:22-28 explica:

> De fato, segundo a Lei, quase todas as coisas são purificadas com sangue, e sem derramamento de sangue não há perdão. Portanto, era necessário que as cópias das coisas que estão nos céus fossem purificadas com esses sacrifícios, mas as próprias coisas celestiais com sacrifícios superiores. Pois Cristo não entrou em santuário feito por homens, uma simples representação do verdadeiro; ele entrou nos céus, para agora se apresentar diante de Deus em nosso favor; não, porém, para se oferecer repetidas vezes, à semelhança do sumo sacerdote que entra no Santo dos Santos todos os anos, com sangue alheio. Se assim fosse, Cristo precisaria sofrer muitas vezes, desde o começo do mundo. Mas agora ele apareceu uma vez por todas no fim dos tempos, para aniquilar o pecado mediante o sacrifício de si mesmo. Da mesma forma, como o homem está destinado a morrer uma só vez e depois disso enfrentar o juízo, assim também Cristo foi oferecido em sacrifício uma única vez, para tirar os pecados de muitos; e aparecerá segunda vez, não para tirar o pecado, mas para trazer salvação aos que o aguardam.

Quando Cristo entrou no mundo, Ele disse que Deus não tinha prazer nas ofertas pelo pecado (ver Hebreus 10:5-6). Deus tem prazer quando comparecemos perante Ele em comunhão com a Sua Santa presença. Jesus cumpriu a lei a fim de estabelecer a nova aliança que nos permite desfrutar a vida na presença do Pai novamente.

Jesus disse ao Pai: "'Aqui estou; vim para fazer a tua vontade'. Ele cancela o primeiro [pacto] para estabelecer o segundo [pacto]. Pelo cumprimento dessa vontade fomos santificados, por meio do sacrifício do corpo de Jesus Cristo, oferecido uma vez por todas" (Hebreus 10:9-10).

Em João 10:10, Jesus disse: "O ladrão vem apenas para roubar, matar e destruir; eu vim para que tenham vida, e a tenham plenamente."

Quando Jesus disse isso, Ele não estava falando a pessoas mortas. Ele estava falando a pessoas vivas. Então, o que Ele quis dizer quando disse que Ele veio para lhes dar *vida*? Ele estava falando da vida cheia do Espírito de Deus ou uma vida voltada para o céu como a vida que Ele vivia, que certamente era uma qualidade de vida muito superior à vida terrena que recebemos no nosso nascimento físico. Ele devia estar falando de um tipo de vida superior que vem de se nascer do Espírito.

João 1:12-13 explica esse segundo nascimento como sendo nascer de Deus: "Contudo, aos que o receberam, aos que creram em seu nome, deu-lhes o direito de se tornarem filhos de Deus, os quais não nasceram por descendência natural nem pela vontade da carne nem pela vontade de algum homem, mas nasceram de Deus." Romanos 8:8-11 explica por que precisamos que Jesus encha o nosso espírito humano com o Seu Espírito:

> Quem é dominado pela carne não pode agradar a Deus. Entretanto, vocês não estão sob o domínio da carne, mas do Espírito, se de fato o Espírito de Deus habita em vocês. E, se alguém não tem o Espírito de Cristo, não pertence a Cristo.
>
> Mas se Cristo está em vocês, o corpo está morto por causa do pecado, mas o espírito está vivo por causa da justiça. E, se o Espírito daquele que ressuscitou Jesus dentre os mortos habita em vocês, aquele que ressuscitou a Cristo dentre os mortos também dará vida a seus corpos mortais, por meio do seu Espírito, que habita em vocês.

É exatamente isto que acontece àqueles de nós que nascemos do Espírito. Quando aceitamos Cristo como nosso Salvador, o Espírito da Vida vem habitar em nós, e somos despertados e passamos a viver no nosso espírito. Não estamos apenas respirando; estamos sendo preparados para realmente e verdadeiramente viver a vida como ela deve ser vivida.

João 1:4 diz de Jesus: "Nele estava a vida, e esta era a luz dos homens." O que estava em Jesus? O Espírito Santo estava nele; o

Espírito Santo veio sobre Ele com poder no dia do Seu batismo nas águas. Ele demonstrou a nós a vida de um homem cheio do Espírito, revestido pelo poder do Espírito Santo, e Ele veio para nos dar a mesma vida que Ele tinha. Somos instruídos a imitá-lo, a seguir os Seus passos, a fazer o que Ele fez, e a receber a Sua justiça.

Você lembra como João Batista ficou surpreso quando Jesus foi até ele para ser batizado nas águas?

> Então Jesus veio da Galileia ao Jordão para ser batizado por João. João, porém, tentou impedi-lo, dizendo: "Eu preciso ser batizado por ti, e tu vens a mim?" Respondeu Jesus: "Deixe assim por enquanto; convém que assim façamos, para cumprir toda a justiça". E João concordou. Assim que Jesus foi batizado, saiu da água. Naquele momento o céu se abriu, e ele viu o Espírito de Deus descendo como pomba e pousando sobre ele (Mateus 3:13-16).

Jesus foi batizado para que nós víssemos a nossa necessidade de sermos batizados também. Foi no batismo de Jesus que João viu o Espírito Santo vir *sobre* Jesus com poder para o ministério que Ele demonstrou durante os poucos anos seguintes da Sua vida terrena. Esse mesmo poder está disponível a nós.

"No dia seguinte João viu Jesus aproximando-se e disse: 'Vejam! É o Cordeiro de Deus, que tira o pecado do mundo! Este é aquele a quem eu me referi, quando disse: 'Vem depois de mim um homem que é superior a mim, porque já existia antes de mim'" (João 1:29-30). Um dos meus versículos favoritos é 2 Coríntios 3:6: "Ele nos capacitou para sermos ministros de uma nova aliança, não da letra, mas do Espírito; pois a letra mata, mas o Espírito vivifica." Em outras palavras, o Espírito *dá vida.*

E a passagem de 2 Coríntios 3:17 diz: "Ora, o Senhor é o Espírito e, onde está o Espírito do Senhor, ali há liberdade." A imagem não é tão difícil de entender. Onde quer que o Espírito de Deus vá, tudo se torna livre e vivo. Sem Ele, as coisas (até a igreja) estão mortas e cheias de cativeiro.

Fui a muitos cultos sem vida na igreja. Também fui, e até tive o privilégio de dirigir, muitos que foram cheios da vida de Deus. Creia-me, quando você experimentou os dois, conhece perfeitamente a diferença.

Quando vivemos sob a velha aliança — sob os rituais e fórmulas ou sob a letra morta da lei (ver 2 Coríntios 3:6), não desfrutamos realmente a vida ou qualquer coisa ligada a ela. Quando vivemos debaixo da graça, esperando glória, cheios do Espírito Santo, vivemos empolgados com a vida. Somos cheios de uma expectativa santa que nos faz querer nos levantar pela manhã e saudarmos com alegria um novo dia. Tudo parece cheio de vida — e essa vida torna as coisas melhores, mais fáceis e mais agradáveis.

1 João 5:12 diz que se as pessoas não têm Cristo em sua vida, elas não têm vida. Mais uma vez, essa afirmação foi feita a pessoas que andavam, falavam e respiravam. Elas estavam vivas segundo o padrão de julgamento normal, mas não segundo o padrão de Deus. Deus quer que estejamos realmente vivos — vivos em Cristo, cheios do Espírito da Vida!

Em Romanos 8:2, Paulo escreveu: "Porque por meio de Cristo Jesus a lei do Espírito de vida me libertou da lei do pecado e da morte."

A única coisa que nos liberta da letra da lei, que gera morte em nós se tentarmos servir a Deus debaixo dela, é o Espírito de Vida encontrado em Cristo Jesus. Quando Jesus vem fazer de nós a Sua casa, Ele traz o Espírito de Vida com Ele: "Respondeu Jesus: Se alguém me ama, obedecerá à minha palavra. Meu Pai o amará, nós viremos a ele e faremos morada nele" (João 14:23). Quando isso acontece conosco, as coisas começam a mudar — pelo menos elas mudam se entendermos o que temos e como ter acesso a essas coisas.

É aí que entra a importância do ensino. Aqueles que têm experiências com Deus, e o dom de transmitir a Sua Palavra a outros, devem ensinar aos novos crentes que podem lutar a vida inteira, mesmo que sejam salvos, caso lhes falte conhecimento. Em Oséias 4:6, Deus disse: "Meu povo foi destruído por falta de conhecimento". Como crentes em Cristo, somos coerdeiros com Ele. Temos uma herança; mas se não soubermos o que é nosso, não o usaremos. Aprender a Palavra de Deus é vital para desfrutar a vida que Jesus quer que tenhamos.

O Espírito de Vida não nos afeta apenas espiritualmente, mas Ele afeta também a nossa alma, e até o nosso corpo, se permitirmos que Ele o faça. Como permitimos que Ele faça isso? Crendo! Paulo explicou esta verdade em Romanos 8:11, quando disse: "E, se o Espírito daquele que ressuscitou Jesus dentre os mortos habita em vocês, aquele que ressuscitou a Cristo dentre os mortos também dará vida a seus corpos mortais, por meio do seu Espírito, que habita em vocês."

Imagine, o mesmo Espírito que ressuscitou Cristo dos mortos habita em nós, se formos crentes. Preciso dizer isso de novo: *O mesmo Espírito que ressuscitou Cristo dos mortos habita em nós!* Isto pode mesmo ser verdade? Tem de ser, porque as Sagradas Escrituras dizem isso, e elas foram inspiradas por Deus (ver 2 Timóteo 3:16).

Quando entramos na realidade dessa verdade pela fé, somos despertados ou passamos a ter vida não apenas no nosso espírito e na nossa alma, mas também no nosso corpo. O Espírito Santo ministra cura a nós e a outros por nosso intermédio. A cura é um dos dons do Espírito que discutiremos mais tarde.

O Espírito Santo não terá permissão para realizar a Sua plena função em nossas vidas se não o recebermos como o Espírito da Vida. Dê as boas-vindas a Deus em você como o lugar de Sua habitação, e a morte será engolida pela vida, assim como as trevas são engolidas pela luz (ver 1 Coríntios 15:54; 2 Coríntios 5:4). Imagine-se entrando em um quarto escuro e apertando o interruptor de luz. A luz dissipa as trevas. Jesus é a Luz do mundo, e o Seu Espírito é o Espírito de Vida que dissipa a morte e tudo que tenta nos derrotar (ver João 8:12).

O ESPÍRITO DA VERDADE

> Mas quando o Espírito da verdade vier, ele os guiará a toda a verdade (João 16:13).

Nesta passagem, Jesus se refere ao Espírito Santo como o Espírito da Verdade. Mas Jesus também disse que Ele próprio é "... o Caminho, a Verdade e a Vida" (João 14:6). Se o Espírito Santo e Jesus são ambos a Verdade, então Eles devem ser Um.

O Espírito Santo foi enviado para nos conduzir a toda a verdade. Antes de Jesus partir para o céu após a Sua morte, sepultamento e ressurreição, Ele disse aos Seus discípulos que Ele ainda tinha muito que queria compartilhar com eles, mas eles ainda não estavam prontos para isso. Em João 16:12, Ele disse: "Tenho ainda muito que lhes dizer, mas vocês não o podem suportar agora." Nos versículos 13 a 15, Ele lhes disse que o Espírito Santo continuaria revelando as coisas a eles à medida que estivessem prontos para recebê-las.

É dessa mesma maneira que o Espírito Santo trabalha em cada uma de nossas vidas. Ele trabalha suavemente com cada um de nós, nos mostrando o que podemos suportar naquele momento.

A verdade é maravilhosa. De fato, de acordo com o que Jesus disse em João 8:31-32, é ela que nos liberta. Mas por mais maravilhosa que a verdade seja, precisamos estar prontos para encará-la. A verdade geralmente é dura; ela nos choca com uma realidade para a qual talvez não estejamos preparados se o momento não for certo.

O Espírito Santo começou a me levar a muitas verdades, porque este é o método de Ele nos levar à perfeição. A maioria de nós vive em um mundo irreal que desenvolvemos para nos proteger.

Por exemplo, tive muitas dificuldades em minha vida, mas colocava a culpa por todas elas em outras pessoas e nas minhas circunstâncias. Eu tinha dificuldade para desenvolver e manter bons relacionamentos, e estava convencida de que todas as pessoas que me cercavam precisavam mudar para que pudéssemos conviver.

Um dia, enquanto orava para que meu marido mudasse, o Espírito Santo começou a falar ao meu coração. Ele me fez entender que eu era o principal problema, e não meu marido. Ao fazer isso, o Espírito Santo lançou uma bomba de verdade sobre mim que me deixou arrasada emocionalmente por três dias. Eu estava chocada e horrorizada enquanto Ele mansamente me revelava o engano ao qual eu havia me levado por acreditar que todos eram o problema, menos eu. Durante três dias, o Espírito Santo me mostrou como era para os membros da minha família conviver comigo. Ele me revelou que eu era uma pessoa difícil de conviver, impossível de fazer feliz, que eu era crítica, egoísta, dominadora, controladora, manipuladora, negativa, implicante — e isso foi apenas o começo da lista.

Foi extremamente difícil encarar essa verdade, mas à medida que o Espírito Santo me deu a graça para fazer isso, foi o começo de uma grande cura e libertação em minha vida. Muitas das verdades que ensino às pessoas hoje são fruto daquela verdade inicial à qual o Espírito da Verdade me conduziu em 1976. Minha vida desde então tem sido uma série de novas libertações, cada uma precedida por uma nova verdade.

Sim, o Espírito Santo é o Espírito da Verdade, e Ele nos conduzirá a toda a verdade.

Você e eu vivemos em um mundo que está cheio de pessoas que estão vivendo vidas falsas, usando máscaras de fingimento, e escondendo coisas. Isto é errado; é muito errado. Mas o motivo pelo qual isto acontece é porque as pessoas não foram ensinadas a andar na verdade. Até aquelas que estão na igreja, muitas vezes, falharam pelo mesmo motivo — não aprendemos a fazer o que nos é dito em Efésios 4:15: "Antes, seguindo a verdade em amor, cresçamos em tudo naquele que é a cabeça, Cristo." Essa passagem diz tudo. Aqueles dentre nós que são cheios do Espírito da Verdade devem viver uma vida de verdade.

A maioria das pessoas hoje em dia pergunta: "O que é a verdade?" Sou grata por ter encontrado a verdade; dou as boas-vindas à verdade em minha vida diariamente. Não quero viver enganada.

Às vezes Satanás nos engana, mas outras vezes, enganamos a nós mesmos. Em outras palavras, fabricamos vidas com as quais nos sentimos confortáveis em vez de encararmos a vida como ela realmente é e de tratarmos dos problemas pelo poder do Espírito Santo.

O Espírito Santo confronta os problemas de minha vida todo o tempo, e Ele também me ensinou a ser uma confrontadora, e não uma covarde. Os covardes se escondem da verdade; eles têm medo dela.

Se você for corajoso e sábio o bastante para dar as boas-vindas ao Espírito da Verdade para que Ele entre em todos os aposentos da sua casa (e não estou falando da casa em que você mora, mas de você pessoalmente), você está se preparando para uma jornada que jamais esquecerá.

Fico absolutamente impressionada com todas as mentiras nas quais acreditei durante tantos anos que na verdade me mantinham cativa. Eu tinha medo da verdade e, no entanto, ela era a única coisa que podia me libertar.

Meu pai cometeu abuso sexual contra mim na minha infância. Cresci e saí de casa e me recusava a pensar ou falar sobre o que havia me acontecido. Eu pensava que porque me afastara daquilo fisicamente, o abuso terminara. Eu não entendia que ainda sofria os efeitos do abuso na minha alma (assim como na minha mente, na minha vontade e nas minhas emoções) e até no meu corpo. O estresse sob o qual eu vivi quando criança me deixara com danos físicos que precisavam de conserto. Eu estava escondendo o que havia no meu passado, mas isso não fazia que ele desaparecesse. Era algo que estava sobre mim como uma grande ferida, e quanto mais eu a ignorava, tanto mais ela crescia e ficava infectada.

Quando o Espírito Santo começou a trabalhar em mim, Ele colocou um livro em minhas mãos escrito por uma mulher que também havia sofrido abuso sexual por parte de seu pai. Quando comecei a ler aquele livro e comecei a entender que a mulher que o escreveu passou pela mesma experiência que eu, comecei a sentir um pouco daquela velha dor emocional. Atirei o livro no chão e disse em voz alta: "Não vou ler este livro." Porém, enquanto estava sentada ali, eu sabia bem lá no fundo do coração que o Espírito Santo me levara àquele momento de minha vida e que eu precisava segurar a Sua mão e passar por ele.

A única maneira de nos libertarmos de alguma coisa que experimentamos no passado é enfrentando-a com Deus e deixando que Ele nos tire dela. Costumo dizer: "O único caminho para fora é a saída." Queremos encontrar um atalho, mas esse geralmente não é o caminho de Deus.

Quando Dave e eu estamos viajando de carro e começamos a nos aproximar de uma cidade, sempre gostamos se houver um atalho para nos fazer contornar o trânsito da cidade. Isto é bom para o caso de viagens, mas não para a jornada da nossa vida. Na vida, a melhor política é a simples e pura verdade — encarar tudo e não contornar nada.

Você não precisa ter medo da verdade. Jesus disse aos Seus discípulos que eles não estavam prontos para algumas coisas; portanto, Ele não tentou revelar essas coisas a eles naquele momento. Deus não lhe trará revelação pelo Seu Espírito até que Ele saiba que você está pronto. Quando Ele realmente lhe trouxer revelação, você precisa acreditar que está pronto, quer sinta vontade ou não. Devemos confiar em Deus e não nos sentimentos.

O ESPÍRITO DE SÚPLICAS

> E derramarei sobre a família de Davi e sobre os habitantes de Jerusalém um espírito de ação de graças e de súplicas (Zacarias 12:10).

De acordo com esse versículo, o Espírito Santo é o Espírito de Súplicas. Isto significa que Ele é o Espírito da Oração. Toda vez que sentimos o desejo de orar, é o Espírito Santo nos dando esse desejo. Talvez não percebamos com que frequência o Espírito Santo está nos conduzindo a orar. Talvez fiquemos nos perguntando por que certa pessoa ou uma situação estão tanto na nossa mente. Muitas vezes pensamos em alguém, e, em vez de orar, continuamos pensando.

Reconhecer quando estamos sendo guiados pelo Espírito Santo a orar, em geral, é uma lição que leva muito tempo para ser aprendida. Geralmente, atribuímos coisas demais à coincidência ou ao acaso em vez de percebermos que Deus está querendo nos direcionar pelo Seu Espírito. Eis um exemplo que deveria deixar este ponto bem claro.

Em uma segunda-feira, comecei a pensar no meu pastor. Aprecio o seu ministério tanto que pensar nele não é tão raro. Mas durante um período de três dias ele continuou vindo à minha mente, e eu ficava sentindo desejo de falar com ele. Mas eu sempre adiava dar um telefonema para ele porque eu estava ocupada (isto lhe soa familiar?)

Na quarta-feira, eu tinha um compromisso em uma empresa e quando entrei, ali estava a secretária de meu pastor. Imediatamente, perguntei como ele estava passando. Soube que ele estivera enfermo e que enquanto voltava da consulta médica, recebeu um telefonema dizendo que seu pai havia sido diagnosticado com câncer, que estava se espalhando por todo o corpo.

Rapidamente percebi porque meu pastor estivera no meu coração com tanta frequência naquela semana. Devo admitir que eu não havia dedicado tempo para orar por ele. Eu *pensei* nele, mas não tomei atitude alguma de telefonar para ele ou de orar por ele.

É claro que lamentei muito por ter deixado passar a direção do Espírito Santo. Estou certa de que Deus operou por intermédio de outra pessoa para preparar o meu pastor para a semana que ele estava enfrentando. Mas se eu tivesse orado imediatamente na segunda-feira e, talvez, dado um telefonema naquele dia, eu teria tido o prazer de saber que Deus me usara para ministrar encorajamento ao meu pastor no Espírito antes mesmo que ele tomasse conhecimento de um problema que estava por vir.

Deus quer nos usar como Seus ministros e representantes, mas precisamos aprender a ser mais sensíveis ao Espírito de Súplicas.

Todos nós tivemos experiências como a que descrevi; não há condenação, mas podemos e devemos aprender com os nossos erros.

O Espírito Santo não apenas nos leva a orar, como nos ajuda a orar. Ele nos mostra como orar quando não sabemos o que pedir (ver Romanos 8:26-27).

Dê as boas-vindas ao Espírito de Súplicas em sua vida e permita que o ministério da oração se cumpra por seu intermédio. É maravilhoso ver as coisas milagrosas que ocorrem em resposta à oração.

O ESPÍRITO DE ADOÇÃO

> Pois vocês não receberam um espírito que os escravize para novamente temerem, mas receberam o Espírito que os adota como filhos, por meio do qual clamamos: "Aba Pai" (Romanos 8:15).

Esse versículo nos ensina que o Espírito Santo é o Espírito de Adoção. A palavra adoção aqui significa que fomos trazidos para a família de Deus embora anteriormente fossemos estranhos a ela, e não tínhamos qualquer parentesco com Deus. Éramos pecadores servindo a Satanás, mas Deus em Sua grande misericórdia nos redimiu e nos comprou com o sangue do Seu próprio Filho:

> Todavia, Deus, que é rico em misericórdia, pelo grande amor com que nos amou, deu-nos vida com Cristo, quando ainda estávamos mortos em transgressões — pela graça vocês são salvos (Efésios 2:4-5).

Entendemos a adoção no sentido natural. Sabemos que algumas crianças que não têm pais são adotadas por pessoas que as escolhem deliberadamente e que as consideram como suas. Em alguns aspectos, isso é melhor do que nascer em uma família. Quando nascem filhos em uma família, o nascimento deles nem sempre é resultado da escolha de seus pais. Às vezes, é apenas algo que acontece. Quando as crianças são adotadas, elas são escolhidas específica e deliberadamente.

Muito frequentemente, as pessoas que foram adotadas têm dificuldade devido aos sentimentos de rejeição, mas elas deveriam ser encorajadas a olhar o lado positivo e não o negativo dessa situação. Que honra ter sido escolhido deliberadamente por aqueles que queriam derramar o seu amor sobre elas!

A passagem seguinte descreve a atitude de Deus para conosco:

> Porque Deus nos escolheu nele antes da criação do mundo, para sermos santos e irrepreensíveis em sua presença. Em amor nos predestinou para sermos adotados como filhos, por meio de Jesus Cristo, conforme o bom propósito da sua vontade (Efésios 1:4-5).

Muitas vezes meditei nesses versículos e busquei a revelação da maravilha de ser adotado por Deus.

O Salmo 27:10 é outro versículo maravilhoso sobre este assunto. Nele Davi diz: "Ainda que me abandonem pai e mãe, o Senhor me acolherá." Em outras palavras, me adotará como Seu filho. Uso essa passagem das Escrituras frequentemente para encorajar aqueles que não se sentem amados ou que se sentem rejeitados por seus pais. Ela nunca falha em consolá-los.

Quando conheci meu marido, Dave, eu estava com 23 anos de idade e tinha um bebê de nove meses de um casamento no qual havia entrado aos 18 anos. Como eu disse, esse casamento terminou em divórcio devido ao adultério e abandono de meu primeiro marido. Quando Dave me pediu em casamento, respondi com estas palavras: "Bem, você sabe que eu tenho um filho, e se você ficar comigo, vai ficar com ele."

Dave me disse algo maravilhoso: "Não conheço o seu filho tão bem, mas sei que a amo, e também amarei qualquer coisa ou qualquer pessoa que seja parte de você."

Dave adotou o meu filho a quem dei no nome de David, sem ter nenhuma ideia de que um dia conheceria e me casaria com um homem chamado David. Deus sabe muitas coisas que nós não sabemos, e Ele prepara as coisas para nós com antecedência.

Essa história corresponde intimamente ao motivo pelo qual Deus nos adota. Como crentes em Cristo, somos parte dele — Deus Pai decidiu antes da fundação do mundo que qualquer pessoa que amasse Cristo seria amada e aceita por Ele. Ele decidiu que Ele adotaria todos aqueles que aceitassem Jesus como seu Salvador (ver Efésios 1:3-6).

Por meio do novo nascimento, fomos trazidos para a família de Deus. Ele se tornou o nosso Pai. Nós nos tornamos herdeiros de Deus e coerdeiros com Seu Filho Jesus Cristo (ver Romanos 8:16-17). O Seu Espírito habita em nós, tão certo quanto o espírito dos Meyer (a minha aparência e estrutura mental) habita nos meus filhos, e tão certo quanto o seu espírito habita nos seus filhos, se você tem filhos. Eles herdaram as suas características. Eles têm o seu sangue correndo em suas veias. Eles podem se parecer com você, ter o formato de corpo como o seu ou ter o seu jeito.

Uma de minhas filhas se parece comigo. Minhas duas filhas têm o formato das pernas como as minhas, e as minhas são parecidas com as de minha mãe. As unhas dos meus dedinhos dos pés têm uma forma bastante estranha, e as do meu filho mais velho têm a mesma forma. Ele também tem a minha personalidade. A filha que se parece comigo tem a personalidade de seu pai.

É realmente interessante quando começamos a pensar nesses termos. Pegue esses exemplos naturais e comece a ver as semelhanças espirituais no seu relacionamento com Deus, e você ficará empolgado.

Devemos ter o jeito e as características de Deus. O Seu caráter deve ser duplicado em nós — Seus filhos e filhas. Em João 14:9, Jesus disse: "Se vocês me viram, vocês viram o Pai" (paráfrase). Será que, no final das contas, não deveríamos poder dizer a mesma coisa?

As pessoas ficam absolutamente impressionadas quando descobrem que nosso filho mais velho, David, é adotado por Dave. As pessoas lhe dizem continuamente o quanto ele se parece com seu pai, o que, naturalmente, é totalmente impossível, porque ele não tem nenhum dos genes nem o sangue de Dave.

Quando fui adotada na família de Deus, eu não agia em nada como meu Pai celestial, mas ao longo dos anos eu mudei, e espero que as pessoas agora possam vê-lo em mim. Oro para que eu aja como Ele de muitas maneiras.

O Espírito de Adoção, o maravilhoso Espírito Santo, trabalhou pacientemente em mim ao longo dos anos para me atrair para a família de Deus. Foi Ele quem trabalhou no meu coração, finalmente me convencendo de que eu era uma filha de Deus, uma coerdeira legal com Cristo. É o conhecimento desse relacionamento familiar que nos dá ousadia para comparecermos diante do trono de Deus e deixar que os nossos pedidos sejam conhecidos dele (ver Hebreus 4:16; Filipenses 4:6). O Espírito de Adoção é o mesmo Espírito Santo que trabalhou no seu coração trazendo você para a família de Deus, ou talvez esteja trabalhando no seu coração agora mesmo enquanto você lê estas palavras.

Creia-me, meus filhos não hesitam em fazer os seus pedidos ao seu pai e a mim. Isto porque eles sabem muito bem que estão na família e que são grandemente amados. Esse conhecimento lhes dá a ousadia para se aproximarem de nós. Precisamos aprender a agir da mesma forma com o nosso Pai celestial e com o Espírito Santo. Se permitirmos que Ele faça isso, o Espírito de Adoção trabalhará pacientemente esta verdade no nosso coração.

O ESPÍRITO DE SANTIDADE

> E que mediante o Espírito de santidade foi declarado Filho de Deus com poder, pela sua ressurreição dentre os mortos: Jesus Cristo, nosso Senhor (Romanos 1:4).

O Espírito Santo é chamado assim porque Ele é a santidade de Deus e porque é trabalho dele operar essa santidade em todos aqueles que creem em Jesus Cristo como Salvador.

Em 1 Pedro 1:15-16 nos é dito: "Mas, assim como é santo aquele que os chamou, sejam santos vocês também em tudo o que fizerem, pois está escrito: 'Sejam santos, porque eu sou santo.'"

Deus nunca nos diria para sermos santos sem nos dar a ajuda que precisamos para sermos assim. Um espírito que não fosse santo jamais poderia nos tornar santos. Então Deus envia o Seu Espírito Santo para entrar no nosso coração para fazer uma obra completa em nós.

Em Filipenses 1:6, o apóstolo Paulo nos diz que aquele que começou a boa obra em nós é capaz de completá-la e de levá-la a cabo. O Espírito Santo continuará a trabalhar em nós enquanto estivermos nesta terra. Deus odeia o pecado, e a qualquer momento em que Ele o encontre em nós, Ele trabalha rapidamente para nos purificar dele.

Esse fato, sozinho, explica por que precisamos do Espírito Santo habitando dentro de nós. Ele não está ali apenas para nos conduzir e guiar por esta vida, mas também para trabalhar imediatamente em cooperação com o Pai para remover de nós qualquer coisa que lhe seja desagradável.

O Espírito Santo procura glorificar a Jesus continuamente, e Ele está nos preparando para fazer exatamente isso. Em João 14:2-3, Jesus disse: "Vou preparar um lugar para vocês, para que onde eu estiver, vocês também possam estar" (paráfrase). É como se o Espírito Santo estivesse dizendo a Ele: "Eu irei e os prepararei para esse lugar."

Jesus está no céu preparando um lugar para nós, e o Seu Santo Espírito está em nós nos preparando para esse lugar.

Em Isaías 4:4, vemos o Espírito Santo como o Espírito de Julgamento e o Espírito de Fogo: "Quando o Senhor tiver lavado a impureza das mulheres de Sião, e tiver limpado por meio de um espírito de julgamento e de um espírito de fogo o sangue derramado em Jerusalém."

O Espírito Santo como o Espírito de Julgamento e de Fogo se refere ao fato de Ele ser o Espírito de Santidade. Ele julga o pecado em nós e o queima, tirando-o de nós. Não é um trabalho agradável no que se refere aos nossos sentimentos, mas finalmente ele nos leva ao estado no qual Deus deseja que estejamos para que possamos glorificá-lo.

Você está permitindo que o Espírito Santo de Deus trabalhe em você, queimando e eliminando tudo o que lhe é indesejável? Hebreus 12:10 diz que Deus nos castiga para o nosso bem para que possamos ser participantes da Sua santidade. Não seja um cristão que faz concessões ao pecado, que tem um pé no mundo e um pé no reino de Deus. Não seja morno, mas esteja ardendo em chamas por Deus, permitindo que o Seu fogo queime em você diariamente. Dê as boas-vindas ao castigo de Deus, sabendo que isso é sinal de amor e de filiação:

> *Pois o Senhor disciplina a quem ama, e castiga todo aquele a quem aceita como filho.* Suportem as dificuldades, recebendo-as como disciplina; Deus os trata como filhos. Ora, qual o filho que não é disciplinado por seu pai? (Hebreus 12:6-7, grifos da autora).

Maria ficou grávida pela operação do Espírito Santo. Quando o anjo lhe apareceu, dizendo que ela teria um filho e lhe daria o nome de Jesus e que Ele seria chamado o Filho de Deus, "Perguntou Maria ao anjo: 'Como acontecerá isso, se sou virgem?' O anjo respondeu: 'O Espírito Santo virá sobre você, e o poder do Altíssimo a cobrirá com a sua sombra. Assim, aquele que há de nascer será chamado Santo, Filho de Deus'" (Lucas 1:34-35).

O Espírito Santo veio sobre Maria e plantou no seu ventre uma "Coisa Santa". O Espírito de Santidade foi plantado em Maria como uma Semente. No seu útero Ele cresceu e se tornou o Filho do homem e o Filho de Deus, que era necessário para libertar o povo dos seus pecados.

Quando nascemos de novo, a mesma coisa acontece conosco. A "Coisa Santa", o Espírito de Santidade, é plantada em nós como uma Semente. À medida que regamos essa Semente com a Palavra de Deus e impedimos que as "ervas daninhas do mundanismo" a sufoquem, ela crescerá e se tornará uma árvore gigante de justiça, "plantio do Senhor, para manifestação da sua glória" (Isaías 61:3).

A Palavra de Deus nos ensina: "Esforcem-se [...] para serem santos" (Hebreus 12:14). Todos aqueles que dispõem o coração nesta grande busca serão ajudados e auxiliados pelo Espírito de Santidade.

Aqueles de nós que desejam a santidade precisam ser completamente cheios do Espírito Santo. Para que isto aconteça, precisamos permitir que Ele tenha acesso a todos os compartimentos da casa. Em geral, mantemos certas partes da nossa vida fechadas para Deus assim como podemos colocar algo em certo quarto da casa e fechá-lo para que ninguém mais possa vê-lo.

Na nossa casa, meu marido e eu temos um quarto de fazer malas. É onde fazemos e desfazemos as malas para as nossas viagens. Ele é cheio de malas e de outras bolsas de viagem, assim como de provisões que levamos conosco na estrada. Não é um quarto decorado lindamente, nem um quarto que quero que as pessoas vejam; por isso, mantemos a porta desse quarto fechada.

Durante muitos anos de minha vida, até mesmo quando já era uma cristã que frequentava a igreja, eu mantinha muitos quartos do meu coração e muitas áreas da minha vida fechados para o Espírito Santo. Eu sempre dizia que tinha o suficiente de Jesus para ficar fora do inferno, mas não o suficiente para andar em vitória. Então em 1976 tive uma experiência tremenda com Deus que mais tarde descobri que era o batismo no Espírito Santo. Antes dessa experiência, eu tinha o Espírito Santo porque havia nascido de novo, mas Ele na verdade não me tinha. Eu só permitia que Ele trabalhasse onde eu queria, e quando eu queria. Eu não era muito feliz e na verdade estava muito frustrada com o Cristianismo e com a vida em geral. Como descrevi no capítulo 2, um dia clamei a Deus no meu carro. Ele me encontrou onde eu estava, encheu-me até transbordar e nunca mais fui a mesma.

Atos 10:34 diz que "Deus não trata as pessoas com parcialidade". Isso significa que Ele fará por você o mesmo que fez por mim, se você permitir a Ele que faça isso.

8

A Dimensão Sobrenatural

Aprendi que o batismo no Espírito Santo, o dom de falar em línguas (que discutiremos mais tarde) e os sinais e maravilhas haviam desaparecido com a igreja primitiva. Infelizmente, essa afirmação está quase certa, mas esta nunca foi a vontade de Deus nem a Sua intenção. Ele sempre teve um remanescente de pessoas em algum lugar da terra que ainda creem no evangelho pleno, ou em tudo que a Bíblia ensina, e foi por intermédio desse remanescente que Ele manteve a verdade viva.

Se você é uma das pessoas que não acreditam nessas coisas ou aprendeu que essas coisas não estão certas, peço-lhe que não deixe este livro de lado, mas que continue lendo e examine por si mesmo as Escrituras que compartilharei com você. Depois de pesquisar profundamente a Palavra de Deus por si mesmo, duvido seriamente que poderá negar a disponibilidade e a necessidade do batismo no Espírito Santo.

A maioria das pessoas tem um pouco de medo das coisas que elas não entendem. Não entendemos a dimensão sobrenatural e, no entanto, fomos criados por Deus de tal maneira que temos fome dela. Todos nós temos um interesse pelo sobrenatural, e se a nossa necessidade por ele não for atendida por Deus, Satanás tentará nos dar uma imitação.

Como afirmei, eu tinha fome de mais, espiritualmente falando. Eu não estava conseguindo o que precisava na área religiosa da qual eu participava, então, buscava da única maneira que sabia.

Eu trabalhava com uma mulher extremamente envolvida com astrologia, e ela estava me levando a me interessar por isso. Não é da vontade de Deus que as pessoas consultem os astros para ter direção, mas como eu estava muito faminta, Satanás esperava que eu comesse qualquer coisa, mesmo que fosse veneno. Com base nas coisas que aquela mulher me dizia, os astros pareciam poder lhe dizer as coisas que funcionavam para ela. Como eu não estava ouvindo nada que estivesse funcionando na minha vida, fiquei interessada no que a mulher tinha a dizer.

É exatamente assim que Satanás engana muitas pessoas. Elas estão buscando uma direção e soluções para a sua vida diária, e se a sua igreja as deixa sem respostas suficientes, elas passam a ser presa fácil para o inimigo. Por que deveríamos consultar os astros para termos direção na vida, quando podemos consultar Aquele que fez os astros?

Satanás tem uma imitação para tudo de bom que Deus quer nos dar. Precisamos ser muito sábios e conhecer as Escrituras ou seremos enganados nestes últimos dias em que estamos vivendo. A Bíblia nos adverte acerca de um grande engano nos últimos dias antes de Jesus voltar à terra para resgatar os Seus (ver Lucas 21:8-11; 2 Timóteo 3:13-14). Precisamos orar pela verdade e buscar a Deus para que Ele nos proteja de sermos enganados.

Alguém deve ter orado por mim, porque Deus interveio e supriu a minha necessidade antes que Satanás pudesse me arrastar para o poço que havia cavado para mim.

Depois do batismo no Espírito Santo, passei a experimentar mais comunhão e intimidade com Deus do que jamais havia conhecido. Comecei a sentir a Sua direção em minha vida. Ele estava falando comigo, e eu sabia que era a Sua voz. Em João 10:4-5, Jesus disse: "As minhas ovelhas ouvem a minha voz, e a voz de um estranho elas não seguirão" (paráfrase). Eu estava começando a conhecer a voz dele, e isso me deixou impactada.

Como cristãos, temos o direito de ficar espiritualmente empolgados. Ficamos empolgados com toda espécie de coisas, então por que não devemos ficar entusiasmados com o nosso relacionamento com Deus?

As pessoas costumam dizer que qualquer demonstração visível na área espiritual é apenas "emocionalismo". Finalmente, entendi que foi Deus quem nos deu as emoções e que embora Ele não queira que deixemos que elas governem a nossa vida, Ele as dá com um propósito, parte do qual é o prazer. Se estivermos realmente desfrutando Deus, como não podemos demonstrar alguma emoção por isso? Por que a nossa experiência espiritual precisa ser seca e monótona, maçante e sem vida? Será que o cristianismo precisa ser expresso por rostos sérios, músicas tristes e rituais de igreja sombrios? Certamente que não!

No Salmo 122:1, Davi disse que ele ficava feliz quando o chamavam para ir à casa do Senhor. Davi dançava diante do Senhor (ver 2 Samuel 6:14), tocava harpa e se alegrava grandemente, mas ele vivia debaixo da velha aliança. Jesus e Seus discípulos viviam debaixo da nova aliança, e Ele lhes disse para se alegrarem porque os seus nomes estavam escritos no Livro da Vida do Cordeiro, o que se aplica a todos que acreditam em Jesus (ver Lucas 10:20; Apocalipse 21:27). Romanos 15:13 nos diz que nós que cremos em Cristo somos cheios de esperança, alegria e paz (sob a nova aliança). Isso é motivo suficiente para ficarmos empolgados e para nos alegrarmos!

Já vimos que a velha aliança é uma aliança de obras, baseada em fazermos tudo sozinhos — lutarmos, nos esforçarmos e trabalharmos para sermos aceitáveis a Deus. Esse tipo de aliança tira a nossa alegria e a nossa paz. Mas lembre-se de que a nova aliança é uma aliança de graça, que se baseia não no que fazemos, mas no que Cristo já fez por nós. Portanto, somos justificados pela nossa fé, e não pelas nossas obras. Isto é muito maravilhoso, porque retira de nós a pressão pelo desempenho. Podemos abrir mão dos nossos esforços externos e permitir que Deus opere por nosso intermédio pelo poder do Seu Santo Espírito dentro de nós.

O ponto principal é este: a velha aliança traz cativeiro; a nova aliança traz liberdade. Se Davi podia se alegrar debaixo da velha aliança, quanto mais não deveríamos nós estar nos alegrando sob a nova aliança?

O PODER DO ESPÍRITO SANTO NA SUA VIDA FOI ROUBADO?

> E, depois disso, derramarei do meu Espírito sobre todos os povos. Os seus filhos e as suas filhas profetizarão, os velhos terão sonhos, os jovens terão visões. Até sobre os servos e as servas derramarei do meu Espírito naqueles dias (Joel 2:28-29).

Sim, o enchimento com o Espírito Santo é diferente de qualquer coisa que possamos experimentar. Ele nos capacita a *ser* o que devemos ser em Deus e depois a fazer o que devemos fazer *para* Deus.

Muitos cristãos tentam *fazer* alguma coisa antes de *se tornarem* alguma coisa. Isto gera um tipo de cristianismo seco e maçante, monótono e sem vida. Muitos pregadores desanimam os outros de buscarem o batismo no Espírito Santo porque eles mesmos não tiveram essa experiência.

Não devemos dizer às pessoas que uma coisa não existe só porque a nossa experiência nos diz isto. Em vez disso, devemos nos voltar para a Palavra de Deus e para a experiência de multidões que vieram antes de nós e que foram batizadas no Espírito Santo e falaram em outras línguas, aqueles que testemunharam milagres de cura e viram demônios serem expulsos. Devemos falar com aqueles que viram vidas serem radicalmente transformadas pelo poder de Deus.

Lembro-me de falar com um dos pastores da primeira igreja que frequentei com Dave e onde me casei. Eu tinha tido uma visitação de Deus e estava muito entusiasmada com isso. Embora eu tivesse nascido de novo aos 9 anos de idade, tive um avivamento na minha fé uma noite na cozinha enquanto lavava a louça. O Senhor veio a mim de uma forma muito real, e de repente entendi como Ele havia me conduzido todos aqueles anos, mesmo quando eu pensava que Ele não estava presente — ou que, se Ele estava ali, se esquecera de mim. Fiquei impactada, maravilhada e assombrada com a fidelidade de Deus. Eu queria falar com alguém que achava que iria entender essas coisas espirituais, então procurei o pastor, que me encorajou a me acalmar e a entender que o meu entusiasmo não duraria.

Sua intenção deve ter sido boa, mas creio que ele me desanimou, porque nunca tivera a experiência que eu estava descrevendo; portanto, ele rejeitou aquilo como se não fosse nada de valor. Fiquei muito decepcionada e saí do gabinete vazia, como um balão que de repente havia soltado todo o ar.

É uma vergonha jogar água no fogo de um crente. As pessoas em geral têm medo que uma pessoa empolgada possa entrar em um incêndio desenfreado. Mas, como alguém disse, "Prefiro ter um pouco de fogo selvagem do que não ter fogo algum."

Algumas pessoas simplesmente vão à igreja e estacionam ali, e este é o início e o fim da experiência espiritual delas. Descobri há muito tempo que se eu quisesse chegar a algum lugar, teria de tirar o carro do estacionamento.

É absolutamente impossível dirigir um carro parado em um estacionamento. Tire a sua vida do estacionamento e coloque Deus no banco do motorista — e depois aperte o cinto e prepare-se para a viagem da sua vida!

Peça a Deus para fazer uma coisa nova em sua vida. Não insista que ela se encaixe nos limites da sua doutrina religiosa. De acordo com a Bíblia, o poder de Deus é sufocado pelas doutrinas dos homens:

> Tendo aparência de piedade, mas, negando o seu poder. Afaste-se desses também (2 Timóteo 3:5).

> Já que vocês morreram com Cristo para os princípios elementares deste mundo, por que, como se ainda pertencessem a ele, vocês se submetem a regras: "Não manuseie!", "Não prove!", "Não toque!"? Todas essas coisas estão destinadas a perecer pelo uso, pois se baseiam em mandamentos e ensinos humanos. Essas regras têm, de fato, aparência de sabedoria, com sua pretensa religiosidade, falsa humildade e severidade com o corpo, mas não têm valor algum para refrear os impulsos da carne (Colossenses 2:20-23).

As doutrinas criadas pelos homens roubaram muitos de milhares de crentes o poder do Espírito Santo em suas vidas. Deus não está interessado em nossas doutrinas humanas; Ele só está interessado no que a Sua Palavra diz, e este também deve ser o nosso interesse.

Quando Deus me batizou com o Espírito Santo naquela sexta-feira, em fevereiro de 1976, Ele não me perguntou sobre as minhas doutrinas religiosas, nem se os meus amigos da igreja aprovariam. Como acabou acontecendo, eles não aprovaram. Não apenas me pediram para deixar a igreja, como também perdi simultaneamente todos os meus supostos amigos. Aquele foi um tempo difícil na minha vida, mas por meio dele aprendi como Satanás usa a dor da rejeição para tentar impedir que as pessoas sigam em frente com Deus.

É claro que fui tentada a esquecer todos aqueles acontecimentos e simplesmente voltar a ser uma cristã "normal". Mas eu sabia que Deus havia feito algo maravilhoso em minha vida. Eu nunca sentira aquilo, e tomei a decisão de que, ainda que não tivesse mais nenhum amigo, eu não poderia voltar ao que costumava ser e ter. O que eu tinha até então não era satisfatório naquela época, e nunca seria.

Eu simplesmente tinha de seguir em frente com Deus a qualquer preço!

Oro para que você sinta o mesmo depois de ler este livro. Um dos meus principais propósitos ao escrevê-lo é o de estimular uma fome naqueles que amam a Deus, mas que precisam de mais do Espírito Santo em suas vidas. Se você é uma dessas pessoas, oro para que você abra todos os compartimentos de sua vida e deixe Deus assumir o controle. Lembre-se de que Jesus não morreu por você para que você pudesse ser religioso, mas para que você pudesse ter um relacionamento profundo, íntimo e pessoal com Deus por intermédio dele e pudesse conhecer a alegria de ser cheio cada vez mais do Espírito Santo.

Estar sentado em uma igreja não faz de uma pessoa um cristão, assim como estar parado em uma garagem não faz de uma pessoa um carro. A nossa experiência com Deus deve ir muito além da frequência à igreja. Sempre me entristeço quando pergunto às pessoas se elas são cristãs, e elas me dizem que igreja frequentam — isso geralmente significa que elas vão à igreja, mas não conhecem realmente o Senhor de uma maneira pessoal.

ABRA TODOS OS CÔMODOS DA CASA

> Eis que estou à porta e bato. Se alguém ouvir a minha voz e abrir a porta, entrarei e cearei com ele, e ele comigo (Apocalipse 3:20).

Depois que fui batizada com o Espírito Santo, encontrei Deus em áreas da minha vida às quais anteriormente Ele não era bem-vindo. Ele tratou comigo em todas as áreas; não havia nada em que Ele não estivesse envolvido. Eu gostava disso, mas não gostava, se é que você entende o que quero dizer. Era algo empolgante, mas assustador.

Deus se envolveu na maneira como eu falava com as pessoas, e sobre elas. Ele se envolveu na minha maneira de gastar meu dinheiro, na minha maneira de me vestir, em quem eram os meus amigos, e no que eu fazia como diversão. Ele se envolveu com o que eu costumava pensar e com as minhas atitudes. Percebi que Ele conhecia os segredos mais profundos do meu coração e que nada estava oculto aos Seus olhos. Ele não estava mais na "sala do domingo de manhã" da minha vida, mas parecia que estava percorrendo toda a casa. Ele tinha as chaves de cada quarto, e entrava sem avisar — eu poderia acrescentar que até sem bater ou tocar a campainha. Em outras palavras, eu nunca sabia quando Ele poderia aparecer e dar uma opinião sobre um assunto, mas isso parecia acontecer cada vez com mais frequência. Como disse, era empolgante, mas logo percebi que muitas coisas iriam mudar.

Todos nós queremos mudanças, mas quando elas vêm, é assustador. Queremos que nossas vidas mudem, mas não o nosso estilo de vida. Talvez não gostemos do que temos, mas e se gostarmos dessas coisas mais do que aquilo que virá em seguida? Esse é um exemplo do tipo de perguntas que fazemos a nós mesmos. Quando parece que estamos fora do controle e nas mãos de outra pessoa, isso nos assusta.

Ser cheio do Espírito Santo significa viver a nossa vida para a glória e o prazer de Deus, e não para a nossa própria glória e prazer. Significa abrir mão da vida que havíamos planejado e descobrir e seguir o Seu plano para nós.

Agora sei que sempre fui chamada para ensinar a Palavra de Deus. Posso olhar para trás, para a minha vida, e ver os sinais que me diziam isso todo o tempo. Eu pensava ser uma profissional de carreira. Eu tinha um plano para a minha vida, mas de repente, naquela sexta-feira de fevereiro de 1976, Deus interrompeu o meu plano.

Como vimos, Provérbios 16:9 diz que a mente de um homem traça os seus planos, mas Deus dirige os seus passos. Três semanas depois do meu batismo no Espírito Santo, sob a direção de Deus, eu estava fazendo planos para dirigir um estudo bíblico, e tenho ensinado a Palavra de Deus continuamente desde então, exceto durante um ano.

Quando damos a Deus o banco do motorista na nossa vida, as coisas podem mudar depressa. É por isso que devemos aprender a orar primeiro, e depois fazer planos.

Durante a maior parte da minha vida, fiz planos e depois orei para que Deus fizesse que eles dessem certo. Eram os *meus* planos, e passei a vida tentando empurrá-los para a frente — e ficando decepcionada e confusa quando eles não davam certo.

Você vai deixar o Espírito de Deus dirigir a sua "casa"? Você vai dar as boas-vindas a Ele para entrar em toda a sua vida e vai fazer que Ele se sinta em casa, e confortável? Oro para que você o faça, porque sei que você nunca se sentirá realizado a não ser que faça isso. Você pode se deparar com oposição, porque para cada oportunidade sempre haverá alguma oposição. O preço pode ser alto, mas os benefícios certamente valem a pena. Você foi criado para ser a casa de Deus. Você vai permitir que Ele tenha pleno e livre acesso à sua vida?

EVIDÊNCIA DO BATISMO NO ESPÍRITO SANTO

> O Espírito do Senhor se apossará de você, e com eles você profetizará e será um novo homem (1 Samuel 10:6).

As evidências mais importantes da vida cheia do Espírito são a mudança de caráter e o desenvolvimento do fruto do Espírito Santo descritos em Gálatas 5:22-23. Deus batiza as pessoas com o Espírito Santo para capacitá-las a viver para Ele. Se não estiverem fazendo isso, elas não estão demonstrando a evidência adequada do batismo no Espírito Santo. Falar em línguas era uma das evidências do derramamento do Espírito Santo no Pentecostes, mas a evidência mais importante foi então e sempre será, homens e mulheres transformados.

No julgamento de Jesus, Pedro negou Cristo três vezes por medo dos judeus (ver Lucas 22:56-62); mas depois de ser cheio com o Espírito Santo no Dia de Pentecostes, ele se levantou e pregou uma mensagem extremamente ousada. O resultado da pregação de Pedro naquele dia foram três mil almas acrescentadas ao reino de Deus (ver Atos 2:14-41). O batismo no Espírito Santo transformou Pedro; ele o transformou em outro homem. O seu medo de repente desapareceu, e ele se tornou ousado.

O mundo está cheio de pessoas que vivem diariamente com o tormento do medo. Infelizmente, a maioria delas nem sequer percebe que há ajuda disponível a elas por meio do enchimento do Espírito Santo.

Na verdade, não foi apenas Pedro que tomou uma posição de ousadia naquele dia. Todos os onze apóstolos restantes fizeram o mesmo. Todos eles haviam estado se escondendo atrás de portas fechadas por medo dos judeus quando Jesus foi até eles depois da Sua ressurreição (ver João 20:19-22). De repente, depois de serem cheios do Espírito Santo, todos eles se tornaram destemidos e ousados.

O batismo no Espírito Santo transformou Saul; ele transformou Pedro e os discípulos; ele me transformou; e continua a transformar os que o buscam sinceramente em todo o mundo. Sim, homens e mulheres transformados constituem a evidência mais importante, mas não a única que podemos esperar encontrar. Falar em línguas também é uma evidência, e é um dom muito valioso.

A EVIDÊNCIA DO FALAR EM LÍNGUAS

> Chegando o dia de Pentecoste, estavam todos reunidos num só lugar. De repente veio do céu um som, como de um vento muito forte, e encheu toda a casa na qual estavam assentados. E viram o que parecia línguas de fogo, que se separaram e pousaram sobre cada um deles. Todos ficaram cheios do Espírito Santo e começaram a falar noutras línguas, conforme o Espírito os capacitava (Atos 2:1-4).

Alguns dizem que falar em línguas pode ser para algumas pessoas, mas não para todas. É verdade que nem todos os crentes falam em línguas, mas creio que todos podem, se estiverem dispostos a fazer isso.

Nesta passagem, a Bíblia diz que no Dia de Pentecostes *todos* os discípulos que estavam no Cenáculo falaram em outras línguas. Creio que esse primeiro derramamento é um padrão para a igreja seguir. Se a vontade de Deus fosse que somente alguns crentes falassem em línguas e outros não, com certeza a Bíblia diria que 120 discípulos esperavam no Cenáculo pelo derramamento do Espírito Santo e, de repente, eles ouviram o som de um vento impetuoso e línguas de fogo se acenderam sobre eles, e 85 deles falaram em outras línguas. Por que essa passagem, no versículo 4, diria que *todos falaram em línguas* se falar em línguas não fosse para todos?

Realmente, creio que muitas pessoas são batizadas no Espírito Santo e não falam em línguas, mas não creio que seja porque elas não podem fazer isso. Pessoalmente, creio que têm medo de fazer isso porque a doutrina da sua igreja lhes ensina o contrário, ou talvez porque não querem ter o estigma que geralmente está ligado às pessoas que são conhecidas por falarem em línguas.

Algumas pessoas até pedem a Deus o dom de línguas e, no entanto, bem no fundo do coração, têm medo de recebê-lo. É muito incomum que o diabo tenha escolhido esse dom entre todos os mencionados na Bíblia para criar um alvoroço tão grande a respeito dele. Isto me diz que deve haver algo muito valioso em falar em línguas, do contrário Satanás não trabalharia com tanto afinco para desacreditá-lo.

Pense nisto: as pessoas não se importam se temos sabedoria, conhecimento, discernimento, fé ou qualquer dos outros dons do Espírito Santo, mas parecem ficar totalmente irritadas se falamos em outras línguas. No entanto, todos esses dons estão relacionados juntos em 1 Coríntios 12.

Conheci cristãos maravilhosos que acredito que foram batizados no Espírito Santo e, no entanto, não falavam em línguas. Eles tinham um fruto maravilhoso em suas vidas, em muitos casos mais fruto do que outros que conheci e que falavam em línguas. Às vezes, os pentecostais fazem um grande estardalhaço a propósito do assunto de se falar em línguas. Eles agem como se esta fosse a única coisa que tornasse uma pessoa espiritual, quando, na verdade, não se trata disso, absolutamente.

Como eu disse, sim, creio que uma pessoa pode ser batizada no Espírito Santo e não falar em línguas, mas não creio que este seja o caso para todos. Encorajo toda pessoa que quer ser cheia do Espírito Santo a também desejar falar em línguas e a abrir a boca pela fé e fazer o que aqueles 120 fizeram no Dia de Pentecostes — começar a falar em outras línguas, à medida que o Espírito as levar a isso (ver Atos 2:4).

Não creio que precisemos ser batizados no Espírito Santo para sermos salvos e irmos para o céu, mas creio que precisamos do batismo no Espírito Santo e do poder que Ele nos dá para andarmos em vitória na nossa vida diária. Precisamos do poder de Deus para vencer a carne e ter diariamente a vitória que Jesus conquistou no Calvário quando Ele assumiu a autoridade sobre o inimigo.

Sou o tipo de pessoa que quer tudo que Deus tem a oferecer. Costumo dizer que sou uma "gananciosa espiritual". Embora eu pudesse ir para o céu sem o batismo no Espírito Santo, não sei por que iria querer fazer isso. Eu poderia ser batizada no Espírito Santo e não falar em línguas, mas por que iria querer fazer isso?

Deus deve ter enviado esses presentes e os disponibilizado para nós porque Ele quer que os tenhamos, e se Ele os enviou, pretendo recebê-los em toda a sua plenitude. *Não pretendo viver sem alguma coisa do que Deus tem a oferecer, apenas para não incomodar as pessoas.* Se Deus quer que eu tenha algo, estou aberta para recebê-lo.

O VALOR DE SE FALAR EM LÍNGUAS

> Pois quem fala em uma língua não fala aos homens, mas a Deus. De fato, ninguém o entende; em espírito fala mistérios.

> Pois, se oro em uma língua, meu espírito ora, mas a minha mente fica infrutífera.
>
> Então, que farei? Orarei com o espírito, mas também orarei com o entendimento; cantarei com o espírito, mas também cantarei com o entendimento (1 Coríntios 14:2; 14, 15).

Quando falamos em línguas, falamos segredos e mistérios para Deus. Estamos falando em uma língua espiritual que Satanás não pode entender. Nós mesmos não podemos entendê-la. No versículo 14 desta passagem, Paulo disse que quando oramos no Espírito, a nossa compreensão é infrutífera ou a nossa mente é improdutiva. Em outras palavras, a nossa mente não entende, mas o nosso espírito é edificado. Judas 20 diz que quando oramos no Espírito Santo, edificamos a nós mesmos na nossa fé santíssima.[1]

Muitas vezes, tive a experiência de me sentir desanimada ou fisicamente cansada e, no entanto, eu tinha trabalho a fazer. Outras vezes, tinha de ensinar em uma de minhas conferências e, seguramente, não estava me sentindo como uma mulher de fé que foi ungida por Deus, ou cheia do Seu poder, para ministrar a outros. Nessas ocasiões, aprendi a orar no Espírito Santo, ou a orar em outras línguas. À medida que faço isso, posso sentir literalmente a vida e o poder de Deus se levantando "no íntimo... com poder" e ministrando força a todo o meu ser (ver Efésios, 3:16).

Em João 7:38-39, Jesus disse: "'Quem crer em mim, como diz a Escritura, do seu interior fluirão rios de água viva'. Ele estava se referindo ao Espírito, que mais tarde receberiam os que nele cressem." Como esta passagem indica, Jesus estava falando do Espírito Santo que ainda estava para ser derramado. Creio que falar em línguas é o som desses rios de água viva que fluem de dentro daqueles que estão cheios do Espírito.

Quando falamos em línguas, em geral estamos profetizando grandes coisas sobre nossas próprias vidas. Se soubéssemos o que estávamos dizendo, o mistério pareceria tão grande que provavelmente não poderíamos acreditar nele; assim, falar em línguas é uma maneira excelente de "chamar à existência as coisas que não existem como se já existissem". Romanos 4:17 nos diz que servimos a um Deus que fala de coisas que ainda não existem como se elas já existissem, e creio que devemos seguir os Seus passos.

Orar em línguas é uma maneira de orar com precisão quando "em nossa fraqueza... não sabemos como orar" (ver Romanos 8:26). Muitas vezes, essas orações podem até parecer incompreensíveis, como um suspiro ou um gemido. A Bíblia diz em Romanos 8:26 que o Espírito Santo "intercede por nós com gemidos inexprimíveis".

Para ser muito sincera, essas coisas são difíceis de explicar a qualquer pessoa que não as tenha experimentado, mas quando uma pessoa as experimenta, não há como negar a realidade dessa linguagem maravilhosa do Espírito.

A linguagem de oração de cada pessoa é um pouco diferente, e Satanás faz questão de dizer a quase todos que a sua linguagem particular inicialmente é apenas uma fala ininteligível que estão inventando.

Não recebi a minha linguagem de oração espiritual no dia em que fui cheia com o Espírito Santo. Mas pouco depois, enquanto lia um livro escrito por Pat Boone intitulado *Uma Nova Canção*,[2] fui inspirada a tentar falar em línguas. Pat estava descrevendo o que havia acontecido com ele quando recebeu o batismo no Espírito Santo e começou a falar em línguas. Sendo o tipo de pessoa ousada que sou, simplesmente abri minha boca e falei as palavras de som estranho que vinham ao meu coração. Só recebi cerca de quatro palavras. Então eu simplesmente coloquei uma tampa no dom e continuei cuidando da minha vida.

Quando acreditamos nas mentiras de Satanás, somos enganados. Fui enganada e acreditei que o que eu havia recebido de Deus não era real.

Vários dias depois, quando estava fazendo uma pesquisa no dicionário para ajudar minha filha com o dever de casa, deparei-me com algumas palavras em latim e percebi que algumas delas eram as palavras que Deus me dera no dia em que falei em línguas. No dicionário, vi que as palavras que eu recebera significavam "Pai Celestial Onipotente". Fiquei bastante emocionada. Eu sabia que Deus estava falando comigo por intermédio daquele dicionário, entre todas as coisas, mostrando-me sem sombra de dúvida que eu não poderia ter inventado aquelas palavras. Eu não conhecia nada de latim e não saberia como colocar aquelas palavras juntas para fazer uma afirmação como aquela. Isso não era coincidência — o Espírito Santo me dera a linguagem e estava me levando a uma descoberta que aumentaria a minha fé e impediria que Satanás roubasse de mim o que Deus tinha me dado tão graciosamente.

Uma das maneiras mais importantes pelas quais podemos impedir que Satanás nos engane é vivendo por fé. A fé vai além do que podemos ver ou sentir. Ela diz respeito ao que sabemos no profundo do nosso coração.

Quando entendi o que havia acontecido, fiquei muito empolgada. Meu coração ficou cheio de fé porque eu sabia com certeza que ouvira a voz de Deus. Daquele momento em diante, Satanás nunca mais conseguiu roubar o dom de mim outra vez.

Comecei a usar diligentemente as quatro pequenas palavras que eu recebera, e logo Deus acrescentou mais palavras à minha linguagem espiritual de oração. Agora oro em línguas regularmente. Faz parte da minha vida diária. Falo com Deus por intermédio do Espírito Santo, e creio de todo o meu coração que o que estou orando é a oração perfeita que precisa ser feita.

A fé é a única coisa que nos leva ao descanso de Deus (ver Hebreus 4:3). Ela elimina todas as perguntas e racionalizações da vida. Simplesmente confiamos, e a vida passa a ser maravilhosa! Mesmo quando temos problemas, a vida ainda é maravilhosa, porque estamos cheios de esperança, acreditando que alguém maior está do nosso lado (ver Romanos 8:31; 1 João 4:4).

Em 1 Coríntios 14:13, nos é dito que devemos orar para que possamos interpretar a nossa linguagem de oração, e creio que a interpretamos, mas nem sempre no instante em que estamos orando. Por exemplo, oro muito em línguas nos dias em que ministro. Creio que a maneira como sou conduzida nas conferências, e as coisas que digo e prego, que parecem realmente atender às necessidades das pessoas, são a interpretação daquilo que orei no Espírito ao longo do dia.

Muitas vezes, as pessoas me dizem que sentem que estou falando diretamente a elas porque parece que conheço o problema delas. Elas dizem: "É como se você morasse na minha casa." Bem, obviamente eu não tenho vivido na casa delas, mas o Espírito Santo sim. Ele está ministrando a elas através de mim. Por saber quais são os seus problemas, Ele pode tratar deles diretamente.

A oração no Espírito que faço regularmente ajuda a preparar-me para ministrar às pessoas. O que estou lhes dizendo parece perfeitamente normal para mim, e ao mesmo tempo muitas vezes parece extremamente sobrenatural para elas.

Creio firmemente que Deus pode nos conduzir sobrenaturalmente de uma maneira natural. As coisas sobrenaturais não precisam ser "assombradas" ou "esquisitas". Podemos ser cidadãos firmes e ainda assim ser cheios do Espírito Santo. Não temos de ser excêntricos nem andar flutuando por aí em uma nuvem durante a maior parte do tempo.

NÃO TENHA MEDO DO DESCONHECIDO

> Se vocês, apesar de serem maus, sabem dar boas coisas aos seus filhos, quanto mais o Pai que está nos céus dará o Espírito Santo a quem o pedir! (Lucas 11:13).

Peço-lhe que não tenha medo do Espírito Santo e dos Seus dons só porque talvez você não os tenha experimentado. Deus jamais lhe dará um presente ruim se você lhe pedir um presente bom.

Em uma carta que Paulo escreveu à igreja de Corinto, ele perguntou: "Têm todos o dom de curar? Falam todos em línguas? Todos interpretam?" (1 Coríntios 12:30). A resposta óbvia é não. Esta é uma passagem que foi extraída do contexto por aqueles que querem criar caso contra o falar em línguas. Eles sustentam que Paulo estava dizendo claramente que nem todos falariam em línguas. É verdade que Paulo estava dizendo isso, mas ele estava falando do dom de línguas exercitado em uma reunião pública e que precisava de interpretação. Ele não estava falando da linguagem espiritual de oração disponível a todos os crentes nascidos de novo que foram batizados no Espírito Santo, por meio do qual eles podem falar segredos e mistérios com Deus. Nem todos os crentes possuem os "dons de cura" e, no entanto, a Bíblia diz que todos os crentes são encorajados a impor as mãos sobre os enfermos e a vê-los serem sarados.

ESTES SINAIS SEGUIRÃO OS QUE CREEM

> Estes sinais acompanharão os que crerem: em meu nome expulsarão demônios; falarão novas línguas; pegarão em serpentes; e, se beberem algum veneno mortal, não lhes fará mal nenhum; imporão as mãos sobre os doentes, e estes ficarão curados (Marcos 16:17-18).

No livro de Marcos, essa é a última coisa registrada que Jesus disse antes da Sua ascensão ao céu. Se essas foram as Suas palavras de despedida, elas devem ser importantes.

Marcos 16:15 relata o que costumamos chamar de A Grande Comissão: "E disse-lhes: 'Vão pelo mundo todo e preguem o evangelho a todas as pessoas'". As pessoas de todas as igrejas aceitam e tentam cumprir este versículo. Mas dois versículos depois, nos versículos 17 e 18, Jesus diz que os crentes expulsarão demônios, falarão em novas línguas e imporão as mãos sobre os enfermos. Algumas igrejas não praticam essas coisas, e muitas ensinam contra elas.

Creio que alguns momentos de reflexão sincera revelarão à alma que busca que se Jesus pretendeu que cumpríssemos Marcos 16:15, Ele também pretendeu que cumpríssemos os versículos 17 e 18. É perigoso escolher e separar palavras das Escrituras. Não podemos pegar aquelas com as quais nos sentimos confortáveis e ignorar o restante — pelo menos, não se quisermos seguir o evangelho pleno. Precisamos de todo o conselho da Palavra de Deus, e não apenas de partes e fragmentos dela.

Satanás tem tido muito êxito em retirar o poder do Evangelho de muitas igrejas e, portanto, da vida de muitos crentes. Ele não quer que as pessoas sejam salvas, mas se isso acontecer, ele com certeza não quer que elas tenham e demonstrem nenhum poder em suas vidas. Ele sabe que se os crentes manifestarem o poder de Deus em suas vidas, muito provavelmente afetarão outras pessoas de uma maneira positiva e serão usados por Deus para levar muitos outros para o reino de Deus.

Sim, Paulo assinalou que nem todos teriam os dons de cura, nem todos teriam o dom de falar em línguas, nem todos teriam o dom de interpretação. Mas quero enfatizar outra vez que Paulo não estava falando da manifestação do Espírito que está disponível a todo crente; ele estava falando do dom sobrenatural especial de poder dado a certos crentes para operar nesses dons em público para o bem e o proveito de todos.

Mais à frente neste livro, vou esclarecer sobre os dons do Espírito Santo, que são dispensados por Ele a todos os crentes a fim de que eles os usem para ajudar outros e para tornar as suas próprias vidas mais fáceis e mais poderosas. Devemos buscar de maneira resoluta e fervorosa os dons (ver 1 Coríntios 12:31), e o Espírito Santo os deixará fluir através de cada um de nós conforme nossa necessidade e quando Ele achar apropriado para a ocasião.

PAULO FALAVA EM LÍNGUAS

> Dou graças a Deus por falar em línguas mais do que todos vocês (1 Coríntios 14:18).

Paulo era grato pela capacidade de falar em outras línguas, e aparentemente, a julgar por essa passagem, era algo que ele praticava com frequência.

Uma vez que somos batizados no Espírito Santo, podemos falar em línguas sempre que quisermos. Não temos de esperar sentir algo especial vir sobre nós, e nos impulsionar a fazer isso. Assim como podemos orar em nossas línguas nativas sempre que quisermos, também podemos orar em outras línguas sempre que decidirmos.

Paulo instruiu os coríntios a não proibirem que ninguém falasse em línguas: "Portanto, meus irmãos, busquem com dedicação o profetizar e não proíbam o falar em línguas" (1 Coríntios 14:39).

Embora Paulo tenha dito para não proibirmos ninguém de falar em línguas, existem líderes espirituais hoje que proíbem os que estão debaixo de sua autoridade de falar em línguas. Como alguém pode justificar tal atitude e pensar que está vivendo de acordo com as Escrituras? Como observei, creio que muitas pessoas simplesmente proíbem as outras de ter aquilo que elas próprias não experimentaram. Isto é errado, e qualquer pessoa que esteja debaixo desse tipo de autoridade deve confrontá-la respeitosamente, mas com ousadia, compartilhando as Escrituras para confirmar a sua convicção.

Paulo mostra claramente que orar com o espírito (pelo Espírito Santo) não é o mesmo que orar com o entendimento, porque em 1 Coríntios 14:14-15 ele afirma que fazia ambos: "Pois, se oro em uma língua, meu espírito ora, mas a minha mente fica infrutífera. Então, que farei? Orarei com o espírito, mas também orarei com o entendimento; cantarei com o espírito, mas também cantarei com o entendimento."

Não estou dizendo que é impossível fazer orações guiadas pelo Espírito na nossa língua nativa. Isto, é claro, é uma coisa valiosa e certa de se fazer. Mas não era disso que Paulo estava falando nesta passagem. Quando Paulo disse que ele orava no seu espírito, ele queria dizer que ele orava em outras línguas.[3]

AS LÍNGUAS MORRERAM COM A IGREJA PRIMITIVA?

Se as línguas morreram com a igreja primitiva, como muitos afirmam, então há milhões de pessoas na terra hoje que praticam regularmente, como seus ancestrais espirituais fizeram, uma coisa que não existe. Duvido que muitas pessoas estejam inventando línguas e desperdiçando tempo falando bobagens apenas para pensar que estão falando em línguas.

Sou uma pessoa prática. Como tal, não estou nem um pouco interessada em desperdiçar o meu tempo fazendo qualquer tipo de tolice. Sou uma mulher respeitável que tem uma boa reputação. Tenho um marido, quatro filhos adultos, oito netos e muitos amigos — *e falo em outras línguas todos os dias da minha vida*. Em outras palavras, sou uma pessoa comum, mas pratico regularmente esse hábito extraordinário.

As línguas não morreram com a igreja primitiva. Na verdade, elas nunca desapareceram; alguém, em algum lugar, sempre manteve a chama viva. Ao longo dos séculos, muitos tentaram apagar as línguas, mas não tiveram êxito.

Às vezes, acreditamos cegamente no que alguém nos diz, e nunca nos damos o trabalho de verificar aquilo por nós mesmos. Eu estava fazendo a mesma coisa, acreditando que as línguas e os outros dons do Espírito não eram para hoje — até que fui batizada no Espírito Santo. Quando as pessoas são imersas completamente no Espírito, é difícil convencê-las de que elas não são cheias do Espírito e que as línguas e os outros dons do Espírito não são para hoje.

Seguir a Deus me custou muito, assim como Jesus disse que custaria. Em Mateus 16:25-26, Ele disse que se salvarmos a nossa vida aqui na terra, perderemos a nossa vida no céu. Eu prefiro perder meus amigos a perder o meu relacionamento com Deus. Prefiro crer nas Sagradas Escrituras a crer em outras pessoas.

Aqueles que são contra o falar em línguas quase sempre usam os seguintes versículos para sustentar a sua argumentação:

> O amor nunca perece; mas as profecias desaparecerão, as línguas cessarão, o conhecimento passará. Pois em parte conhecemos e em parte profetizamos; quando, porém, vier o que é perfeito, o que é imperfeito desaparecerá (1 Coríntios 13:8-10).

De acordo com essa passagem, haverá um tempo que está por vir quando o conhecimento passará, e as línguas passarão.[4] Nunca ouvi falar de ninguém que acredite que esse conhecimento cessou; na verdade, o conhecimento está aumentando rapidamente no mundo. No entanto, muitas das mesmas pessoas que acreditam que o conhecimento não cessou, também acreditam e ensinam outros que as línguas cessaram. Por que um dom cessaria e não o outro, se a base para tal crença é a passagem mencionada?

Jesus é o "perfeito e completo" mencionado nessas passagens da Bíblia. No tempo determinado, Ele voltará para estabelecer o Seu reino, um novo céu e uma nova terra. Mas por ora vivemos em um mundo imperfeito, um mundo onde precisamos de toda a ajuda que podemos ter. O Espírito Santo e *todos* os Seus dons nos foram enviados por Deus Pai e por Jesus, o Filho, para nos ajudar.

As pessoas tentam explicar uma coisa com a qual se sentem apreensivas e da qual querem se livrar, eliminando-a, mas os seus argumentos geralmente não fazem qualquer sentido se realmente os examinarmos.

O USO ADEQUADO DAS LÍNGUAS

Outro argumento contra o falar em línguas baseia-se no fato de que muitas pessoas abusam das línguas ou as utilizam mal. Elas exageram, falam no momento errado ou diante das pessoas erradas. Os coríntios aparentemente estavam fazendo isso, porque Paulo escreveu uma carta instruindo-os no que ele considerava ser o uso adequado das línguas e da operação dos dons do Espírito descrito em 1 Coríntios14:40, como "com decência e ordem".

Nos versículos 22 a 32 deste capítulo, Paulo lhes disse quantos deles deviam falar em línguas em um culto ou reunião, instruindo-os que as línguas tinham de ser interpretadas para que todos pudessem entender. Ele disse que se uma pessoa que estivesse ouvindo alguém falar em línguas tivesse uma revelação inspirada, aquele que estivesse falando em línguas deveria ceder a vez a essa pessoa. Ele disse que aqueles que falam em línguas têm controle sobre o seu próprio espírito e podem ficar em silêncio quando necessário. Ele disse que as línguas são um sinal para os incrédulos, e não para os crentes, e assim devem ser tratadas com cuidado de modo a não confundi-los ou induzi-los ao erro.

Sim, Paulo viu excessos no exercício dos dons de línguas, e ele tratou desse problema. Mas ele não sugeriu que as línguas fossem eliminadas para nos livrarmos dos excessos.

Estamos cometendo um grande erro se preferirmos nos livrar dos dons de Deus do que aprender a usá-los da maneira adequada.

Outro motivo pelo qual algumas pessoas são contra falar em línguas é porque elas tiveram experiências com pessoas que falam em línguas e que tinham atitudes erradas, do tipo "sou melhor do que você, sou mais espiritual do que você". Isto é errado e não reflete absolutamente o coração de Deus. Deus ama a todos nós igualmente, e falar em línguas não nos torna melhores nem mais agradáveis a Ele do que outros crentes que não falam em línguas. Creio, porém, que falar em línguas abre uma porta para a dimensão sobrenatural que está disponível a todos os crentes.

9

Recebendo a Plenitude do Espírito Santo

E conhecer o amor de Cristo que excede todo conhecimento, para que vocês sejam cheios de toda a plenitude de Deus (Efésios 3:19).

Toda esta informação sobre o batismo no Espírito Santo será de pouco valor para nós a não ser que prossigamos para receber a plenitude do Espírito Santo em nossas vidas, como somos instruídos a fazer em Efésios 3:19.

Devemos primeiro ser cheios e depois permanecer cheios. Para que isso aconteça, precisamos primeiro ter um desejo.

Se você se lembra, cheguei a um ponto em minha vida no qual eu sabia que tinha de ter alguma coisa se quisesse continuar sendo uma cristã. Eu estava me sentindo muito desesperada no dia em que fui batizada no Espírito Santo.

Pessoalmente, creio que Deus, muitas vezes, não responde aos nossos primeiros clamores porque Ele quer que estejamos desesperados o bastante para estarmos totalmente abertos ao que for que Ele queira fazer em nossas vidas.

Dei um exemplo anteriormente de uma pessoa se afogando que estava lutando e resistindo à tentativa do salva-vidas de salvá-la, até ficar cansada demais para continuar lutando. Eu era como essa pessoa que estava se afogando. Lutei tanto com a vida que eu simplesmente não tinha mais força alguma, mas isso na verdade foi uma vantagem para mim. Eu estava no fundo do poço e não havia outro lugar para ir a não ser para cima. Eu estava pronta para o que quer que o Grande Médico dissesse que eu precisava.

Se uma pessoa está morrendo de uma doença ou está sofrendo tantas dores que não pode suportar por mais um segundo, ela fará o que for que o médico disser — e geralmente sem questionar. Precisamos chegar ao mesmo ponto na nossa caminhada com Deus. Ele quer "tratar" das nossas almas, e devemos estar dispostos a aceitar a receita que Ele nos der.

A receita de Deus para mim naquele momento foi o batismo no Espírito Santo, e estou passando por um processo de cura desde então.

TENHA UM DESEJO

> Abres a tua mão e satisfazes os desejos de todos os seres vivos (Salmos 145:16).

Se você tem fome por mais de Deus em sua vida, então é um candidato a receber o batismo no Espírito Santo.

Receber a plenitude do Espírito Santo em sua vida é uma coisa santa, algo a ser reverenciado e até temido de uma maneira respeitosa. Deus não nos dá o Seu poder apenas para a nossa diversão. Ele é um Deus de propósitos. Tudo que Ele faz em nossas vidas é com um propósito. Descobrir o propósito de Deus e permitir que Ele nos equipe para isso deve ser a principal busca da nossa vida.

Em minha vida, descobri que quando tenho um forte desejo por alguma coisa, geralmente consigo. Isto porque fomos criados de tal maneira que a nossa determinação geralmente se ergue para atender aos nossos desejos, e fazemos tudo que for preciso para atingir o objetivo desejado.

Meu marido, Dave, recebeu o batismo no Espírito Santo aos 18 anos. A igreja que ele frequentava não ensinava essas coisas, mas ele chegara a um ponto de sua vida em que sabia que estava lhe faltando alguma coisa. Assim como eu, ele não sabia o que era. Mas o seu desejo de tê-la havia se tornado tão forte que um dia, no trabalho, ele foi até o banheiro, entrou em uma das cabines, sentou-se, e disse a Deus que ele não iria se mover dali até que Ele lhe desse o que ele estava buscando. Enquanto ele simplesmente estava sentado ali, Deus o encontrou, e ele foi cheio do Espírito Santo. Ao mesmo tempo, ele recebeu cura em seus olhos. Antes, ele precisava de óculos, mas depois dessa experiência com Deus, não teve mais de usá-los por muitos anos.

O forte desejo de Dave fez com que Deus soubesse o que era importante para ele.

Nossos desejos dizem muito sobre quem realmente somos. Eles estão ligados ao nosso íntimo, à nossa vontade. O que queremos fala do nosso caráter. Se quisermos mais dinheiro, isso pode querer dizer que somos gananciosos. Se quisermos mais poder, isso pode querer dizer que buscamos ter controle. Mas se quisermos mais de Deus, isto diz algo sério sobre a atitude do nosso coração. Creio que Deus sempre realiza os desejos daqueles que querem mais dele — Ele não nos deixará famintos (ver Salmos 37:4)!

Se você gostaria de ter desejo por mais de Deus, mas com toda sinceridade não pode dizer que tem, peça a Deus para lhe dar esse desejo. Diga a Ele que o seu desejo é ter mais desejo por Ele. Duvido que você não tenha desejo algum. Se você não estivesse buscando mais de Deus, provavelmente não teria lido este livro até aqui.

Deus o encontrará onde você está. Deus me encontrou no meu carro, e Ele encontrou Dave no banheiro do trabalho. Isso não parece muito religioso, não é? Muitas pessoas acham que Deus não poderia tocá-las da maneira que descrevemos neste livro em nenhum lugar a não ser na igreja. Mas Deus nos encontra onde estamos. Onde quer que Ele encontre uma pessoa faminta, Ele vem para alimentar essa pessoa.

Deus nos encontra na nossa imperfeição e na nossa necessidade, e Ele nos enche com o Seu Espírito para nos ajudar de todas as maneiras a ter uma vida plena e abençoada. Encorajo-o a clamar a Deus agora mesmo, bem onde você está. Creio que Ele o encontrará onde você está e o ajudará a chegar onde precisa chegar.

ESTEJA ABERTO

> Filipe encontrou Natanael e lhe disse: "Achamos aquele sobre quem Moisés escreveu na Lei, e a respeito de quem os profetas também escreveram: Jesus de Nazaré, filho de José". Perguntou Natanael: "Nazaré? Pode vir alguma coisa boa de lá?" Disse Filipe: "Venha e veja" (João 1:45-46).

Natanael tinha uma opinião, mas pelo menos ele estava aberto a que lhe mostrassem se ele estava errado. Creio que isso é tudo que Deus pede de qualquer um de nós.

Se você não teve nenhuma informação (ou caso tenha se alimentado de muitas informações negativas) sobre o batismo no Espírito Santo, acerca de falar em línguas, a respeito de curar os enfermos ou sobre outras coisas do tipo relacionadas a Deus, então naturalmente a sua opinião provavelmente é, no mínimo, cautelosa e talvez até totalmente negativa. Tudo que peço é que você esteja aberto. Busque nas Escrituras por si mesmo e peça a Deus para lhe revelar a verdade.

Toda a discussão contida neste livro sobre o batismo no Espírito Santo e a propósito do falar em outras línguas pode lhe parecer estranha. Talvez seja algo que você nunca ouviu falar. Incentivo-o a ler a Bíblia a respeito deste assunto. Faça pesquisas por si mesmo.

Diga a Deus que você quer receber tudo que é seu por direito como Seu herdeiro e coerdeiro com o Seu Filho Jesus Cristo. Não viva mais em pobreza espiritual. Não se satisfaça apenas com o suficiente do Espírito Santo em sua vida para mal conseguir superar cada dia. Dê as boas-vindas a Ele em sua vida em toda a Sua plenitude.

Algumas pessoas dirigem seus carros desregulados, soltando fumaça, mal indo de um lugar para outro. É assim que alguns cristãos se encontram espiritualmente. Eles têm o suficiente do poder de Deus para atravessar com dificuldade cada dia, e até isso é uma luta. Isto é triste e desnecessário, quando há muito mais disponível.

Se você precisa de mais do poder de Deus, incentivo-o a ser como Natanael. Independentemente do que tenha ouvido no passado, independentemente de qual seja a sua opinião, pelo menos venha e veja. Verifique por si mesmo!

Como vimos em Apocalipse 3:20, Jesus está batendo à porta de muitos corações agora mesmo, mas precisamos lembrar de que a maçaneta está do nosso lado. Como eu disse, o Espírito Santo é um Cavalheiro; Ele não vai forçar a Sua entrada em nossa vida. Precisamos dar as boas-vindas a Ele.

Seja receptivo ao Espírito Santo. Abra a porta do seu coração para Ele desenvolvendo um pouco mais a sua fé. Seja como Pedro — a única pessoa do grupo que quis sair do barco e andar sobre as águas. Pedro provavelmente estava sentindo um frio no estômago quando saiu daquele barco, mas enquanto manteve os olhos em Jesus, ele fez tudo certo (ver Mateus 14:23-30).

As pessoas obstinadas têm a mente estreita. O pensamento delas é pequeno, e elas vivem vidas pequenas. Deus tem uma vida imensa e maravilhosa preparada para você e para mim, mas se formos de dura cerviz, como Deus chamou os israelitas (ver Êxodo 33:3), ou formos cabeças-duras (como dizemos hoje), perderemos o que Deus tem para nós. A teimosia nos faz andar nos nossos próprios caminhos, e nunca paramos para perguntar a nós mesmos se os nossos caminhos estão realmente certos ou não.

No livro de Ageu, no Antigo Testamento, o povo estava vivendo com escassez e tendo muitos problemas, então Deus disse a eles para considerarem os seus caminhos (ver Ageu 1:5). Muitas vezes, quando as pessoas não encontram realização na vida, elas procuram o motivo em tudo e em todos exceto em si mesmas. Se você não está satisfeito com a sua vida, faça como Deus disse ao povo de Judá: "Considerem os seus caminhos." Assim como eu, você pode descobrir que precisa fazer algumas mudanças.

Eu era obstinada, teimosa, cabeça-dura, orgulhosa, e tudo o mais que me impedia de progredir. Mas, graças a Deus, Ele me transformou! Oro para que Ele continue me transformando, para que Ele nunca pare de me transformar até que eu seja exatamente como Ele — e isso não acontecerá até que eu chegue ao céu.

Quero tudo que Deus quer que eu tenha e nada que Ele não quer que eu tenha. Pertenço a Ele, e você também. Deus é a sua casa, e você é a casa dele. Como poderiam duas pessoas estar mais próximas do que isto? João 16:7 diz que o Espírito Santo foi enviado por Jesus para estar em "íntima comunhão" com os crentes. Atenda a esse toque na porta do seu coração e permita que o Espírito Santo entre na sua vida em toda a Sua plenitude.

ESTEJA PRONTO PARA OBEDECER

> Se vocês me amam, obedecerão aos meus mandamentos (João 14:15).

As pessoas orgulhosas não são pessoas abertas. São fechadas, amarradas pelo orgulho. O seu senso de orgulho não as deixa dar um passo além das próprias opiniões, da própria maneira de pensar. Elas acham quase impossível aprender qualquer coisa com alguma pessoa porque o orgulho não as deixa admitir que elas podem precisar de alguma coisa além do que têm.

Para receber o batismo no Espírito Santo, uma pessoa precisa estar pronta para obedecer ao Espírito Santo, a deixar de lado um estilo de vida direcionado para si mesma. Isto é muito difícil para uma pessoa orgulhosa. A obediência requer a disposição de se humilhar.

Lembro-me muito bem de como, depois que recebi o batismo no Espírito Santo, o Espírito de Deus começou a tratar comigo com relação a não permanecer irada, a perdoar as pessoas que tinham me ofendido e pedir desculpas aos outros que eu tinha ferido ou ofendido. Foi necessária uma obediência determinada para que eu fizesse o que Ele estava me dizendo. Eu com certeza não queria fazer isso; não sentia vontade nem achava que era certo eu ter de pedir desculpas. Naquela época, o que quer que acontecesse em minha vida, eu sempre achava que era culpa da outra pessoa.

Senti como se a minha carne estivesse gritando contra essas ordens do Espírito Santo. Mas eu amava tanto o Senhor que queria agradá-lo. Creio que finalmente cheguei a um ponto em que eu queria agradá-lo mais do que a mim mesma.

Quando você pede o batismo no Espírito Santo, deve estar pronto para mudanças, as quais sempre exigem novos níveis de obediência. Deus pode chamá-lo para fazer algo especial para Ele que exigirá obediência. À medida que o Espírito Santo direcioná-lo, você pode ter de se separar das influências que envenenam a sua vida, ou mudar alguns padrões de comportamento que não glorificam a Deus.

Uma coisa é certa — a minha vida mudou radicalmente depois daquela sexta-feira em fevereiro de 1976. Antes daquele dia, eu nunca havia realmente pensado muito sobre obedecer a Deus. Eu ia à igreja aos domingos, fazia a obra da igreja e desfrutava das atividades sociais na igreja. Mas não lembro sequer de saber que Deus vivia dentro de mim pelo Seu Espírito ou que Ele queria conduzir, guiar e dirigir a minha vida. Eu clamava por Ele quando as coisas estavam indo mal, orava um pouco todos os dias, lia um capítulo da Bíblia em alguns dias, e isto era tudo. Eu estava fazendo tudo que sabia fazer, mas não percebia que o cristianismo não tinha a ver com o que eu estava fazendo, mas com o que Jesus havia feito.

Não demonstramos o nosso amor e apreciação pelo que Jesus fez por nós indo à igreja no domingo e fazendo aquilo que queremos durante o restante da semana. Demonstramos o nosso amor e apreciação andando em obediência à liderança do Seu Espírito que vive dentro de nós todos os dias da semana.

Como Jesus nos diz em João 14:15, se nós realmente o amamos, obedeceremos aos Seus mandamentos, assim como Ele obedeceu aos mandamentos de Seu Pai.

Já vimos como, imediatamente depois que Jesus foi batizado com o Espírito Santo, Ele foi levado pelo Espírito para o deserto para ser tentado pelo diabo durante quarenta dias e quarenta noites. Esta provavelmente não foi uma experiência agradável e, no entanto, Jesus obedeceu prontamente. Ele confiava no Seu Pai, sabendo que isso cooperaria para o Seu bem no final.

Ao fim dos quarenta dias, Jesus começou o Seu ministério público, como vemos em Lucas 4:14: "Jesus voltou para a Galileia no poder do Espírito, e por toda aquela região se espalhou a sua fama." Jesus não apenas teve de estar disposto a seguir o Espírito Santo nos momentos de poder e fama, mas também nos momentos difíceis, em tempos de provação e teste.

Estamos sempre dispostos a seguir o Espírito Santo nas bênçãos, mas temos dificuldade de audição se a sua direção significa que não vamos ter o que queremos.

Em seguida à sua conversão e batismo no Espírito Santo, o Espírito Santo falou a Paulo sobre as dificuldades que ele precisaria atravessar (ver Atos 9:15-16). Paulo enfrentou muitas situações difíceis, mas ele também foi abençoado durante a sua vida. Ele teve o privilégio de escrever uma grande parte do Novo Testamento por meio da inspiração do Espírito Santo. Paulo teve experiências espirituais tão magníficas que nem sequer pôde descrevê-las. Ele foi levado ao terceiro céu, teve visões, e foi visitado por anjos, além de muitas outras coisas maravilhosas. Sim, ele foi abençoado — mas também teve de seguir a direção do Espírito Santo quer fosse conveniente ou inconveniente, confortável ou desconfortável, quer fosse vantajoso para ele ou não.

Em Filipenses 4:11-12, Paulo escreveu que ele havia aprendido a "viver contente em toda e qualquer situação". No versículo 13, ele afirmou que podia fazer todas as coisas por meio de Cristo, que o fortalecia. Paulo aprendeu a extrair a força de Deus que estava nele. Ele foi fortalecido para os tempos bons, para desfrutá-los e manter uma atitude positiva neles, e para os tempos difíceis, para suportá-los e manter uma atitude positiva neles também.

A nossa atitude é muito importante para o Senhor. Ela demonstra muito sobre o nosso caráter. Obedecer a Deus nos tempos difíceis ajuda a desenvolver o caráter de Deus em cada um de nós. Costumo dizer: "Seremos chamados muitas vezes para fazer a coisa certa quando não sentimos vontade, e faremos isso por muito tempo antes que a coisa certa comece a acontecer a nós."

Não podemos fazer o que é certo apenas para receber uma recompensa ou uma bênção. Devemos buscar a presença de Deus, e não os Seus presentes. Precisamos fazer o que é certo porque é certo, e porque amamos Jesus e sabemos que a nossa obediência o honra. O Espírito Santo é enviado para viver em nós para nos ajudar a buscá-lo com um coração puro. Ele nos é dado tanto para os tempos fáceis da vida quanto e, principalmente, para os tempos difíceis.

Muitas pessoas hoje são molengas e choronas o tempo todo. Elas falam mais sobre o que não podem fazer do que a respeito do que podem fazer. Elas desistem facilmente e não têm determinação suficiente para levar nada até o fim.

Percebi há muito tempo que Deus me deu o Seu Espírito para me ajudar a superar qualquer obstáculo que se interponha no caminho do Seu plano para a minha vida, quer esse obstáculo seja uma pessoa, uma circunstância, um demônio, uma decepção, uma desilusão ou o desânimo.

Você está pronto para obedecer a Deus? Se estiver, então você está pronto para o batismo no Espírito Santo. Se você tem um coração voluntário, Deus lhe dará a plenitude do Seu Espírito para capacitá-lo a complementar isto com ação.

É HORA DE PEDIR E CRER!

> Isso para que em Cristo Jesus a bênção de Abraão chegasse também aos gentios, para que recebêssemos a promessa do Espírito mediante a fé (Gálatas 3:14).

Se você chegou até aqui, agora é hora de pedir. Lembre-se: o Espírito Santo é um Cavalheiro. Ele vai encher você, mas apenas se for convidado a fazer isso. Em Lucas 11:13 Jesus promete que Deus dará o Espírito Santo àqueles que lhe pedirem. E Tiago 4:2, nos diz: "Não têm, porque não pedem."

Venha com ousadia e peça. Peça esperando receber. Não seja indeciso. Não deixe que a dúvida encha o seu coração. Peça com fé. Creia que receberá, e você receberá. Deus não é homem para que minta (ver Números 23:19). Ele é fiel para cumprir a Sua Palavra, sempre que alguém dá um passo de fé.

Gálatas 3:14 diz que recebemos a promessa do Espírito pela fé. Os dons não podem ser forçados a ninguém; eles devem ser oferecidos pelo doador e depois recebidos por outra pessoa. Deus faz a oferta do Seu Espírito, e você deve relaxar e receber pela fé. Você pode sentir alguma coisa ou talvez não sinta nada.

NÃO TEM A VER COM SENTIMENTOS

Tive uma experiência clara de sentir o Espírito sendo derramado dentro de mim. Embora eu não soubesse que estava sendo batizada no Espírito Santo naquela época, eu soube que Deus estava fazendo algo maravilhoso em minha vida.

Desde aquele momento, ministrei o batismo no Espírito Santo a literalmente milhares de pessoas, e vi as pessoas reagirem de todas as maneiras, desde expressões vocais extremamente ruidosas ao silêncio total. Vi lágrimas, risos, saltos para cima e para baixo, vi pessoas caírem sob o poder do Espírito Santo e todo tipo de coisa que se possa imaginar.

Muitas pessoas que receberam o batismo no Espírito Santo por meio do meu ministério me disseram que não sentiram nada. Encontrei algumas dessas pessoas mais tarde e descobri que elas foram transformadas radicalmente daquele momento em diante.

Não baseamos a nossa experiência com Deus nos sentimentos, mas na fé. Não temos de sentir uma agitação emocional para sermos cheios com o Espírito Santo. Desde que vejamos o fruto do Espírito em nossas vidas (ver Gálatas 5:22-23), sabemos que recebemos.

Quando você for cheio do Espírito Santo, sentirá uma maior proximidade e intimidade com Deus. Você observará uma direção do Espírito mais direta e mais clara em sua vida. Você também terá a experiência mais direta da punição divina. Em outras palavras, Deus começará a se envolver nos seus assuntos. Os seus assuntos vão se tornar os assuntos dele, e os assuntos dele se tornarão os seus. Você sentirá que tem um Parceiro com você o tempo todo, Alguém com quem você pode falar sobre *qualquer coisa.*

RECEBA O BATISMO NO ESPÍRITO SANTO

A Palavra de Deus ensina que embora algumas pessoas tenham recebido o Espírito Santo pela imposição de mãos, outras vezes o Espírito Santo foi simplesmente derramado sobre as pessoas. Atos 10:44 diz: "Enquanto Pedro ainda estava falando estas palavras, o Espírito Santo desceu sobre todos os que ouviam a mensagem." Os crentes que haviam ido com Pedro ficaram impressionados porque eles testemunharam que o dom gratuito do Espírito Santo foi derramado sobre a multidão, e eles os ouviram falando em línguas estranhas.

Você pode pedir a Deus para enchê-lo e para batizá-lo no Espírito Santo agora mesmo, aí onde você está, simplesmente orando. Eis uma oração que você talvez queira fazer:

> *Pai, em nome de Jesus, eu te peço que me batizes com o Espírito Santo com a evidência de falar em línguas. Concede-me ousadia como Tu fizeste com aqueles que foram cheios no Dia de Pentecostes, e dá-me outros dons espirituais que Tu desejes que eu tenha.*

Agora talvez você queira confirmar a sua fé dizendo em voz alta: "Creio que recebi o batismo no Espírito Santo e que jamais serei o mesmo."

Se você fez essa oração, espere em Deus silenciosamente e creia que recebeu o que pediu. Se você não acredita que recebeu, então mesmo que tenha recebido, para você será como se não tivesse. Você não pode agir com base em alguma coisa que não crê que tem. Quero enfatizar novamente a importância de "crer pela fé" que você recebeu, e a não tomar a sua decisão com base nos sentimentos.

Creio que é melhor fechar os olhos quando recebe; isso ajuda a eliminar tudo que possa ser uma distração no momento. Agora ofereça a sua voz a Deus. Sente-se em silêncio, relaxe e espere nele. Não tente fazer alguma coisa acontecer; deixe Deus tomar a frente. Lembre-se de que as pessoas "esperavam" no Cenáculo até que receberam o poder do alto.

Deus o ama e quer o melhor dele para você. Para falar em línguas, abra sua boca, e à medida que o Espírito conceder, fale o que você ouve surgir de dentro de você. Lembre-se de que as palavras não virão da sua mente, mas do seu espírito. Sugiro que você volte a sua atenção ao que está acontecendo no seu espírito; você sentirá uma agitação de vida. Deus disse que do nosso interior fluirão rios de água viva (ver João 7:38).

As palavras podem lhe parecer incomuns ou estranhas; elas inicialmente podem ser apenas gemidos ou pequenas sílabas com um som estranho. Pense em como é estranho quando um bebê começa a falar. Você pode parecer igual quando começar a falar em línguas. Não se preocupe com isso nem se prenda a ouvir a si mesmo. Apenas se entregue completamente ao Senhor e confie nele como nunca antes.

Quanto mais você for ousado ao orar, tanto melhor. Você não tem nada a temer e não deve se sentir constrangido. Você pertence a Deus. Ele é o seu Pai. Ele encheu você com o Seu Espírito e prometeu nunca deixá-lo ou abandoná-lo. Se Deus nos instrui a andarmos no Espírito, porque não deveríamos poder falar no Espírito, que é falar em línguas.

Não tenha pressa. Deixe Deus ministrar a você. Pode haver falta de perdão no seu coração. Ele vai querer falar com você sobre isso, ou acerca de algum pecado do qual você precisa se arrepender. O que quer que Ele lhe diga, faça-o!

À medida que você sentir uma agitação dentro do seu espírito, talvez sinta vontade de chorar ou de rir, ou talvez sinta uma sensação de profunda paz ou alívio como se um fardo tivesse sido retirado de você. Você pode se sentir extremamente bem!

Não compare a sua experiência com a de outra pessoa. Somos pessoas únicas, e Deus ministra a nós como tal. Saiba que Ele o encontrará da maneira que for melhor para você. Se você não falar em línguas imediatamente, não fique desanimado. Continue crendo e confessando que Deus o encheu com o Seu Espírito Santo porque você pediu isso a Ele, e você receberá a sua linguagem de oração.

Lembre-se sempre desta passagem maravilhosa:

> Por isso lhes digo: Peçam, e lhes será dado; busquem, e encontrarão; batam, e a porta lhes será aberta. Pois todo o que pede, recebe; o que busca, encontra; e àquele que bate, a porta será aberta. Qual pai, entre vocês, se o filho lhe pedir um peixe, em lugar disso lhe dará uma cobra? Ou se pedir um ovo, lhe dará um escorpião? Se vocês, apesar de serem

maus, sabem dar boas coisas aos seus filhos, quanto mais o Pai que está nos céus dará o Espírito Santo a quem o pedir! (Lucas 11:9-13).

E AGORA?

Senhor, que queres que eu faça? (Atos 9:6, ACF).

Depois que você foi batizado no Espírito Santo, o que deve fazer? Muitas pessoas cometem o erro de tentar dizer a todos o que aconteceu com elas. É claro que é natural querer fazer isso; você provavelmente está entusiasmado e quer compartilhar o seu entusiasmo com os outros. Entretanto, esta pode não ser a coisa mais sábia a fazer; nem todos ficarão entusiasmados por você. Não permita que isso o perturbe.

Em primeiro lugar, as outras pessoas podem não entender o seu entusiasmo. Em segundo lugar, elas podem se sentir ameaçadas se parecer que você está dando a impressão de que tem algo que lhes falta e que elas agora precisam tentar conseguir. A sua intenção pode ser boa, mas um entusiasmo excessivo pode assustar ou ofender as outras pessoas. Se você se sentir guiado pelo Espírito de Deus a compartilhar com alguém, pode também querer dar a essa pessoa uma cópia deste livro para que ela possa ter o pleno entendimento dessa provisão de Deus.

Meu marido e eu cometemos muitos erros com amigos e parentes quando recebemos o batismo no Espírito Santo. Para ser sincera, levamos anos em alguns casos para recuperar os relacionamentos que perdemos. Isto, é claro, não foi totalmente culpa nossa, mas se tivéssemos sido sábios o bastante para nos portarmos de modo diferente no começo, as coisas poderiam ter sido um tanto melhores.

Às vezes, é melhor dizer menos e demonstrar mais. Simplesmente espere e deixe que as pessoas vejam as mudanças em você, e então elas vão perguntar o que aconteceu com você. Quando fizerem isso, o coração delas estará aberto para receber. Isto é muito melhor do que fazer com que elas achem que você está tentando forçá-las a ouvir uma coisa que elas não querem ouvir.

Nós, cristãos, costumamos pregar muito, mas precisamos ser como as crianças de escola que participam de uma atividade chamada "Mostre e Conte". Durante essa atividade, elas mostram algo especial e, depois, contam do que se trata; elas não contam sem mostrar nada. A prova viva é sempre melhor do que palavras vazias.

Como eu disse, fui batizada no Espírito Santo em uma sexta-feira à tarde. Dave e eu costumávamos jogar boliche com uma turma todas as semanas, às sextas-feiras, e eu devia estar agindo de modo diferente, obviamente, naquela noite, embora eu não estivesse consciente disso. Eu não sabia como explicar o que havia acontecido comigo, então eu não estava ainda contando a ninguém sobre o fato. À medida que a noite foi passando, um dos homens com quem costumávamos jogar olhou para mim e disse: "Joyce, o que está acontecendo com você hoje? Você parece estar em outro planeta."

Eu realmente estava me sentindo embriagada no amor de Deus. O que quero dizer com "embriagada" é que eu estava tão cheia de Deus que isso estava afetando o meu modo de agir. Eu estava totalmente em paz. Nada me incomodava. Na verdade, tudo parecia simplesmente maravilhoso para mim.

À medida que as semanas se passaram, as pessoas no trabalho começaram a me perguntar o que havia acontecido comigo. Depois que algumas pessoas me fizeram essa pergunta, comecei a perceber que o trabalho de Deus devia ser notório.

A essa altura, Deus havia me levado a ler alguns livros e a ouvir alguns testemunhos, então entendi que o que acontecera comigo também estava acontecendo com outras pessoas, e que aquilo até tinha um nome. Percebi que eu recebera o batismo no Espírito Santo. Nos anos 70, houve um derramamento do Espírito Santo em todo o mundo. Pessoas de todas as denominações estavam recebendo o Espírito Santo e falando em línguas. Na verdade, diversos crentes na minha igreja já o tinham recebido, e Deus me levou a eles para ter comunhão e encorajamento.

Foi realmente impressionante para mim a maneira como Deus me conduziu depois daquela sexta-feira, em 1976, quando recebi aquele toque especial dele no meu carro. Por exemplo, eu nunca ouvia o rádio quando dirigia do trabalho para casa, mas de repente senti o impulso de ligar o rádio. A estação que sintonizei "por acaso", estava levando ao ar também "por acaso" os testemunhos de pessoas que estavam contando suas experiências ao serem batizadas ou cheias com o Espírito Santo. Os testemunhos delas me ajudaram a ter confiança no que Deus fizera por mim.

Agora sei que essas coisas não aconteceram de maneira aleatória, mas foram ordenadas e arranjadas por Deus. Assim que lhe entreguei a minha vida, Ele assumiu o controle. Comecei a ver coisas maravilhosas acontecerem comigo, que aumentaram a minha fé e me entusiasmaram, coisas como a Sua direção para que eu sintonizasse naquela estação de rádio para ouvir exatamente o que eu precisava ouvir naquele momento.

Quando as pessoas me perguntavam o que havia acontecido comigo, porque elas podiam ver claramente que eu estava diferente, eu podia ver que estavam muito receptivas, uma vez que foram elas que tinham trazido o assunto à baila.

Quando as pessoas têm fome por mais de Deus, elas estão muito abertas a ouvir sobre Deus na vida de outra pessoa. Se elas não estiverem famintas, é difícil alimentá-las à força; elas vão sempre jogar fora aquilo que lhes for dado.

Seja paciente, e Deus abrirá portas para você compartilhar a sua fé e o seu entusiasmo. Ele começará a lhe dar "relacionamentos divinos". Ele o colocará em contato com pessoas que passaram pelo mesmo tipo de experiência. Você descobrirá uma comunhão maravilhosa e sólida que é diferente de qualquer amizade que você já teve. Na verdade, quando você encontra outro crente que é batizado no Espírito Santo, será como encontrar um parente que você nunca viu. Vocês se sentirão instantaneamente ligados de uma maneira especial. Esta é uma conexão espiritual que nem sempre faz sentido para a mente natural.

Adquira bons livros sobre o tema do Espírito Santo, como *Vida Transbordante*, de Robert C. Frost e *Eles Falam Em Outras Línguas*, de John L. Sherrill, e aprenda mais a respeito do batismo no Espírito Santo e de como isso transformou as vidas de muitas outras pessoas. Quanto mais você ler, tanto melhor. Procure estes versículos e estude-os: Atos 1:8; Atos 2:1-18; Atos 8:12-17; Atos 10:42-48; Atos 19:1-6.

Busque na sua Bíblia e consulte todas as referências que mencionei neste livro. Ore para que Deus o conduza a um ponto em que Ele quer que você esteja. Se tiver a oportunidade, frequente um estudo bíblico ou um culto cheio do Espírito. Vá a uma de nossas conferências, se estivermos na sua região, ou tire férias para ir até o lugar onde estivermos fazendo uma conferência naquele mês.

Se você ainda não se batizou nas águas desde que aceitou a Cristo, encorajo-o a procurar uma igreja que o conduza a essa demonstração bíblica de fé. A importância tanto do batismo nas águas quanto do batismo no Espírito Santo é demonstrada nos dois exemplos a seguir:

O Senhor enviou Filipe para encontrar-se com um eunuco etíope que estava lendo a profecia de Isaías, proclamando a vinda de um Salvador. Quando Filipe proclamou as boas-novas de que o Salvador havia vindo e que Ele era Jesus, o eunuco ficou tão empolgado que pediu para ser batizado nas águas imediatamente.

Em Atos 8:37, disse Filipe: "Você pode, se crê de todo o coração. O eunuco respondeu: 'Creio que Jesus Cristo é o Filho de Deus.'" Então foi batizado imediatamente.

Mas os crentes que ouviam Pedro, que receberam o batismo no Espírito Santo com a evidência de falar em línguas, não haviam sido batizados nas águas. Então Pedro perguntou: "Pode alguém negar a água, impedindo que estes sejam batizados? Eles receberam o Espírito Santo como nós! Então ordenou que fossem batizados em nome de Jesus Cristo" (Atos 10:47-48).

Deus tem muitas coisas para ensinar a você, o suficiente para exigir que a sua atenção se volte para Ele por todos os dias que lhe restam. Mas deixe-me encorajá-lo novamente — seja paciente, e Deus o conduzirá. Passe um tempo especial com Ele todos os dias. Conheça-o cada vez melhor. Leia a Bíblia; será mais fácil entendê-la depois que receber a plenitude do Espírito Santo.

Você embarcou em uma jornada maravilhosa. Às vezes, progredirá depressa, e outras vezes, parecerá que não está progredindo nada. Mas tudo coopera para o seu bem, portanto lembre-se: *Seja paciente*!

Se você recebeu o batismo no Espírito Santo em decorrência de ter lido este livro, entre em contato conosco. Queremos compartilhar da sua alegria e orar por você enquanto inicia a sua nova jornada com Deus. Se tiver perguntas, teremos prazer em auxiliá-lo de qualquer maneira que pudermos. Você pode escrever ou telefonar para o meu escritório, e alguém terá prazer em ajudá-lo. O nosso telefone e endereço encontram-se no final deste livro.

Nível de Intimidade 3:

A Glória de Deus Manifesta

Se somos filhos, então somos herdeiros; herdeiros de Deus e coerdeiros com Cristo, se de fato participamos dos seus sofrimentos, para que também participemos da sua glória. Considero que os nossos sofrimentos atuais não podem ser comparados com a glória que em nós será revelada. A natureza criada aguarda, com grande expectativa, que os filhos de Deus sejam revelados.

— ROMANOS 8:17-19

10

Seja Sempre Cheio do Espírito Santo

Não se embriaguem com vinho, que leva à libertinagem, mas deixem-se encher pelo Espírito (Efésios 5:18).

Se você já é cheio do Espírito, ou se acabou de receber o Espírito em decorrência da leitura deste livro, é importante que saiba que precisa ser instruído na Palavra de Deus a fim de "estar sempre cheio" do Espírito — isto é, estar cheio em todo o tempo.

Para "estar sempre cheio" do Espírito Santo, é necessário dar a Ele o primeiro lugar em sua vida. Em geral, isso requer disciplina, porque muitas outras coisas exigem o nosso tempo e a nossa atenção. Existem muitas coisas que queremos e precisamos, mas nenhuma delas é mais importante do que Deus.

O Espírito Santo nunca vai embora; Ele sempre vem para ficar. Ele não muda de endereço; uma vez que Ele fixa residência, Ele se estabelece e se recusa a partir. Mas é importante nos mantermos motivados pelas coisas espirituais. Qualquer coisa que é quente pode esfriar se o fogo se apagar.

Certa vez, passei por um período de seis meses em que Deus me proibiu de pedir qualquer coisa a não ser por mais dele. Foi uma disciplina maravilhosa para me aproximar dele com um nível de intimidade mais profundo do que eu conhecia antes. Eu começava a dizer: "Deus, preciso _______", então eu parava quando me lembrava da instrução que Ele me dera. Eu terminava a minha petição dizendo "de mais de ti".

Durante esse período, eu tinha uma vontade louca de comer pão *zucchini*, também conhecido como bolo de abobrinha verde, feito em casa, mas não falei nada sobre isso a ninguém. É claro que estava ocupada demais para tentar fazer esse pão em casa. Então, depois de uma reunião, uma mulher me entregou uma caixa dizendo: "O Senhor colocou no meu coração para lhe dar isto."

Olhando para a caixa com a imagem de um utensílio de cozinha na tampa, eu não podia imaginar por que Deus diria a ela para entregá-la a mim. Mas quando abri a caixa, dentro havia pão *zucchini* recém-assado.

Por meio desse exemplo, Deus estava me provando que, se eu tivesse prazer nele, Ele me daria os desejos e as petições secretas do meu coração. Se o buscasse em primeiro lugar, e antes de tudo, Ele cuidaria de suprir as outras coisas que eu desejava, até as pequenas coisas que poderiam parecer insignificantes, mas que significavam muito para mim (ver Salmos 37:4).

AVIVE O DOM

> Por essa razão, torno a lembrar-lhe que mantenha viva a chama o dom de Deus que está em você mediante a imposição das minhas mãos (2 Timóteo 1:6).

Nas coisas espirituais ou estamos indo para a frente com determinação e com um propósito, ou estamos começando a recuar. Ou crescemos, ou começamos a morrer. Não existe cristianismo inerte. Não podemos colocar a nossa caminhada cristã em compasso de espera, ou congelá-la até o próximo ano. É vital continuar seguindo em frente. É por isso que nesta passagem Timóteo foi instruído por Paulo a avivar o dom que estava nele por meio da imposição das mãos dos presbíteros na sua ordenação. Ele foi aconselhado a soprar a chama e a reavivar o fogo que um dia ardeu nele.

Evidentemente, Timóteo havia começado a recuar. A julgar por 2 Timóteo 1:7, ele deve ter ficado com medo,[1] porque Paulo escreveu para lhe dizer: "Pois Deus não nos deu espírito de covardia, mas de poder, de amor e de equilíbrio."

Todas as vezes que temos medo, começamos a ficar imóveis em lugar de ativos. O medo nos congela, por assim dizer; ele impede o progresso.

Timóteo pode ter ficado com medo por causa da perseguição extrema aos cristãos naqueles dias, e ele pode ter perdido temporariamente a sua ousadia. Afinal, seu mentor, Paulo, havia sido lançado na prisão. E se o mesmo acontecesse com ele?

Certamente, é fácil entender por que Timóteo pode ter perdido sua coragem e confiança. No entanto, Paulo o encorajou firmemente a se animar, a voltar aos trilhos, a se lembrar do chamado que estava sobre sua vida, a resistir ao medo e a lembrar que Deus não lhe dera "espírito de covardia, mas de poder, de amor e de equilíbrio".

É exatamente isto que nos é dado quando recebemos a plenitude do Espírito Santo: poder, amor e equilíbrio. De acordo com Romanos 5:5, é o Espírito Santo que derrama o amor de Deus em nossos corações. Ele é o Espírito de Poder, o Espírito de Amor, e o Espírito que mantém a nossa mente equilibrada e forte.

Timóteo precisava de encorajamento, e haverá momentos em que cada um de nós necessitará de encorajamento também. Timóteo provavelmente andava falando e pensando de maneira errada, e quanto mais ele pensava e falava, tanto pior ele se sentia. Se pretendermos ficar avivados no Espírito Santo, precisamos escolher nossos pensamentos e palavras com cuidado.

TENHA UM CORAÇÃO FELIZ

Falando entre si com salmos, hinos e cânticos espirituais, cantando e louvando de coração ao Senhor (Efésios 5:19).

A versão Almeida Corrigida Fiel desse versículo diz assim: "Falando entre vós em salmos, e hinos, e cânticos espirituais; cantando e salmodiando ao Senhor no vosso coração." Gosto de aplicar essa passagem de ambas as formas. O tipo de "conversa" que tenho comigo mesma é tão importante quanto a conversa que tenho com as outras pessoas.

É fácil cair na armadilha de falar sobre coisas negativas, sobre os problemas da vida, sobre todas as nossas decepções, e assim por diante. Mas nada disso nos ajuda a "ser cheios" do Espírito. Por que não? Porque o Espírito Santo não é negativo de modo algum. O Seu silêncio durante esses momentos é o nosso sinal de que Ele não está satisfeito com a nossa conversa.

Quando sinto o Espírito Santo sendo avivado em mim, sei que Ele está satisfeito; quando o sinto se retirando, considero que Ele pode não estar satisfeito.

O Espírito Santo gosta muito da música "certa" — música animadora, positiva, que nos levanta, que é cheia de alegria — a música que tem uma boa mensagem. A última parte de Efésios 5:19 diz "cantando e louvando de coração ao Senhor". Isso significa literalmente que devemos passar o dia com uma canção no nosso coração. Podemos fazer isso sem passar o dia cantando em voz alta.

Quando meu coração está feliz, surpreendo-me assoviando, cantarolando ou cantando baixinho ao longo do dia. Uma canção pode tornar uma tarefa desagradável agradável. Ela pode tornar leve o nosso fardo na vida e clarear o dia mais escuro. Na verdade, isto também é guerra espiritual.

Satanás se opõe à alegria e fará tudo que estiver no seu poder para nos impedir de ter alegria. De acordo com Neemias 8:10, a alegria do Senhor nos fortalecerá. Satanás nos quer fracos, mas a música aviva a nossa alegria, e, portanto, a nossa força. Quanto mais cantarmos e fizermos melodia em nosso coração, tanto melhor para nós.

A Bíblia está cheia de passagens poderosas que fazem referência à música, principalmente ao louvor e à adoração. As Escrituras falam repetidamente para "cantarmos ao Senhor um novo cântico".

Algumas pessoas têm cantado a mesma velha canção por toda a vida. Elas precisam de um novo cântico, de um cântico feliz. Um novo cântico pode ser um cântico que ninguém ouviu, um cântico que se levanta do coração por causa da admiração pelo Senhor.

Ouça música. Aprenda músicas ouvindo, e depois abra sua boca e cante. Talvez você não seja um ótimo cantor, mas o Salmo 98:4 nos encoraja: "Louvem-no com cânticos de alegria e ao som de música." Essa é uma das melhores maneiras de avivar a chama do Espírito Santo dentro de você.

SEJA GRATO E DIGA ISSO

> Dando graças constantemente a Deus Pai por todas as coisas, em nome de nosso Senhor Jesus Cristo (Efésios 5:20).

Com passagens que nos ensinam a "estar sempre cheios" do Espírito Santo, encontramos essa inscrição para darmos graças em todo o tempo e por tudo. Isto significa que devemos permanecer em uma atitude de gratidão independentemente de quais sejam as nossas circunstâncias.

Isto requer o poder do Espírito Santo, porque é natural que nós humanos tenhamos emoções oscilantes quando passamos por situações oscilantes. Podemos ser tentados a agir naturalmente, mas no poder do Espírito Santo podemos sempre agir sobrenaturalmente. Já temos o "natural", mas o Espírito Santo entra na nossa vida para trazer o "sobre". Quando acrescentamos este "sobre" ao nosso "natural", temos o sobrenatural.

Se quisermos "ser sempre cheios" com o Espírito Santo, precisamos entender que temos o Espírito Santo sempre ao nosso lado para nos ajudar em qualquer dificuldade que possa surgir. Você e eu podemos fazer a coisa certa em todas as situações se recorrermos ao poder que habita em nós pelo Espírito Santo. É certo permanecer grato, porque independentemente do que esteja se passando na nossa vida atualmente, Deus continua sendo bom. E se olharmos para toda a nossa vida, percebemos que temos muitos motivos para sermos gratos.

Quando os tempos estão difíceis, e ficamos desanimados, é fácil ficar negativo e ver tudo com os olhos nublados pelo problema que estamos passando. Mas todos nós experimentamos a fidelidade de Deus muitas vezes durante a nossa vida. O cuidado providencial de Deus é absolutamente impressionante.

Por exemplo, quantas vezes você acha que Deus nos salvou de um acidente grave, nos impediu de nos ferirmos ou nos protegeu do mal? Temos o hábito de olhar para as coisas negativas que nos acontecem e de reclamar delas, mas e quanto a todas as coisas negativas que poderiam ter acontecido conosco se Deus não as tivesse impedido? Não podemos, e não devemos ser extremamente gratos por essas coisas?

Ser grato e dizer isso nos ajuda a "estar sempre cheios e estimulados" com o Espírito Santo, como nos é dito para fazer em Efésios 5:18. Nesse versículo, somos desencorajados a nos embriagarmos com vinho para termos estímulo, mas em vez disso, somos encorajados a sermos cheios do Espírito Santo.

Vamos pensar em como é ser estimulado. O Dicionário Webster diz que o verbo *estimular* significa "provocar à atividade ou à ação exaltada, incitar: INSTIGAR... A agir ou servir como estimulante ou estímulo".[2]

Quando somos gratos, isso aviva o Espírito Santo dentro de nós, e podemos realmente sentir a Sua alegria. Muitas vezes quando estamos deprimidos ou infelizes, é porque o Espírito Santo em nós foi entristecido ou ofendido pelo nosso comportamento. Quando o Espírito Santo aprova os nossos atos, sentimo-nos bem; quando Ele não os aprova, não nos sentimos bem.

Cantar, ter o tipo certo de conversa com você mesmo, ter a conversa certa com os outros, ter os pensamentos certos, ter uma atitude de gratidão — todas essas coisas são estimulantes que avivam o Espírito Santo e nos ajudam a "estar sempre cheios" dele.

Algumas pessoas usam o álcool como estimulante. Isto as ajuda a esquecer das coisas que as incomodam e faz que elas se sintam bem — pelo menos até a manhã seguinte. Precisamos entender a ironia do Espírito Santo ao usar este exemplo na Palavra de Deus. Não se embriague com vinho; não precise disso como estimulante. Em vez disso, "enchei-vos" do Espírito Santo. Este é o único estimulante que você vai precisar.

Durante 36 anos, meu irmão esteve cativo das drogas e do álcool. Desde a sua conversão e o seu batismo no Espírito Santo, ele comentou muitas vezes que não existe uma sensação que ele tenha tido com as drogas ou com o álcool que se compare nem mesmo de longe ao sentimento que ele experimentou ao ser cheio do Espírito Santo.

ENERGIA FÍSICA

> Ele fortalece o cansado e dá grande vigor ao que está sem forças (Isaías 40:29).

Ser cheio do Espírito Santo realmente nos dá energia física.

Muitas vezes, fui tocada pelo Espírito Santo e, de repente, passei de uma pessoa extremamente cansada a alguém que sentia que podia dar a volta na cidade correndo. Este é outro bom motivo para nos mantermos sempre cheios; precisamos de toda a energia que pudermos conseguir. Creio firmemente que podemos trazer esgotamento a nós mesmos pela maneira como pensamos e falamos. Do mesmo modo, podemos nos manter cheios de energia seguindo as diretrizes bíblicas para a vida diária.

Parece que a maioria das pessoas no mundo de hoje está cansada. Parte de sua fadiga vem de estarem ocupadas demais, mas outra grande parte disso deve-se à maneira como vivem — como pensam, falam e agem com as outras pessoas.

O Espírito Santo não vai nos dar energia para sermos maus, odiosos, egoístas ou egocêntricos.

O ESPÍRITO DE AMOR

> Deus derramou seu amor em nossos corações, por meio do Espírito Santo que Ele nos concedeu (Romanos 5:5).

Quando o Espírito Santo vem viver em nós, o amor vem viver em nós. Deus é amor (1 João 4:8), e quando ele vem, o amor vem.

Uma das minhas passagens favoritas é 1 João 4:12. Amo lê-la e simplesmente dedicar tempo para meditar nela: "Ninguém jamais viu a Deus; se amarmos uns aos outros, Deus permanece em nós, e o seu amor está aperfeiçoado em nós."

Essa passagem me ajuda a entender por que me senti como se tivesse sido cheia com amor líquido no momento do meu batismo no Espírito Santo. Naquele momento, uma medida extra do amor de Deus foi derramada no meu coração. Eu tinha de receber aquele amor por mim mesma; depois eu poderia começar a devolvê-lo a Deus; e então, finalmente, eu poderia começar a deixá-lo fluir para fora de mim em direção aos outros.

Não podemos dar o que não temos. É inútil querer amar alguém se nunca recebemos o amor de Deus por nós mesmos. Devemos amar a nós mesmos de uma forma equilibrada, e não de uma maneira egoísta e egocêntrica. Ensino que devemos amar a nós mesmos, mas não estar "apaixonados" por nós mesmos.

Em outras palavras, creia no amor que Deus tem por você; saiba que ele é eterno e incondicional. Deixe que o Seu amor seja confirmado no seu coração e faça com que você se sinta seguro, mas "Ninguém tenha de si mesmo um conceito mais elevado do que deve ter" (ver Romanos 12:3). Creio que amar a nós mesmos de uma forma equilibrada é o que nos prepara para deixar o amor fluir por meio de nós para os outros que nos cercam. Sem receber o amor de Deus por nós de uma maneira equilibrada, podemos ter algum tipo de sentimento por outra pessoa, um tipo de amor humanista; mas certamente não podemos amar as pessoas incondicionalmente a não ser que Deus esteja provocando esse amor.

É o Espírito Santo que purifica o nosso coração para que possamos permitir que o amor sincero de Deus flua por intermédio de nós para os outros, como nos é dito em 1 Pedro 1:22: "Agora que vocês purificaram a sua vida pela obediência à verdade, visando ao amor fraternal e sincero, amem sinceramente uns aos outros e de todo o coração." O objetivo do Espírito Santo é nos levar a um ponto em que o amor sincero de Deus possa fluir por meio de nós. Isto nos ajuda a "estar sempre cheios" do Espírito Santo.

Andar em amor é o objetivo definitivo do cristianismo. Esta deve ser a principal coisa pela qual todos nós nos esforçamos. A Bíblia nos diz para mantermos o nosso amor ardendo em chamas. Devemos ter um amor ardente uns pelos outros. Jesus nos deu ordem para amarmos uns aos outros como Ele nos ama. Ele disse que estava nos dando um mandamento novo e que todos os mandamentos se resumiam em amar a Deus e em amarmos uns aos outros (ver João 13:34; Mateus 22:37-40).

Quando penso no que posso fazer por mim mesma ou em como posso levar os outros a me abençoarem, estou cheia de *mim*. Quando penso nas outras pessoas e em como posso abençoá-las, estou cheia do Espírito Santo, que é o Espírito de Amor.

CONHECIDOS PELOS NOSSOS FRUTOS

> *Ainda que eu fale as línguas dos homens e dos anjos, se não tiver amor, serei como o sino que ressoa ou como o prato que retine.* Ainda que eu tenha o dom de profecia e saiba todos os mistérios e todo o conhecimento, e tenha uma fé capaz de mover montanhas, se não tiver amor, nada serei. Ainda que eu dê aos pobres tudo o que possuo e entregue o meu corpo para ser queimado se não tiver amor, nada disso me valerá (1 Coríntios 13:1-3, grifos da autora).

A passagem de 1 Coríntios 13:1-3 inicia um discurso sobre o amor. Ela nos diz claramente que independentemente de quantos dons do Espírito possamos ter, se não estivermos agindo em amor, tudo isso é inútil. Se falarmos em línguas, mas não tivermos amor, somos apenas um grande barulho. Se tivermos poder profético e poder para interpretar segredos e mistérios, se tivermos todo o conhecimento e tivermos tanta fé a ponto de mover montanhas, mas não tivermos amor, segundo o apóstolo Paulo, somos um nada inútil. Ainda que entreguemos tudo o que temos para alimentar os pobres e até renunciemos à nossa própria vida, mas fizermos isso com os motivos errados e não por amor, não ganhamos nada.

Esses versículos não devem ser ignorados. No dia em que Cristo entregar as recompensas pelas obras feitas na terra, haverá muitas pessoas decepcionadas quando descobrirem que perderam sua recompensa porque seus motivos eram impuros.

Diz 1 Pedro 1:22 que o amor precisa vir de um coração puro e que o afeto deve ser sincero. E Romanos 12:9 nos lembra de que devemos permitir que o nosso amor seja sincero, seja algo real.

O apóstolo Paulo, em 1 Coríntios 12, nos dá um ensinamento profundo sobre os dons do Espírito Santo e conclui no versículo 31 dizendo: "Entretanto, busquem com dedicação os melhores dons."

Depois que fui batizada no Espírito Santo e comecei a ter comunhão com outras pessoas que eram batizadas no Espírito, ouvi muitas coisas sobre os dons do Espírito. Parecia que tudo o que preocupava as pessoas era qual era o seu dom e poder ser capaz de exercitar esse dom. Participei de muitos seminários e li muitos livros sobre os dons do Espírito Santo. Ouvi muito mais coisas a respeito de dons do que sobre o fruto.

Existem nove dons do Espírito relacionados em 1 Coríntios 12 e outros em Romanos 12. Há nove frutos relacionados em Gálatas 5. Os dons do Espírito são extremamente importantes, e como eu já mencionei, devemos desejar profundamente recebê-los. Somos instruídos a aprender sobre eles, a não ficarmos desinformados a seu respeito, e a alimentar os dons que temos e aprender a atuar neles adequadamente.

Em 1 Coríntios 12:4, Paulo lembrou aos coríntios que existem muitas variedades de dons, mas todos eles vêm do mesmo Espírito Santo. Creio que podemos interpretar isso como se ele dissesse: "Não fiquem tão envolvidos nos dons a ponto de se esquecerem do Doador."

Vamos nos concentrar no Espírito Santo e ter certeza de que Ele distribuirá os Seus dons às pessoas da maneira correta. Vamos ter certeza de que os dons que temos estejam bem equilibrados com o fruto do Espírito Santo.

Em Mateus 7:16-18, Jesus disse: "Vocês os conhecerão pelos seus frutos" (paráfrase). Ele não disse que os cristãos seriam reconhecidos pelos seus dons. Existem pessoas que têm um dom que pode levá-las a algum lugar, mas não têm caráter para mantê-las ali. Vemos muitas pessoas com dons caírem em pecado e perder a sua posição na vida porque nunca se deram ao trabalho de desenvolver o fruto do Espírito e um caráter divino.

Uma vez, uma mulher me procurou em uma de minhas conferências e me contou que ela nunca parava de pensar e falar nos seus problemas, embora estivesse aprendendo o contrário. Ela sabia o que precisava fazer, mas parecia não ter poder para fazer isso. Ela era desprovida de poder no seu desempenho porque ficava pensando e falando coisas erradas. Ela conheceu outras mulheres que também tinham sido vítimas de abuso, assim como ela.

Enquanto conversavam durante o almoço, ela percebeu que Deus lhe dissera tudo que havia dito a elas, mas elas obedeceram, ao passo que ela não. Elas haviam renovado suas mentes com a Palavra de Deus ao passo que ela continuara a enterrar os seus problemas no fundo de sua alma, ao se recusar a tirá-los de sua mente.

O que temos na nossa mente finalmente sai pela nossa boca. Por ter se recusado a obedecer a Deus e parar de pensar e falar sobre seus problemas, ela estava em uma prisão de onde não conseguia sair. Buscamos as coisas pensando e falando sobre elas. Ela poderia ter buscado a Deus dessa maneira; em vez disso, estava buscando mais dos mesmos problemas que tentava superar.

COLOQUE O AMOR EM PRIMEIRO LUGAR

Deixe que as pessoas reconheçam que você é um cristão por meio da sua atitude amorosa para com elas.

> Por isso, pela graça que me foi dada digo a todos vocês: Ninguém tenha de si mesmo um conceito mais elevado do que deve ter; mas, ao contrário, tenha um conceito equilibrado, de acordo com a medida da fé que Deus lhe concedeu. Assim como cada um de nós tem um corpo com muitos membros e esses membros não exercem todos a mesma função, assim também em Cristo nós, que somos muitos, formamos um corpo, e cada membro está ligado a todos os outros. Temos diferentes dons, de acordo com a graça que nos foi dada. Se alguém tem o dom de profetizar use-o na proporção da sua fé (Romanos 12:3-6).

As pessoas que têm muitos dons, mas não possuem o fruto do Espírito, podem se tornar facilmente infladas pelo orgulho. O orgulho é muito perigoso. Ele é o oposto da humildade, que é um fruto do Espírito Santo. O orgulho é um fruto do diabo e deve ser evitado a qualquer preço.

A carne tem uma tendência natural para o orgulho, e exatamente por esse motivo precisamos lembrar a nós mesmos regularmente de que seja o que for que fizermos, fazemos pelo poder e pela bondade de Deus. É Deus quem nos dá os dons, e não somos nós que os obtemos (ver Efésios 2:8, 9; Tiago 1:17). Ele não apenas nos dá dons, como também nos concede a graça para operarmos nesses dons. Lembre-se: a graça é o poder do Espírito Santo que está disponível a mim e a você para fazer com facilidade o que não conseguiríamos fazer com esforço.

Romanos 12:6 diz que devemos usar os nossos dons de acordo com o dom da graça que está sobre nós.

Duas pessoas podem ter o dom do ensino, no entanto uma pode ser um mestre mais poderoso que a outra porque tem mais graça de Deus para o seu chamado específico. Um pastor pode ser ungido pelo Espírito Santo para liderar uma igreja de quinhentas pessoas, ao passo que outro pastor pode ser ungido e receber graça para liderar uma igreja de cinco mil. Por quê? Porque o Espírito Santo distribui os dons a quem quer (ver 1 Coríntios 12:11). Ele tem motivos para o que faz, e não cabe a nós questionar. Devemos ser gratos pelo que Ele nos dá e não permitir que o orgulho faça com que nos tornemos ciumentos ou invejosos do dom de outros. Não podemos andar em amor com alguém e ter inveja dessa pessoa ao mesmo tempo.

Meu marido poderia ter inveja do fato de Deus ter me dado o dom de pregar, mas não ter lhe dado esse dom. Dave percebeu há muito tempo que ele não seria feliz se tentasse atuar além da graça que lhe foi dada. Dave é ungido em administração e finanças, e a sua parte no ministério é tão importante quanto a minha.

Se você quer ser realmente feliz, entregue-se ao que quer que tenha sido chamado para fazer (ver Romanos 12:6-8). Não tenha inveja dos outros. Não se compare com eles. Evite o orgulho. Quando permitimos que emoções negativas como o orgulho governem nossa vida, isso entristece o Espírito Santo. A única resposta a todas estas coisas é andar em amor.

Na verdade, por diversos anos fiquei envolvida em um ensino que enfatizava excessivamente os dons do Espírito. Somente quando o Espírito Santo me confrontou em meu coração a respeito disso foi que comecei a adquirir uma atitude mais equilibrada. Ele começou a tratar comigo seriamente sobre o fruto do Espírito e andar em amor. Quanto mais eu estudava esses dois importantes aspectos da caminhada cristã, tanto mais eu entendia que a Bíblia tem muito mais a dizer sobre eles do que sobre os dons do Espírito. Só quando comecei a me concentrar em andar em amor foi que comecei a sentir que eu podia "estar sempre cheia" do Espírito Santo.

Quando ficamos entusiasmados com a coisa certa, o Espírito Santo fica entusiasmado — sentimos a Sua empolgação em nós, e ela enche a nossa vida de energia de uma maneira que nada mais pode fazê-lo.

Os dons do Espírito são importantes, mas eles não são tão importantes quanto o fruto do amor. Na verdade, uma pessoa com dons (talentos e habilidades), mas sem amor (o amor de Deus pelos outros) pode se tornar um problema de verdade.

Ao dizer essas coisas, não estou de modo algum tirando a importância ou desvalorizando os dons do Espírito Santo. Na verdade, estou escrevendo este livro para encorajá-lo a estar aberto para eles. Mas também é importante que eu compartilhe essas verdades de uma maneira que não faça com que você fique desequilibrado na sua busca pelo que Deus quer que você tenha. Para aprender mais sobre o fruto do Espírito, recomendo o meu livro intitulado *Segredos para uma Vida Excepcional*.

Creio que falar em línguas é muito importante, mas não tão importante quanto o amor. Creio que as palavras de sabedoria e conhecimento são definitivamente importantes, mas não se elas nos tornarem inflados pelo orgulho por causa do que sabemos. O amor é manso e humilde, e não orgulhoso e arrogante.

Creio que o dom da fé, os dons de cura e a operação de milagres são todos eles importantes. Mas 1 Coríntios 13 nos diz claramente que se tivermos todas estas coisas e não tivermos amor, elas serão inúteis para nós, e o céu nos verá como alguém que não passa de um grande barulho.

Creio que a interpretação de línguas, a profecia e o discernimento de espíritos são dons excelentes, mas não são tão importantes quanto o amor. Precisamos colocar o amor em primeiro lugar e deixar que todas as demais coisas venham em ordem depois dele.

Paulo disse aos Romanos que eles eram livres, mas se exercitassem a sua liberdade à custa de ferir alguém, eles não estariam andando em amor (ver Romanos 14:15). Tudo o mais nos traz de volta ao amor; este deve ser o alvo e o fator decisivo de todos os nossos atos.

11

Não Entristeça o Espírito Santo

Não entristeçam o Espírito Santo de Deus, com o qual vocês foram selados para o dia da redenção (Efésios 4:30).

A passagem citada sempre me pareceu muito séria e sombria. Eu sabia que não queria entristecer o Espírito Santo, mas não sabia exatamente como evitar fazer isso.

Em geral, podemos determinar como interpretar uma passagem estudando os versículos anteriores e posteriores ao versículo em questão. A leitura dos versículos que cercam Efésios 4:30 deixa claro que uma coisa que entristece o Espírito Santo é as pessoas maltratarem umas às outras.

Efésios 4:29 nos encoraja a garantir que as palavras de nossa boca sejam edificantes e benéficas ao progresso espiritual de outros. Efésios 4:31 nos exorta a não sermos amargos, irados e beligerantes, e a tomarmos cuidado com a difamação, o despeito e a má intenção de qualquer espécie. O versículo 32 desse capítulo nos diz para sermos bondosos uns para com os outros, perdoando pronta e liberalmente, assim como Deus em Cristo nos perdoou.

O ESPÍRITO SANTO E ANDAR EM AMOR ESTÃO LIGADOS

> E vivam em amor, como também Cristo nos amou e se entregou por nós como oferta e sacrifício de aroma agradável a Deus (Efésios 5:2).

Com essas e outras passagens semelhantes, aprendemos que andar em amor está diretamente ligado ao Espírito Santo, que é por Ele que o amor de Deus é derramado em nossos corações. É Ele que nos ensina, convencendo-nos da conduta errada quando maltratamos os outros. É Ele que opera em nós para nos dar um coração sensível.

Não é a vontade de Deus que tenhamos um coração duro, como Ele diz em Ezequiel 11:19: "Darei a eles um coração um coração não dividido e porei um novo espírito dentro deles; retirarei deles o coração de pedra e lhes darei um coração de carne."

Eu tinha um coração duro porque havia sofrido abuso quando criança e fui abandonada pelo meu primeiro marido. Parecia que, por toda a minha vida, as pessoas se aproveitaram de mim e me usaram para os próprios fins egoístas. A minha reação foi me tornar com o coração endurecido na tentativa de bloquear a entrada de mais dor emocional.

Quando o nosso coração fica endurecido, é quase impossível transformá-lo apenas pela nossa decisão. Esse tipo de mudança requer uma operação sobrenatural do Espírito Santo. Ele é o Único que pode entrar na nossa alma e curar as feridas e mágoas que estão ali. Só Ele pode nos restaurar à condição em que estávamos antes de sermos feridos.

Nunca se permita ficar com o coração endurecido. É impossível andar em amor com os outros se você não for sensível às necessidades deles. Ore para que Deus amacie o seu coração e lhe dê uma consciência sensível, uma consciência que seja receptiva ao Seu toque. Peça a Ele para permitir que você sinta o que Ele sente e para trabalhar o Seu caráter em você.

Quando percebi que quando eu era áspera ou dura com alguém, ou que quando ficava irada, isso entristecia o Espírito Santo, comecei a levar esse tipo de comportamento mais a sério. Eu amava a Deus e, com certeza, não queria entristecer o Seu Espírito.

Quando você e eu entristecemos o Espírito Santo, também nos sentimos entristecidos. Embora talvez não percebamos o que está errado conosco, sabemos que nos sentimos tristes ou deprimidos, ou que alguma coisa simplesmente não está certa.

Passei a acreditar que muito da tristeza, depressão e peso que sentimos está provavelmente ligado ao nosso comportamento com as outras pessoas. Gálatas 6:7 diz que seja o que for que você e eu plantemos, colheremos. Se semearmos palavras e atos que entristecem os outros, colheremos tristeza. Mas se semearmos felicidade na vida de outros, colheremos felicidade em nossas vidas.

Na verdade, descobri o segredo de estar feliz o tempo todo é andar em amor.

"POR QUE NÃO CONSIGO SENTIR A PRESENÇA DE DEUS?"

> Peçam, e lhes será dado; busquem, e encontrarão; batam, e a porta lhes será aberta (Mateus 7:7).

Ao longo do meu ministério, muitas vezes me perguntaram: "Por que não consigo sentir a presença de Deus?" Algumas vezes, fiz-me a mesma pergunta.

Sabemos, com base na Bíblia, que o Espírito Santo não vai embora e nos deixa todas as vezes que fazemos alguma coisa que o desagrada (ver Hebreus 13:5). Na verdade, Ele se comprometeu a ficar conosco e a nos ajudar a resolver os nossos problemas, não a nos abandonar simplesmente em meio a eles sem qualquer ajuda.

Não, o Espírito Santo nunca nos deixa, mas Ele algumas vezes "se esconde". Gosto de dizer que, às vezes, Deus brinca de esconde-esconde com Seus filhos. Às vezes, Ele se esconde de nós até que, finalmente, quando sentimos sua falta o suficiente, começamos a buscá-lo. Deus nos disse seguidamente na Sua Palavra para buscarmos a Sua presença — para buscarmos a Sua face, a Sua vontade, o Seu propósito para as nossas vidas, etc. E nos é dito para o buscarmos logo cedo, ardente e diligentemente (ver Provérbios 8:17; Hebreus 11:6). Se não o buscarmos, viveremos uma vida decepcionante.

Buscar a Deus é vital para a nossa caminhada com Ele; é essencial para o nosso progresso espiritual. Como evidência dessa verdade, considere estas passagens, começando com a que já estudamos:

> Uma coisa pedi ao Senhor; é o que procuro: que eu possa viver na casa do Senhor todos os dias da minha vida, para contemplar a bondade do Senhor e buscar sua orientação no seu templo (Salmos 27:4).

> E você, meu filho Salomão, reconheça o Deus de seu pai, e sirva-o de todo o coração e espontaneamente, pois o Senhor sonda todos os corações e conhece a motivação dos pensamentos. Se você o buscar, o encontrará, mas, se você o abandonar, ele o rejeitará para sempre (1 Crônicas 28:9).

> Mas regozijem-se e alegrem-se em ti todos os que te buscam; digam sempre aqueles que amam a tua salvação: "Grande é o Senhor!" (Salmos 40:16).

> Os homens maus não entendem a justiça, mas os que buscam o Senhor a entendem plenamente (Provérbios 28:5).

> Busquem o Senhor enquanto é possível achá-lo; clamem por ele enquanto está perto (Isaías 55:6).

> Então voltarei ao meu lugar até que eles admitam sua culpa. Eles buscarão a minha face; em sua necessidade eles me buscarão ansiosamente (Oséias 5:15).

> Sem fé é impossível agradar a Deus, pois quem dele se aproxima precisa crer que ele existe e que recompensa aqueles que o buscam (Hebreus 11:6).

A Bíblia está cheia de passagens que nos encorajam a buscar a Deus. Mas o que significa exatamente buscar a Deus? O dicionário Vine de Palavras do Antigo e Novo Testamento compartilha algumas percepções maravilhosas com relação a essa palavra na medida em que ela se aplica ao nosso relacionamento com Deus. Ela diz que "buscamos" quando "pensamos".[1]

Precisamos pensar muito em Deus. Devemos pensar na Sua Palavra, nos Seus caminhos, no que Ele fez por nós, o quanto Ele é bom, o quanto nós o amamos, e daí por diante. Aquilo que pensamos, acabamos por falar, e uma das melhores coisas sobre as quais podemos falar é a respeito de Deus. Ele é a Resposta a todos os dilemas que enfrentamos na vida. Então, por que falar sobre o problema o tempo todo, quando podemos falar sobre a Resposta?

Malaquias 3:16 nos diz que Deus registra as conversas daqueles que falam sobre Ele e pensam no Seu nome: "Depois, aqueles que temiam o Senhor conversaram uns com os outros, e o Senhor os ouviu com atenção. Foi escrito um livro como memorial na sua presença acerca dos que temiam o Senhor e honravam o seu nome."

Outra maneira de buscarmos o Senhor, de acordo com o dicionário Vine, é por intermédio dos nossos desejos.[2] Os nossos desejos falam muito sobre nós. Eles esclarecem o que realmente queremos.

Deus quer ser o primeiro em nossa vida. Ele é um Deus ciumento, e embora queira nos abençoar com coisas, devemos sempre desejá-lo mais do que qualquer coisa (ver Êxodo 34:14). Precisamos ser cuidadosos para não cairmos na armadilha de usar Deus para conseguir as coisas que desejamos.

No Antigo Testamento, Davi foi amado e honrado por Deus, embora tenha cometido vários erros graves em sua vida. Como vimos no Salmo 27:4, ele revelou que o seu desejo e o seu objetivo número um era habitar na presença de Deus e contemplar a Sua beleza por todos os dias da sua vida.

Essa passagem se tornou importante para mim pessoalmente durante um tempo em que Deus estava me ajudando a fazer a transição de buscá-lo pelo que Ele podia fazer por mim para buscá-lo por quem Ele é.

Creio que, como novos crentes, todos nós começamos o nosso relacionamento com Deus muito necessitados. Ele estabelece o Seu relacionamento conosco como um Pai amoroso que está sempre disponível para suprir as nossas necessidades e para fazer as coisas por nós que não podemos fazer sem Ele. Isto é bom e saudável como um começo, mas sempre chega um tempo em que precisamos fazer uma transição. Devemos deixar de lado esses começos e seguir em frente até a maturidade.

Quando as crianças estão crescendo, os pais ficam felizes em cuidar delas. Mas vem o dia em que os pais querem que seus filhos façam algumas coisas por eles.

Meu marido e eu temos quatro filhos adultos. Quando eles eram pequenos, passávamos o nosso tempo cuidando deles. É claro que ainda fazemos muitas coisas por eles e os ajudamos de todas as maneiras possíveis, mas posso lhe dizer por experiência própria que também quero que eles façam algumas coisas por mim. Quero que eles venham me visitar ou que me telefonem apenas porque eles me amam, não porque precisam ou querem alguma coisa. Em outras palavras, quero que eles desejem a *mim* — não o que eu posso lhes dar ou fazer por eles.

Entristecemos o Espírito Santo quando não buscamos a Deus ou quando o procuramos pelos motivos errados, com a motivação apenas de obter alguma coisa dele. É importante para nós buscarmos a Deus. Quando não o buscamos, muitas vezes Ele se esconde de nós, esperando nos encorajar a procurá-lo.

Quando finalmente tomei a decisão e comecei a buscar a Deus regularmente, quase sempre eu sentia que estava desfrutando a Sua presença. Antes desse período, parecia que eu estava sempre me perguntando por que não conseguia sentir a presença de Deus como os outros pareciam sentir.

Quando buscamos a Deus regularmente, isso lhe agrada, e quando Ele se agrada, sentimos prazer porque o Seu Espírito habita em nós. Se Ele se entristece, nós sentimos tristeza.

Se você está sempre se sentindo deprimido ou triste, esta lição pode ajudá-lo a descobrir a raiz que é a causa primordial da sua depressão ou tristeza frequente.

A DESOBEDIÊNCIA ENTRISTECE O ESPÍRITO SANTO

> A mim que anteriormente fui blasfemo, perseguidor e insolente; mas alcancei misericórdia, porque o fiz por ignorância e na minha incredulidade (1 Timóteo 1:13).

Toda desobediência é pecado, e o pecado entristece o Espírito Santo. A desobediência entristece o Espírito Santo principalmente quando é uma desobediência consciente. Há vezes em nossas vidas em que desobedecemos a Deus, mas o fazemos por ignorarmos os Seus mandamentos; e há vezes em que desobedecemos a Deus, sabendo que o nosso comportamento vai contra os Seus mandamentos.

O apóstolo Paulo um dia perseguiu os cristãos com zelo, mas ele o fazia pensando que estava fazendo um favor a Deus. Ele era um homem muito religioso que acreditava sinceramente que os cristãos eram maus. Como já vimos, o Senhor o confrontou, e ele imediatamente se converteu e, depois, foi batizado no Espírito Santo. Paulo mais tarde afirmou que recebeu a misericórdia de Deus porque ele agia por ignorância.

Qualquer pessoa que deseje viver uma vida cheia de paz e alegria precisa decidir viver uma vida de obediência a Deus. *A desobediência é a raiz e a causa primordial de toda infelicidade.*

O autor do livro de Eclesiastes disse bem no capítulo 12:13: "Agora que já se ouviu tudo, aqui está a conclusão: Tema a Deus e obedeça aos seus mandamentos, porque isso é o essencial para o homem."

O autor de Eclesiastes era um homem que literalmente experimentou tudo para ser feliz. Ele tinha muitas riquezas, grande poder e muitas esposas. Ele não se negou nenhum prazer desta terra. Tudo que seus olhos desejavam, ele tinha. Ele comia, bebia e se alegrava. Ele tinha um enorme conhecimento, sabedoria e respeito, mas detestava a vida. Tudo começou a lhe parecer inútil. Ele tentou entender o que era a vida e ficou cada vez mais confuso.

Finalmente, ele entendeu qual havia sido o seu problema o tempo todo. Ele não obedecera aos mandamentos de Deus. Ele era infeliz por causa disso e afirmou que o fundamento de toda felicidade é a obediência.

Existem muitas e muitas pessoas tristes andando por aí colocando a culpa por suas vidas infelizes nas pessoas e nas circunstâncias, sem entender que o motivo da insatisfação delas é a desobediência a Deus. A verdade liberta as pessoas, mas para que ela faça isso, precisa ser encarada e aceita.

Uma das maneiras de desobedecermos a Deus é nos rebelando contra as figuras de autoridade que Ele colocou em nossas vidas. Pode ser o nosso cônjuge, um patrão, um professor, um líder espiritual, o governo ou o dono da mercearia onde fazemos compras. Na verdade, somos confrontados com a autoridade o dia inteiro. Deus nos diz para nos submetermos com uma atitude positiva à autoridade sob a qual estamos, mas o mundo de hoje está cheio do espírito de rebelião.

Eu era uma pessoa rebelde, em parte porque havia sofrido abuso de uma figura de autoridade em minha vida, mas também porque eu andava na carne. Depois que fui cheia com o Espírito Santo, Ele começou a tratar comigo a respeito da minha atitude rebelde, principalmente para com meu marido.

Lembro-me de que enquanto eu orava uma manhã para o meu ministério crescer, o Senhor me disse: "Joyce, não posso fazer nada mais no seu ministério até que você obedeça ao que eu lhe disse com relação à sua atitude para com seu marido." Naquela época, eu era desrespeitosa, tinha tendência a discutir e me irava rapidamente se não conseguisse que as coisas fossem feitas do meu jeito.

A minha carne sofreu, mas por meio do poder do Espírito Santo finalmente consegui me submeter a Deus ao me submeter a Dave. Submissão não significa que não podemos ter opiniões ou que temos de deixar que as pessoas abusem de nós, mas significa que não vamos ter as coisas do jeito que queremos o tempo todo. Teremos de guardar algumas das nossas opiniões para nós mesmos e ter uma atitude temente a Deus quando nos pedem para fazer coisas que preferiríamos não fazer.

Até mesmo enquanto escrevo este livro, deparei-me com uma situação que tem a ver exatamente com o que estou mencionando. Dave quer que eu vá a uma reunião com ele daqui a alguns dias, o que realmente não quero fazer porque sinto que ele pode lidar com a situação sozinho. Disse-lhe todas as outras coisas que preciso fazer, mas ele acha que será um exemplo importante para os outros que eu esteja lá. Decidi discordar de uma forma agradável e me submeter ao pedido dele. Creia-me, essa é uma grande mudança da maneira como eu teria lidado com a situação há alguns anos. A minha rebelião teria entristecido o Espírito Santo, mas a minha obediência agrada a Ele.

OBEDECENDO A DEUS NOS RELACIONAMENTOS

> Não entristeçam o Espírito Santo de Deus, com o qual vocês foram selados para o dia da redenção (Efésios 4:30).

Como vimos, um exame minucioso de Efésios 4:30 e das passagens que cercam este texto nos instrui a não entristecermos o Espírito

Santo, e revela que a maneira como lidamos com os nossos relacionamentos com as outras pessoas é de grande importância para Deus.

Muitas vezes, desenvolvemos o hábito de maltratar aqueles que estão mais próximos de nós quando não estamos nos sentindo bem, quando tivemos um dia ruim no trabalho, quando tivemos uma decepção, etc. Mas devemos tratar uns aos outros com respeito em todo o tempo, e não apenas quando sentimos vontade.

Eu costumava me perguntar por que agia mal com meu marido ou com meus filhos, mas não com as outras pessoas. O Espírito Santo me mostrou depressa que eu controlava as minhas emoções e atitudes negativas quando estava cercada de pessoas a quem eu queria impressionar. Mas quando eu estava com a minha família, com aqueles com quem já tinha um relacionamento, eu tinha liberdades que demonstravam claramente as minhas falhas de caráter e a minha imaturidade espiritual. Havia me convencido de que realmente não conseguia me controlar, que quando eu ficava zangada, ranzinza ou difícil de conviver, eu simplesmente não me disciplinava. Sentia-me tão frustrada que parecia que tinha de explodir com alguém por algum motivo.

Na maior parte do tempo quando eu ficava zangada com Dave ou com um de meus filhos por algum motivo pequeno e insignificante, na verdade não era aquele problema em particular que estava me incomodando, mas algo não resolvido dentro de mim. Podia ser a preocupação com a falta de dinheiro, dirigir em um trânsito intenso, estar com dor de cabeça ou ser corrigida no trabalho. Realmente não importava o motivo; a verdade é que eu ficava zangada e me tornava uma pessoa difícil de conviver. Eu era uma criadora de problemas, e não uma pacificadora — eu estava em desobediência!

Os relacionamentos representam um dos nossos maiores bens, e Deus quer que os valorizemos. Quando valorizamos alguma coisa, nós a tratamos com cuidado. Temos cautela ao lidar com ela. Na verdade, vamos a extremos para garantir que ela esteja protegida do mal. Com certeza, não a prejudicamos demonstrando uma atitude casual para com ela.

Você já prejudicou um relacionamento com os seus próprios atos impensados e insensíveis? Estou certa de que todos nós teríamos de responder sim a esta pergunta, mas parte das boas-novas do evangelho é que podemos mudar pelo poder de Deus que habita em nós.

Se tivéssemos um bem que nos é extremamente precioso, um bem que admiramos e valorizamos, se virmos outras pessoas jogando-o de um lado para o outro descuidadamente, deixando-o sujeito ao mau tempo ou não tendo cuidado para que ele não sofra nenhum dano, isso nos entristeceria profundamente.

Deus sente pelos Seus bens o mesmo que sentimos pelos nossos. As pessoas pertencem a Deus. Elas são criação dele, e quando Ele as vê sendo maltratadas, isso o entristece. Quando Deus se entristece, o Seu Espírito se entristece. E como esse Espírito habita dentro de todos os crentes, naturalmente aqueles que são maltratados também se sentem entristecidos.

Deus é um Patrão que dá oportunidades iguais e que tem funções para cada indivíduo. Nem todos compartilham do *mesmo* chamado em sua vida, mas todos têm a mesma herança. Toda pessoa nascida de novo é uma herdeira de Deus e coerdeira com Cristo. Todo indivíduo tem o direito à paz, à justiça e à alegria. Todo indivíduo tem o direito de ter suas necessidades supridas, de ser usado por Deus, de ver a unção fluir por intermédio de sua vida.

Todos têm a mesma oportunidade de ver frutos em seu ministério, mas a disposição de amar as pessoas tem muito a ver com a quantidade de frutos que verão. Deus me disse há muito tempo: "Um dos principais motivos pelos quais as pessoas não andam em amor é porque isto é um esforço. Qualquer momento em que elas andem em amor, isso vai lhes custar alguma coisa."

O amor exige que guardemos algumas coisas que gostaríamos de dizer. O amor exige que não façamos algumas coisas que gostaríamos de fazer e que abramos mão de algumas coisas que gostaríamos de guardar.

Quando Deus começou a tratar comigo sobre amar as pessoas, Ele me mostrou como o rei Davi não estava disposto a dar a Deus algo que não lhe custasse nada (ver 2 Samuel 24:24). Eu dei algumas de minhas roupas mais velhas a mulheres que trabalhavam comigo, mas Deus me mostrou que eu precisava dar algumas coisas que me custariam algo. Lembro-me de um belo vestido que comprei que estava um tamanho acima do meu, mas era novo. Encontrei os brincos perfeitos que combinavam com ele e separei-os para uma ocasião especial.

O vestido estava pendurado em meu armário por algum tempo, quando um dia o Senhor colocou em meu coração que eu devia dar o vestido a uma mulher que trabalhava para nós. Hesitei: "Mas, Senhor, ainda nem mesmo usei aquele vestido!" O apelo dentro de mim apenas se intensificou, então acrescentei: "E, além disso, tenho os brincos perfeitos que combinam com ele."

Então o Senhor disse: "Joyce, eu ia deixar que você ficasse com os brincos, mas já que eles significam mais para você do que deveriam, quero que você os dê também."

Aprendi que o amor lhe dirá para dar tempo a alguém quando você preferia guardá-lo para si mesmo. Ele vai lhe dizer para levar alguém a um lugar ao qual você preferiria não ir — até mesmo para sair do seu caminho para levar essa pessoa em casa quando você não quer fazer isso.

O amor lhe dirá para perdoar alguém quando essa pessoa não merece. Perdoar é melhor que guardar rancor; a falta de perdão é como tomar veneno e esperar que o seu inimigo morra. Sem discussão, o amor é um esforço. O amor lhe custará algo. Muitas pessoas nunca veem frutos em suas obras porque não estão dispostas a pagar o preço e amar as pessoas. Quando aprendi essas coisas, comecei a tomar muito mais cuidado com a maneira como eu tratava as pessoas. Amo Deus e, com certeza, não quero entristecê-lo. Entender que a minha maneira de tratar as pessoas em determinados momentos o estava entristecendo fez com que eu mudasse o meu comportamento.

João 16:8 nos diz que o Espírito Santo tem a função de nos convencer do pecado e de nos convencer da justiça, que é a retidão do coração e uma posição reta diante de Deus. Ele sempre me convence rapidamente se ajo de maneira rude, se demonstro desrespeito, se uso as palavras de minha boca para ferir outros em vez de ajudá-los, se tenho pensamentos maus sobre alguém, se julgo os outros de maneira crítica ou se não sou paciente e equilibrado.

Deus deseja que sejamos uns com os outros da mesma maneira que Ele é para conosco. Ele é misericordioso, bondoso, paciente, sensível, compassivo, exortativo, e muitas outras coisas boas. Assim, que vivamos diante do Senhor com uma consciência pura, livre de ofensas para com Deus e para com o homem. Foi isto que o apóstolo Paulo disse que se esforçava para fazer (ver Atos 24:16). Oremos para termos uma consciência sensível, que seja prontamente convencida de um comportamento errado para com outra pessoa, principalmente para com um filho de Deus. Podemos aprender muito sobre o que agrada ou entristece a Deus simplesmente olhando para o que nos agrada ou nos entristece.

Uma das maneiras pelas quais honramos a Deus é honrando o Seu povo. Posso me identificar com isso porque sei que gosto quando as pessoas honram meus filhos só porque eles são meus filhos. No nosso ministério, espero que nossos funcionários honrem nossos filhos assim como honram a Dave e a mim.

Lembro-me de ter uma funcionária que, certa vez, foi muito rude com um de nossos filhos, que na época tinha quase15 anos. Essa funcionária ficou impaciente com nosso filho e estava falando com ele com um tom de voz irado. Isso me ofendeu porque eu esperava que meu filho fosse tratado com respeito.

Talvez você pergunte se meu filho fez algo para merecer o tratamento que recebeu. A resposta é sim, ele provavelmente fez. Mas ainda assim não cabia àquela funcionária falar com ele daquela maneira. Eu não me importaria se ele recebesse uma correção em amor feita com o tom de voz e com a expressão facial adequada, mas realmente não gostei da atitude irada e impaciente demonstrada por aquela funcionária para com o meu filho. Do mesmo modo, nós, como crentes, somos propriedade de Deus. Como tal, Ele está comprometido a cuidar bem de nós, e não gosta quando somos maltratados.

Em Mateus 18:6, o próprio Jesus disse que "se alguém fizer tropeçar um destes pequeninos que creem em mim, melhor lhe seria amarrar uma pedra ao pescoço e se afogar nas profundezas do mar". O exemplo que estava sendo usado era o de uma criança pequena, mas creio que ele também pode ser ampliado para incluir um filho de Deus.

Tome a decisão de falar com as pessoas de uma maneira mais agradável. Fale com elas com um tom de voz que seja confortador e não áspero. Tenha pensamentos melhores a respeito delas. Demonstre respeito a elas. Não seja rude. Se você teve um dia ruim ou não se sente bem, não desconte nas outras pessoas. Entenda o valor de cada ser humano. Procure ser como Deus; não faça acepção de pessoas; isto é, não demonstre parcialidade (ver Atos 10:34). Faça tudo que puder para evitar entristecer o Espírito Santo nessas áreas.

12

Não Apague o Espírito Santo

Não apaguem o Espírito

(1 Tessalonicenses 5:19).

Neste versículo, nos é dito para não apagarmos, suprimirmos ou amortecermos o Espírito Santo. De acordo com o Dicionário Webster, *suprimir* significa "extinguir", *abafar* significa "deter ou paralisar (um fluxo natural)" e *amortecer* significa "tornar menos intenso".[1] Se apagamos um fogo, nós o extinguimos. Não queremos apagar o Espírito Santo; ao contrário, queremos garantir que faremos tudo que pudermos para aumentar a Sua atividade e o Seu fluir em nossas vidas.

O que podemos fazer como indivíduos para aumentar a atividade e o fluir do Espírito Santo em nossa vida diária? Em 1 Tessalonicenses vemos algumas percepções sólidas sobre este assunto.

No versículo 12 deste capítulo somos instruídos a passar a conhecer aqueles que trabalham entre nós — a reconhecê-los, valorizá-los e respeitá-los. Embora esse versículo pareça orientar a passarmos a conhecer os nossos líderes, creio que Jesus desejaria que aplicássemos o mesmo princípio a qualquer pessoa que trabalhe ao nosso lado em prol de uma causa em comum.

Os versículos 13 e 14 nos ensinam a permanecer em paz e corrigir aqueles que saem da linha, mas ao mesmo tempo a ser muito pacientes com todos, sempre mantendo a calma.

No versículo 15, nos é dito para não pagarmos a ninguém o mal com o mal, mas demonstrarmos bondade e procurarmos fazer o bem uns aos outros e a todos com quem entrarmos em contato.

Nos versículos 16 a 20, somos instruídos a ser felizes na nossa fé, a sempre nos alegrarmos e a termos um coração satisfeito, a sermos incessantes na oração, a agradecermos a Deus por tudo, independentemente de quais sejam as circunstâncias e a não menosprezarmos os dons e as palavras dos profetas nem desprezarmos a instrução, a exortação ou as advertências.

A julgar-se com base nesses versículos, parece que a nossa atitude está sendo mais uma vez enfatizada como algo que ou aumenta ou diminui o fluir do Espírito Santo na nossa vida pessoal.

A ATITUDE DETERMINA O DESTINO

> Acima de tudo, guarde o seu coração, pois dele depende toda a sua vida (Provérbios 4:23).

A atitude é muito importante; ela tem a ver com a nossa maneira de agir, com os padrões de comportamento que exibimos. A nossa atitude envolve o nosso caráter, e o nosso caráter começa com os nossos pensamentos.

Ouvi alguém dizer: "Plante um pensamento e você colherá uma ação; plante uma ação e você colherá um hábito; plante um hábito, e você colherá um caráter; plante um caráter, e você colherá um destino."

O destino é o resultado da vida; o caráter é quem nós somos; os hábitos são padrões de comportamento subconscientes. O nosso destino, ou o resultado da nossa vida, na verdade vem dos nossos pensamentos. É ali que todo o processo começa. Não é de admirar que a Bíblia nos ensine a renovar a nossa mente completamente, desenvolvendo novas atitudes e novos ideais (ver Romanos 12:2; Efésios 4:23). Devemos ser bons estudiosos da Palavra de Deus e por intermédio dela desenvolver novos padrões de pensamento, os quais finalmente transformarão todo o nosso destino (o resultado da nossa vida).

Quando temos uma atitude negativa como amargura, ira, falta de perdão, despeito, desrespeito, vingança, falta de gratidão — a lista é interminável — isso é uma barreira para o Espírito Santo. O Espírito Santo flui por meio de uma atitude divina, e não por intermédio de uma atitude que não procede de Deus.

Examine a sua atitude regularmente e proteja-a com toda a vigilância, como Provérbios 4:23 diz. Não pense que não pode mudar sua atitude; tudo que você precisa fazer é mudar os seus pensamentos.

Muitas pessoas estão enganadas por acreditar que não podem administrar o que pensam, mas podemos escolher nossos próprios pensamentos. Necessitamos considerar sobre o que temos pensado. Quando fazemos isso, não demora muito para descobrirmos a causa primordinal de nossa má atitude.

Satanás vai sempre tentar encher a nossa mente com pensamentos errados, mas não temos de receber tudo que ele tenta nos dar. Eu não tomaria uma colher cheia de veneno só porque alguém me ofereceu, nem você. Somos espertos o bastante para não engolirmos veneno, então também devemos ser inteligentes o bastante para não permitir que Satanás envenene a nossa mente, a nossa atitude, e por fim, a nossa vida.

Escrevi um livro poderoso sobre este assunto intitulado *Campo de Batalha da Mente.* Se você ainda não o leu, recomendo-o enfaticamente.

OLHE ALÉM DA SUPERFÍCIE

> E vivam em amor, como também Cristo nos amou e se entregou por nós como oferta e sacrifício de aroma agradável a Deus (Efésios 5:2).

Somos instruídos a andar em amor, estimando e tendo prazer uns nos outros. Para estimar uns aos outros e ter prazer uns nos outros, temos primeiro de conhecer uns aos outros, o que é um ato de amor.

É preciso tempo e esforço para olhar além da superfície de qualquer ser humano. Somos tentados a julgar de acordo com a carne, e julgamos apressadamente. A Palavra de Deus condena estas duas práticas:

> Não julguem apenas pela aparência, mas façam julgamentos justos (João 7:24).

> Portanto, não julguem nada antes da hora devida; esperem até que o Senhor venha. Ele trará à luz o que está oculto nas trevas e manifestará as intenções dos corações. Nessa ocasião, cada um receberá de Deus a sua aprovação (1 Coríntios 4:5).

Eu sempre fui o tipo de pessoa que faz julgamentos precipitados. Deus tratou comigo a respeito disso diversas vezes, e finalmente entendi o perigo de julgar apressadamente e pela aparência.

Antes de julgarmos uma pessoa, precisamos investir tempo para conhecer a verdadeira pessoa, o que 1 Pedro 3:4 chama de "ser interior".

Do contrário, podemos cometer um erro de uma destas duas maneiras: 1) podemos aprovar alguém porque ele parece algo que não é; ou 2) podemos reprovar alguém por causa de uma aparência ou atitude externa, quando na verdade essa pessoa é uma pessoa maravilhosa por dentro.

Descobri que todos nós temos as nossas pequenas esquisitices, nossas pequenas atitudes bizarras, comportamentos e a nossa maneira que não é entendida com facilidade pelos outros. O próprio Deus não julga pela aparência, e devemos seguir o Seu exemplo.

Davi nunca teria sido escolhido pelo homem para ser rei. Até a sua própria família o desconsiderava. Eles nem sequer o incluíram no processo de seleção (ver 1 Samuel 16:1-13). Deus viu o coração de Davi, o coração de um pastor. Deus viu um adorador, alguém que tinha o coração voltado para Ele, alguém que era maleável em Suas mãos. Essas são qualidades que Deus está procurando.

Costumo pensar nos geodos, que são aquelas rochas que têm uma aparência feia e rústica do lado de fora, mas que por dentro são absolutamente deslumbrantes. No interior, parecem pedras preciosas, e algumas realmente o são, mas por fora são brutas e cheias de crostas.

Assim como essas rochas, em geral somos ásperos, brutos e cheios de crostas por fora, mas Deus sabe que Ele colocou coisas lindas dentro de nós. Assim como o mineiro que procura ouro sabe que precisa ser paciente quando cava à procura de pepitas, Deus sabe que precisa ser paciente conosco à medida que o Seu Espírito Santo continua trabalhando em nós, cavando em nossas vidas, e finalmente trazendo para fora o que está em nosso interior.

O que semearmos nas vidas das outras pessoas, com certeza haveremos de colher na nossa vida. Se semearmos julgamentos apressados e duros, é exatamente isto que iremos colher. Não gostamos nada quando as pessoas nos julgam sem ter esse direito, quando elas decidem a nosso respeito com um único olhar sem chegar a nos conhecer. Devíamos fazer o que Mateus 7:12 diz e fazer aos outros o que desejamos que eles nos façam.

EVITE AS CONTENDAS

> Nada façam por ambição egoísta ou por vaidade, mas humildemente considerem os outros superiores a si mesmos (Filipenses 2:3).

Não apague o Espírito Santo em sua vida permitindo ou sendo parte de contendas.

Em 2 Timóteo 2:24 o apóstolo Paulo nos ensina que os servos do Senhor não devem contender, explicando que eles "não devem ser pessoas inclinadas a discutir" (brigar e contender). Em vez disso, devem ser bondosos e gentis com todos. Em outras palavras, devem ser pacificadores, e não causadores de problemas.

Muitos lares e igrejas estão cheios de contenda. A contenda mata a unção; ela impede o fluir da unção — e a extingue. Onde não há unção, as cadeias não são quebradas. Satanás sabe disso e, por essa razão, trabalha diligentemente para atiçar a contenda em qualquer lugar onde seja possível. Quando recusamos envolver-nos em contendas, isto agrada ao Espírito Santo, e mais ainda quando trabalhamos ativamente para impedi-las:

> Esforcem-se para viver em paz com todos e para serem santos; sem santidade ninguém verá o Senhor. Cuidem que ninguém se exclua da graça de Deus; que nenhuma raiz de amargura brote e cause perturbação, contaminando muitos (Hebreus 12:14-15).

Como vemos nessa passagem, esforçar-se também pode envolver um comportamento positivo. Esses versículos nos ensinam a prestarmos atenção uns nos outros e a garantir que estejamos ajudando as pessoas a evitar qualquer coisa que tire a paz. Devemos evitar o ressentimento, a amargura, e a ira, coisas que contribuem para a contenda e causam tormento.

Gostaria de chamar a sua atenção para o fato de que a Bíblia diz que *muitos* serão contaminados pela contenda. É por isso que é imperativo impedi-la sempre que a encontrarmos. A contenda se espalha como uma doença e contamina a tudo que toca.

É fácil manter a contenda atiçada se não estivermos dispostos a confiar em Deus com relação aos desejos do nosso coração. Dave e eu certa vez estávamos no *shopping*, e, em uma das lojas, vi certo quadro que eu queria comprar. Dave achava que não precisávamos dele, então tive um dos meus "ataques de raiva" silenciosos. Fiquei muito quieta porque eu estava zangada.

Ele perguntou:

—Você está bem?

— Sim, estou bem, estou muito bem. Está tudo bem.

Era um daqueles momentos em que meus lábios estavam sorrindo, mas meus olhos não refletiam prazer, e por dentro eu estava pensando: *Ah, você está sempre me dizendo o que fazer. Por que você não me deixa em paz e me deixa fazer o que quero? Você sempre age como seu eu não soubesse o que faço. Bem, se você vai jogar golfe quando quer, por que não posso comprar aquele quadro que quero? Blá, blá, blá...*—

E assim, fiz cara feia por cerca de uma hora enquanto andávamos para cima e para baixo pelo *shopping*. Eu estava tentando manipular Dave. Sabia que com a sua personalidade pacífica e fleumática, Dave preferia deixar que eu fizesse as coisas do meu jeito a brigar comigo. Eu era imatura demais no Senhor para entender que aquele era um comportamento que não procedia de Deus. Desde então aprendi, da maneira mais difícil, que exigir as coisas do meu jeito resulta em contenda em vez de resultar em verdadeira satisfação.

Mas naquele dia, eu estava pressionando Dave para ceder e parar na loja e comprar o quadro. Por ser um grande amante da paz, Dave disse:

—Vamos lá, vamos comprar o quadro. Vamos, vamos comprar o quadro.

É claro que eu disse:

— Não, não, não, agora não quero o quadro. Eu não o quero mais.

—Vamos lá, você vai comprar aquele quadro. Quero que você o compre. Pegue o quadro — quero que você compre o quadro.

Então, compramos o quadro, e quando o coloquei em minha casa, o Espírito Santo me disse: "Sabe, na verdade você não venceu.

Você conseguiu o seu quadro, mas ainda assim é a perdedora porque não fez isso do Meu jeito."

Devemos evitar as contendas no trabalho, na nossa vizinhança, entre os parentes, na nossa família imediata, na igreja, e até entre nós e o Senhor. Ele nunca entra em contenda conosco, mas há vezes em que ficamos irados com Ele. Isto não é certo, mas acontece.

E ainda, eu seria omissa se não mencionasse a importância de não entrarmos em contenda conosco mesmos. Muitas pessoas não se dão muito bem com elas mesmas. A vida fica difícil se você não se dá bem consigo mesmo e se não se aceita. Afinal, você nunca poderá fugir de si mesmo, pois você estará em todo lugar para onde for! Se você não se dá bem consigo mesmo, também não se dará bem com os outros.

Se uma igreja é cheia de contenda, toda a comunidade pode ser consumida por ela. Certa vez, vi uma igreja morrer, e não foi uma experiência reconfortante. Entretanto, isto me ensinou sobre os perigos da contenda. Aprendi que preciso evitá-la se, de alguma forma, for possível.

> Toda a Lei se resume num só mandamento: Ame o seu próximo como a si mesmo. Mas se vocês se mordem e se devoram uns aos outros, cuidado para não se destruírem mutuamente. Por isso digo: Vivam pelo Espírito, e de modo nenhum satisfarão os desejos da carne (Gálatas 5:14-16).

O Espírito Santo sempre nos conduz à paz. Ainda que Ele nos leve ao confronto, isso é para que finalmente possamos viver em paz.

Precisamos ser guiados e conduzidos pelo Espírito. Devemos amar as pessoas, e não destruí-las com fofoca e julgamento. Esse tipo de comportamento negativo não procede de Deus e não promove a vontade de Deus. Ele extingue o Espírito Santo em nossa vida, e queremos que o Seu poder aumente e flua, e não diminua e se apague.

NÃO DESPREZEM AS PROFECIAS

> Não tratem com desprezo as profecias (1 Tessalonicenses 5:20).

Em seguida à instrução de 1 Tessalonicenses 5:19 para não apagarmos o Espírito Santo, temos uma instrução para não desprezarmos as profecias. Vamos ver o que essa palavra significa no texto original.

De acordo com o dicionário Vine, a palavra grega traduzida como *profecia* "significa 'transmitir por palavra a mente e o conselho de Deus'", e também se refere ao "exercício do dom ou daquilo que é 'profetizado'".[2]

Então, Vine continua dizendo: "Embora muitas das profecias do Antigo Testamento tenham sido puramente vaticinadoras... a profecia não é necessariamente, e nem mesmo principalmente, um prognóstico. Ela é a declaração daquilo que não pode ser conhecido por meios naturais... é a transmissão da vontade de Deus, seja com referência ao passado, ao presente ou ao futuro."[3]

No Novo Testamento, Deus deu dons espirituais aos homens, um dos quais foi o dom de profeta. De acordo com Vine, "O propósito do seu ministério era o de edificar, consolar e encorajar os crentes... ao passo que o seu efeito sobre os incrédulos era o de mostrar que os segredos do coração do homem são conhecidos de Deus, convencer do pecado e constranger o homem à adoração".[4]

Os profetas do Antigo Testamento eram a boca de Deus. Ele falava ao povo por intermédio deles. Até os reis ouviam atentamente os profetas. Se eles não o fizessem, geralmente perdiam o seu reinado. Alguns reis maus recusavam-se a ouvir os profetas. O reinado deles resultou em grande ruína e destruição e abriu a porta para a entrada de muitos males na terra.

É claro que existem profetas nos nossos dias, mas nem todos que profetizam são chamados a operar no ofício de profeta. Em 1

Coríntios 12:10, *A Amplified Bible* afirma que a profecia é "o dom de interpretar a vontade divina e o propósito" de Deus. Creio que os mestres ungidos da Palavra de Deus profetizam todas as vezes que ensinam. Eles interpretam ou transmitem a vontade divina e o conselho de Deus.

Receber uma palavra divina da parte de Deus não faz de alguém um profeta. Muitas pessoas hoje em dia se denominam profetas, mas não são. Elas tentam dizer às pessoas como viver suas vidas. Profetizam mentiras e transmitem a sua própria vontade, e a chamam de a vontade de Deus. Muitas pessoas inocentes e sem discernimento têm sido confundidas e até desviadas por esses falsos profetas. Em 1 João 4:1 nos é dito que devemos provar (ou testar) os espíritos para ver se eles procedem de Deus, e em 1 Tessalonicenses 5:21 somos ensinados a testar e provar tudo até que estejamos certos de que é bom. Não acredite em todos que lhe disserem alguma coisa; certifique-se de que o ministério deles esteja alinhado com a Palavra de Deus.

O que a Bíblia quer dizer quando menciona que se desprezarmos as profecias apagaremos o Espírito Santo?

Primeiramente, acredito que precisamos amar a pregação da Palavra de Deus, ou extinguiremos o progresso que o Espírito Santo deseja que façamos. A Sua Palavra é para o nosso espírito o que o alimento é para o nosso corpo; precisamos recebê-la regularmente para sermos saudáveis.

Em segundo lugar, creio que significa que não devemos ter uma atitude julgadora ou negativa para com o dom de profecia ou para com qualquer dos dons do Espírito. Devemos ter respeito por todas as maneiras que Deus escolhe usar para trabalhar por meio de homens e mulheres. Devemos valorizar os dons e honrar aqueles por intermédios de quem eles fluem. Os seus dons lhes foram dados pelo Espírito Santo em nosso benefício, para nos ajudar a crescer e a amadurecer.

DEUS USA UMA VARIEDADE DE PESSOAS

> E ele designou alguns para apóstolos, outros para profetas, outros para evangelistas, e outros para pastores e mestres, com o fim de preparar os santos para a obra do ministério, para que o corpo de Cristo seja edificado, até que todos alcancemos a unidade da fé e do conhecimento do Filho de Deus, e cheguemos à maturidade, atingindo a medida da plenitude de Cristo (Efésios 4:11-13).

Embora o meu dom de ensino tenha sido uma grande bênção para a minha vida, ele na verdade foi colocado em mim por Deus em benefício das outras pessoas. Entretanto, existem pessoas que decidem, por qualquer motivo, que não gostam de mim ou não acreditam que Deus me chamou. Quando elas fazem isso, estão apagando a obra que o Espírito Santo faria na vida delas por intermédio do dom que Ele colocou em mim.

Este é o caso de todos os ministros. Sempre existem algumas pessoas que abrem o coração e recebem deles, e outras não. Devemos aprender a receber de uma variedade de pessoas porque Deus usa uma variedade de pessoas. É um erro olhar demais para o vaso que Deus decide usar — às vezes não gostamos da aparência do "pote", então rejeitamos o que está nele.

E se alguém depositasse dez mil dólares no banco para você, mas quando você fosse até o banco, não gostasse da aparência do prédio e se recusasse a entrar e a sacar o seu dinheiro? Isto, é claro, não seria nada sábio, e se o resultado fosse a pobreza, isto seria bem merecido.

Muitas vezes, continuamos com os nossos problemas e cativeiros porque não aprovamos a ajuda que Deus nos manda. Nós a rejeitamos como sendo uma falsificação sem realmente testá-la para descobrir com certeza.

Parece que algumas pessoas engolem tudo, sem nunca verificar nada. E existem outras que são tão críticas e excessivamente cautelosas que não podem receber nada de ninguém a não ser que a pessoa seja exatamente como elas estão acostumadas. O único problema com isto é que aquilo que elas estão acostumadas, muito provavelmente, não tem atendido às suas necessidades, nesse caso, por que ter mais da mesma coisa lhes seria de qualquer proveito?

Não clame a Deus pedindo mudança e depois tenha medo quando ela vier.

Lembro-me de um senhor que me disse que ele nunca teria me ouvido se soubesse que eu era mulher, porque ele não acreditava em pregadoras mulheres. Naquela época, eu estava apenas na rádio, e como minha voz é mais grossa que a da maioria das mulheres, muitas vezes sou confundida com um homem quando as pessoas me ouvem sem me ver. Aquele homem me disse que quando ele descobriu que eu era uma mulher, a vida dele havia sido transformada tão drasticamente pela Palavra que eu pregava e ensinava, que ele não podia negar que eu devia ser de Deus.

Aqueles que se opõem às mulheres no ministério cometem o erro de basear suas convicções e práticas nas duas passagens da Bíblia em que Paulo escreveu que as mulheres deviam fazer silêncio na igreja, e que se elas quisessem aprender alguma coisa, deveriam perguntar aos próprios maridos em casa (ver 1 Timóteo 2:11-12; 1 Coríntios 14:34-35). Essas passagens foram mal compreendidas durante séculos.

O estudo adequado da História e o texto grego mostram que na época em que foram escritas essas palavras, os homens e as mulheres sentavam-se em lados opostos na igreja.[5]

Naquele tempo, a maioria das mulheres não tinha instrução e, de um modo geral, não eram informadas acerca do que estava acontecendo.[6] Os dons do Espírito e até o próprio cristianismo eram novos, de modo que naturalmente as mulheres, assim como os homens, eram muito curiosas. Com base em outros relatos, parece que nas reuniões as mulheres chamavam seus maridos do outro lado da sala com frequência em busca de explicações acerca do que estava acontecendo. Isto gerava confusão. Quando lhe perguntaram como lidar com essa situação, Paulo respondeu que a mulher deveria ficar em silêncio na igreja, e que se ela quisesse saber alguma coisa, ela deveria perguntar ao marido em casa.[7]

Nas passagens em que Paulo dizia que as mulheres deveriam ficar em silêncio na igreja e não ensinar ou "usurpar" a autoridade dos homens, alguns eruditos disseram que a mesma palavra grega traduzida como *homens* também é traduzida como *maridos* em outras passagens e, da mesma forma, o uso da palavra grega para *mulher* em 1 Timóteo 2:12 pode ser traduzido como *esposa.*[8] E se esses versículos foram traduzidos significando que a mulher (ou a esposa) não deveria ensinar seu marido ou "usurpar" a autoridade dele? Isto mudaria todo o contexto.

Temos textos bíblicos e livros de estudo disponíveis, de modo que podemos ir um pouco mais a fundo e adquirir revelação em assuntos que nos dizem respeito. A Bíblia deve ser interpretada à luz de outras escrituras.

Existem muitos outros lugares na Bíblia onde Deus usou mulheres. Débora era uma profetisa e certamente deu palavras de instrução da parte de Deus tanto a homens quanto a mulheres (ver Juízes 4-5). Joel profetizou que nos últimos dias Deus derramaria o Seu Espírito sobre homens e mulheres, e que ambos profetizariam (ver Joel 2:28-29). Uma mulher certamente não pode profetizar e ficar em silêncio ao mesmo tempo. O apóstolo Pedro citou essa mesma passagem no Dia de Pentecostes (ver Atos 2:16-18).

Se as passagens que Paulo escreveu sobre as mulheres fossem entendidas sem nenhum estudo mais profundo, teríamos de supor que as mulheres não poderiam de modo algum ensinar os homens. Assim, elas não poderiam ser professoras seculares, professoras de escola dominical, instrutoras de direção, médicas, advogadas, etc. Elas, de um modo geral, não poderiam ocupar *nenhuma* posição na qual tivessem de instruir os homens. É claro que sabemos que esse tipo de pensamento é tolice.

Se nunca uma mulher tivesse sido professora de escola dominical, realmente não sei onde a igreja estaria hoje. Na verdade, parece que as mulheres fazem mais a obra na igreja do que os homens. Nunca estive em uma reunião de oração onde houvesse mais homens que mulheres participando. Realmente, a única coisa que já vi na igreja em que os homens predominavam foi o "clube dos homens"; em tudo o mais as mulheres sempre ultrapassaram os homens em número. Não creio que devesse ser assim, principalmente uma vez que a Bíblia nos ensina que o homem deve ser o cabeça espiritual do seu lar. Mas posso lhe dizer com certeza que Deus não é preconceituoso. Em Gálatas 3:28, o próprio Paulo escreveu: "Não há homem ou mulher, mas todos nós somos um em Cristo" (paráfrase). Quando Deus chama uma pessoa ao ministério, Ele não vê o gênero; Ele vê a disponibilidade e a atitude do coração.

Em obediência à Bíblia, submeto-me ao meu marido, e não me considero sua professora (ver Efésios 5:22; Colossenses 3:18). Ele me ouviu pregar milhares de vezes, e estou certa de que ele aprendeu algumas coisas enquanto eu ensinava. Mas nenhum de nós me vê como mestra dele; sou sua esposa. Conheço o meu lugar no púlpito e em casa. Quando as pessoas perguntam a Dave se ele é o marido de Joyce Meyer, ele sempre diz: "Não, Joyce Meyer é minha esposa." Esta é a maneira amorosa e divertida de Dave afirmar e manter a sua posição como o cabeça do nosso casamento e da nossa casa.

A maioria dos homens que me perguntam o que acho que estou fazendo quando ensino e prego são aqueles que não estão fazendo nada. Precisamos olhar para o fruto na vida e no ministério de uma pessoa antes de decidirmos o que Deus pode e não pode chamá-la para fazer. Uma coisa é certa, seria absolutamente impossível eu fazer o que tenho feito desde 1976 e ter êxito como tenho tido se Deus não estivesse inteiramente por trás disso.

Sim, extinguimos o Espírito Santo quando menosprezamos os dons dos profetas ou qualquer dos dons por esse mesmo motivo. Que possamos aprender uns com os outros em submissão, tendo corações humildes.

13

Os Dons do Espírito

Irmãos, quanto aos dons espirituais não quero que vocês sejam ignorantes

(1 Coríntios 12:1).

Muito foi escrito sobre os dons do Espírito desde o grande derramamento do Espírito Santo no século passado, que começou em princípios dos anos 1900.[1]

A Bíblia nos ensina a importância dos dons do Espírito Santo. Ela também nos ensina o quanto é importante que não sejamos ignorantes a respeito deles, como diz a passagem. No entanto, apesar de toda a informação disponível hoje sobre o assunto, muitas pessoas são totalmente ignorantes em relação a esses dons. Eu, por exemplo, frequentei a igreja durante muitos anos e nunca ouvi um sermão ou lição de qualquer espécie sobre os dons do Espírito. Eu nem sequer sabia o que eram eles, muito menos que estavam disponíveis a mim.

Existem muitas variedades de dons, aos quais a versão *Amplified Bible* da Bíblia em língua inglesa também se refere como "poderes extraordinários que distinguem certos cristãos" (1 Coríntios 12:4). Os dons variam, mas todos são do mesmo Espírito Santo. Encontramos uma lista de alguns dons descritos em 1 Coríntios 12:8-10. Eles estão relacionados do seguinte modo:

- Palavra de sabedoria
- Palavra de conhecimento
- Fé
- Dons de curar
- Operação de milagres
- Profecia
- Discernimento de espíritos
- Variedade de línguas
- Interpretação de línguas

Todos eles são capacitações, dons, realizações e concessões de poder sobrenatural pelos quais o crente é capacitado a realizar algo além do ordinário.

Vamos ver cada um destes importantes dons separadamente:

PALAVRA DE SABEDORIA

> Pelo Espírito, a um é dada a palavra de Sabedoria (1 Coríntios 12:8).

Diz 1 Coríntios 1:30 que Jesus se tornou para nós sabedoria da parte de Deus. E o autor do livro de Provérbios nos diz repetidamente para buscarmos a sabedoria e para fazermos tudo que pudermos para adquiri-la. A sabedoria é disponibilizada a todas as pessoas, mas a palavra de sabedoria que opera como um dom do Espírito Santo é um tipo diferente ou superior de sabedoria.

Toda sabedoria procede de Deus, mas existe uma sabedoria que pode ser aprendida com a experiência e atingida intelectualmente. Essa não é a palavra de sabedoria que é mencionada em 1

Coríntios 12:8. A palavra de sabedoria é uma forma de orientação espiritual. Quando ela está em operação, uma pessoa passa a saber sobrenaturalmente pelo Espírito Santo como lidar com certo problema de uma maneira excepcionalmente sábia, uma maneira que está além do seu aprendizado natural ou da sua experiência e que está alinhada com o propósito de Deus.[2]

Costumamos agir com base nesse dom sem sequer estarmos cientes disso. Podemos dizer alguma coisa a alguém que nos parece comum, mas para o ouvinte é uma tremenda palavra de sabedoria para a sua situação.

Na verdade, creio firmemente que o Senhor quer que atuemos naturalmente nesses dons sobrenaturais. Vi muitas pessoas tentando ser superespirituais com relação à operação dos dons do Espírito que se tornaram pessoas difíceis de conviver. Por exemplo, não é preciso fazer um anúncio especial toda vez que alguém está atuando em um dom do Espírito. Não devemos atrair a atenção para nós mesmos, mas para Jesus. O Espírito Santo veio para glorificar Jesus, e não o homem.

Não podemos forçar a operação da palavra de sabedoria. Podemos desejar sinceramente todos os dons, mas cabe unicamente ao Espírito Santo quando e por intermédio de quem eles vão operar.

Recebi palavras de sabedoria de crianças que eu sabia com certeza que não faziam a mínima ideia do que estavam dizendo. O Espírito Santo estava tentando fazer que eu o entendesse, e Ele estava usando uma fonte por meio da qual eu saberia que Ele estava falando.

Deus nem sempre usa as pessoas mais capazes; na verdade, muitas vezes ele faz exatamente o contrário. Diz 1 Coríntios 1:27-29 que Deus escolhe deliberadamente o que o mundo chamaria de fraco e tolo para envergonhar os supostos sábios. Ele usa o que o mundo descartaria, de modo que nenhum homem mortal possa ter motivos para se gloriar na Sua presença.

Estou certa de que, muitas vezes, rejeitamos algo que Deus está tentando nos dar porque não gostamos do pacote no qual ele vem até nós. Como adultos, é difícil para o nosso orgulho ser ensinados por uma criança, ou se somos cristãos há muito tempo, ser ensinados por um novo crente. Se formos professores, é difícil para nós receber instrução de um aluno. Mas seja qual for a maneira que Deus escolha para se fazer entender, isso é assunto dele, e não nosso.

Os dons funcionam como o Espírito deseja, não como o homem quer (ver 1 Coríntios 12:11). Temos problemas quando procuramos operar os dons em vez de deixarmos que eles operem por nosso intermédio. Também temos problemas quando tentamos escolher o dom ou os dons que preferimos.

Muitas pessoas querem os dons de cura ou de operação de milagres, porque eles "aparecem". Mas a Bíblia nos diz em 1 Coríntios 12:7 que cada um de nós recebe a manifestação do Espírito Santo para o bem e o proveito de outros. Cada um de nós poderia ter vários dons fluindo por meio de nós para serem usados em benefício de outras pessoas se simplesmente entendêssemos que somos apenas vasos. Não devemos desejar um dom para parecermos importantes, mas somente para o bem de outros.

PALAVRA DE CONHECIMENTO

> A outro, pelo mesmo Espírito, a palavra de conhecimento (1 Coríntios 12:8).

A palavra de conhecimento opera de maneira muito semelhante à palavra de sabedoria. Existe uma série de interpretações diferentes da palavra de conhecimento, mas uma que valorizo é esta: o dom do conhecimento está em operação quando Deus revela algo a uma pessoa sobre o que Ele está fazendo em uma situação na qual essa pessoa não teria nenhum meio natural de saber.[3]

Às vezes, quando Deus nos dá uma palavra de conhecimento com relação a outras pessoas, sabemos que algo está errado com elas, ou sabemos que elas precisam fazer determinada coisa em determinada situação. Nunca devemos forçar esse tipo de conhecimento sobrenatural a alguém. Em vez disso, devemos apresentá-lo humildemente e deixar que Deus o convença.

Lembro-me de uma vez em que meu marido recebeu uma palavra de conhecimento com relação a algo em minha vida. Quando ele compartilhou aquela palavra comigo, fiquei zangada. Ele disse simplesmente:

— Faça o que quiser com isto; estou apenas lhe dizendo o que creio que Deus me mostrou.

Ele não tentou me convencer; ele apenas relatou o que Deus lhe mostrou.

Ao longo dos três dias seguintes, Deus me convenceu de que a palavra que Ele dera a meu marido estava correta. Derramei muitas lágrimas porque eu realmente não queria que Dave estivesse certo quanto ao que ele dissera.

Por intermédio da palavra de conhecimento que me foi dada por meu marido, pude saber por que eu estava tendo problemas em determinada área da minha vida. Eu buscava a Deus acerca dessa situação e não estava obtendo respostas. Dave me deu a resposta que eu procurava, mas não gostei da resposta que ele me deu. É provável que este seja o motivo pelo qual Deus a deu a Dave, porque o Senhor sabia que eu não conseguiria ouvi-la diretamente dele mesmo.

Aquela palavra de conhecimento me convenceu do pecado de julgamento e fofoca que eu estava cometendo, e eu não queria que esse fosse o meu problema. Eu estava dizendo a Dave que havia algo errado, que eu não conseguia sentir a unção de Deus quando estava pregando, e que isso estava se tornando muito assustador para mim. Eu queria saber de Deus o que estava errado e Ele me disse por intermédio de Dave. Eu havia julgado criticamente a pregação de outro ministério, e Deus não estava satisfeito. Eu precisava me arrepender e não repetir aquele comportamento.

Não tenho como lhe dizer o impacto que essa experiência teve sobre minha vida. Se Deus tivesse tratado comigo diretamente, estou certa de que teria aprendido a lição, mas não teria sido nada comparado à lição que aprendi quando a palavra de conhecimento veio a mim por intermédio de Dave. Não foi apenas constrangedor, como também era algo que não estava mais escondido.

Às vezes, gostamos de esconder os nossos pecados. Deus sabe quais são eles, mas nós certamente não queremos que ninguém mais saiba. Lembro-me de lançar acusações contra Dave, dizendo que ele tinha feito a mesma coisa que eu sendo crítico quanto à pregação daquele ministério. A resposta de Dave foi:

— Você está certa; eu fui. Mas não sou eu que está tendo problemas, é você — você vai ter de resolver isso com Deus.

Deus me levou às Escrituras em Tiago, capítulo 3, sobre as palavras da nossa boca e acerca do fato de que nem todos nós seríamos mestres porque seríamos julgados com maior severidade que as outras pessoas (ver v. 1). Ali estava a minha resposta. Deus estava tratando comigo de uma maneira mais dura do que com Dave. Sou uma professora da Bíblia e não continuarei tendo uma unção poderosa sobre o meu ensino se julgar outros, de maneira crítica, que estão operando sob o mesmo dom. Todo julgamento — inclusive a crítica, as opiniões negativas e a desconfiança — é errado, mas é principalmente perigoso julgar outra pessoa que atua na mesma profissão em que desejamos atuar ou continuar ungidos.

Creio que a palavra de conhecimento ajudou muitas pessoas por meu intermédio. Creio firmemente que a palavra de conhecimento opera por meu intermédio com muita frequência quando estou ensinando e pregando a Palavra de Deus.

Como já mencionei, muitas vezes as pessoas a quem ministrei uma palavra de conhecimento me disseram: "Como você sabia aquilo a meu respeito, Joyce? Foi como se você estivesse morando na minha casa. É claro que eu disse a elas que não soube aquilo por meios naturais. Deus fez que eu soubesse o que dizer exatamente no momento certo. Embora parecesse natural para mim, pareceu sobrenatural para o ouvinte.

Embora a palavra de conhecimento geralmente seja interpretada como uma ferramenta ministerial para ajudar outra pessoa, creio que esse dom também nos ajuda muitas vezes na nossa vida pessoal. Por exemplo, vejo esse dom operando em mim frequentemente quando perco algo ou esqueço onde coloquei. De repente, o Espírito Santo me dá uma imagem mental de onde ele está.

Certa vez, eu não conseguia encontrar meus óculos em lugar algum; procurei por toda a casa e estava ficando frustrada. Parei por um segundo e simplesmente disse: "Espírito Santo, por favor, ajude-me a encontrar meus óculos." Instantaneamente, em meu espírito, vi meus óculos entre as almofadas do sofá. Fui procurar e, sem dúvida, ali estavam eles. O Espírito Santo me disse algo no meu espírito que eu não sabia no plano natural.

O DOM DA FÉ

A outro, fé, pelo mesmo Espírito (1 Coríntios 12:9).

Creio que existem certos indivíduos a quem Deus dá o dom da fé para ocasiões específicas como uma viagem missionária perigosa ou uma situação desafiadora. Quando esse dom opera nas pessoas, elas são capazes de crer facilmente em Deus para realizar alguma coisa que as outras pessoas veriam como impossível.[4] Elas têm uma fé total em algo que deixaria outros aterrorizados.

Creio que meu marido tem o dom da fé na área das finanças. Independentemente de qual fosse a nossa situação na vida no que se refere a dinheiro, Dave sempre teve paz e a certeza de que Deus supriria a necessidade. Dave supervisiona todas as finanças do nosso ministério, A Vida na Palavra, e é capaz de crer em Deus para suprir o dinheiro para concluir projetos grandes que deixam o restante de nós com os joelhos bambos.

Uma pessoa que opera no dom da fé precisa ser cuidadosa para não pensar que os outros que não têm esse dom não têm fé ou são covardes, porque quando o dom está operando em uma pessoa, Deus está dando àquele indivíduo uma porção incomum de fé para garantir que o Seu propósito na terra seja realizado. Como diz Romanos 12:3: "Por isso, pela graça que me foi dada digo a todos vocês: Ninguém tenha de si mesmo um conceito mais elevado do que deve ter; mas, ao contrário, tenha um conceito equilibrado, de acordo com a medida da fé que Deus lhe concedeu."

Essa passagem nos diz que toda pessoa recebe certa medida de fé. Todos nós podemos ter certeza de que Deus sempre nos dará fé suficiente para receber a Sua graça para o cumprimento de toda tarefa dada por Ele.[5] Entretanto, não é sábio nos compararmos com os outros ou comparar a nossa fé com a fé de outra pessoa. Somos responsáveis por usar o que Deus nos deu e nos esforçarmos para fazer o máximo possível com isso.

Também acredito que existem pessoas que têm o dom da fé para certas coisas na vida. Alguns podem ter o dom da fé para orar pelos enfermos e crer que eles serão curados, ou podem ter o dom da fé para uma área específica de cura como o câncer ou alguma enfermidade. Como mencionei com relação ao meu marido, existe um dom de fé que atua na área das finanças. Algumas pessoas são ungidas e têm o dom de dar a outros de uma maneira extraordinária. Essas pessoas geralmente têm o dom da fé que as capacita a serem empreendedoras e a ganhar muito dinheiro. Elas podem fazer coisas que outras teriam medo de fazer.

O dom da fé torna uma pessoa ousada de uma forma incomum. Qualquer pessoa que opere nesse dom precisa ser sensível para entender que a sua ousadia é um dom de Deus e sempre dar graças a Ele por esse dom.

DONS DE CURAR

A outro, dons de curar, pelo único Espírito (1 Coríntios 12:9).

Os dons de cura operam com o dom da fé. Embora todos os crentes sejam encorajados a orar pelos enfermos e vê-los serem curados (ver Marcos 16:17-18), Deus pode escolher usar certas pessoas em um ministério de cura especial.[6]

Em nossas conferências, oramos pelas pessoas o tempo todo e vemos muitas curas maravilhosas. Tenho pilhas de testemunhos que nos foram enviados ao longo dos anos com relatos de curas físicas confirmadas. Faço a oração da fé nas nossas conferências e na televisão e costumo receber palavras de conhecimento sobre certas curas que estão acontecendo enquanto oro.

Como crentes, podemos sempre orar pelos enfermos, mas os dons de cura talvez nem sempre estejam presentes, assim como o dom da fé talvez nem sempre esteja presente. Podemos sempre orar com fé, usando a medida de fé que Deus deu a cada pessoa, mas o dom sobrenatural da fé é dado como o Espírito deseja.

Kathryn Kuhlman era usada por Deus em um ministério de cura. Quando as curas começavam a acontecer nas suas reuniões, ela ficava tão surpresa quanto qualquer pessoa. Ela chegou a ser chamada "filha do destino". Um ministério de cura não era algo que ela tenha buscado; foi o destino que lhe foi dado por Deus, e ela simplesmente andava nele com a direção do Espírito Santo. Ela sempre dava a Deus toda a glória e dizia abertamente que se dependesse dela, ela curaria a todos. Ela nunca entendia por que algumas pessoas recebiam cura e outras não. Mas ela sempre sabia com certeza que estava operando sob um dom sobrenatural.

Quando alguém é curado, a sua cura pode não se manifestar imediatamente. A cura pode ser um processo que atua de certa forma como a medicina. É necessário recebê-la pela fé e crer que ela está operando. Mais tarde, os resultados se tornarão visíveis.

Quando o dom de milagres está em operação, vemos mais curas dramáticas do que o normal, e elas em geral aparecem instantaneamente.

Vi pessoas se esforçarem muito para fazer os dons de cura funcionarem, mas os verdadeiros dons do Espírito fluem facilmente;

não exigem muito esforço humano. Por exemplo, vi um ministro orar por alguém em uma cadeira de rodas, e depois tentar forçar aquela pessoa a se levantar da cadeira e ficar em pé. Em Atos 3, lemos sobre um homem que era "aleijado de nascença" que ficava deitado à porta do templo que era "chamada Formosa" (v. 2). Quando Pedro e João estavam para entrar no tempo para orar, o homem pediu uma esmola a eles (dinheiro). Quando ele fez isso, Pedro olhou direto para o homem e lhe disse que ele não tinha dinheiro para lhe dar, mas que ele lhe daria o que tinha. Então Pedro ordenou ao homem que andasse em nome de Jesus:

> Segurando-o pela mão direita, ajudou-o a levantar-se, e imediatamente os pés e os tornozelos do homem ficaram firmes. E de um salto pôs-se em pé e começou a andar. Depois entrou com eles no pátio do templo, andando, saltando e louvando a Deus (Atos 3:7-8).

Segurar alguém pela mão como Pedro fez nessa passagem é muito diferente de tentar obrigar a pessoa a fazer algo sozinha.

Mais uma vez, quero deixar claro: os dons do Espírito Santo não podem ser forçados. Eles podem ser desejados e desenvolvidos por meio do uso, mas não podem ser forçados ou falsificados.

OPERAÇÃO DE MILAGRES

> A outro, poder para operar milagres (1 Coríntios 12:10).

Jesus operava muitos milagres. Por exemplo, Ele transformou água em vinho (ver João 2:1-10) e alimentou uma multidão com o almoço de um garotinho de modo que houve cestas cheias de sobras (ver João 6:1-13). Há muitos tipos de milagres; milagres de provisão e suprimento, milagres de libertação, milagres de cura, etc.[7] Já mencionamos milagres com curas, mas agora eu gostaria de desenvolver este assunto falando sobre um amigo nosso.

Conhecemos um homem que é missionário e a quem Deus usa frequentemente em milagres de cura. Ele fez a sua primeira cruzada missionária quando era ainda um jovem. Ele vira outros homens de Deus fazendo cruzadas e sabia que o mesmo chamado estava sobre a sua vida.

Sem nenhuma experiência prévia, sem dinheiro e sem treinamento formal, ele partiu em sua primeira jornada missionária. Foi para uma cidade em uma terra estrangeira e anunciou que estava fazendo uma cruzada na qual ocorreriam milagres, sinais e maravilhas. Ele nos contou que nunca lhe ocorreu como a multidão reagiria se não acontecesse nenhum milagre.

Ele disse que estava bem até que subiu à plataforma pela primeira vez e viu todos os aleijados, cegos e surdos na plateia. Havia leprosos e pessoas com doenças terríveis, então, quando ele olhou em volta, o medo atingiu seu coração. Ele pensou: *Oh, Deus, o que eu fiz? E se os milagres não acontecerem?* Então, de repente, seu coração se encheu de fé. Ele disse a Deus que estava ali em nome de Jesus, e não no seu nome. Ele disse ainda que era a reputação de Deus que estava em jogo e não a dele.

Com essa declaração, ele deu um passo de fé e começou a pregar. Então, quando orou pelos enfermos, de repente os milagres começaram a acontecer — os olhos dos cegos estavam se abrindo e os aleijados andavam. Ele disse que se sentiu como se estivesse de longe, como um espectador. Ele viu o que estava acontecendo, mas sabia que não tinha nada a ver com isso. O dom de milagres começou a operar ali e tem continuado a operar nas suas cruzadas desde então.

Assim como muitas outras pessoas, Dave e eu tivemos experiências de milagres de provisão ao longo dos anos — momentos em que Deus nos supriu de maneira tão sobrenatural que é óbvio que aconteceu um milagre.

Milagres são coisas que não podem ser explicadas, coisas que não ocorrem por intermédio de meios comuns. Todos nós podemos e devemos crer em Deus para realizar milagres em nossas vidas, mas algumas pessoas são escolhidas por Deus para ter o dom de operação de milagres fluindo através delas. Isto pode ocorrer uma ou mais vezes ou pode ser um acontecimento regular; isto cabe à sabedoria do Espírito Santo.

PROFECIA, LÍNGUAS E INTERPRETAÇÃO

> A outro, profecia... a outro, variedade de línguas; e ainda a outro, interpretação de línguas (1 Coríntios 12:10).

Embora muito tenha sido dito sobre falar em línguas, como nessa passagem, e este seja realmente um dom maravilhoso, em 1 Coríntios 14:1 Paulo nos diz que devemos desejar ardentemente os dons, principalmente o dom de profecia. Ele sentia que a profecia era mais benéfica em uma reunião pública porque todos os presentes podiam entendê-la, ao passo que as línguas não podiam ser entendidas a não ser que fossem interpretadas. Entretanto, no versículo 5 ele prossegue dizendo que as línguas com interpretação equivalem à profecia.

No versículo 2 desse capítulo, Paulo nos diz que quando falamos em línguas, falamos a Deus, não a homens, e que pronunciamos verdades secretas no Espírito Santo. No versículo 5, ele diz que desejava que todos falassem em línguas, mas mais especialmente ele preferia que as pessoas profetizassem ou fossem inspiradas a pregar e a interpretar a vontade e o propósito divinos.

Nestas passagens, Paulo enfatiza a importância de todas as pessoas serem edificadas. Ele enfatiza que todos deveriam se beneficiar do que está sendo dito. Como ele indica no versículo 17, quando alguém fala em línguas, pode estar dando graças, mas aquele que está ao seu lado não é edificado; isto não é de utilidade alguma para aquela pessoa.

Depois, nos versículos 18 e 19, Paulo diz que ele é grato por falar em línguas mais do que todos os outros juntos, mas que na adoração pública ele preferia dizer cinco palavras que pudessem ser entendidas por todos os presentes a dez mil palavras em uma língua desconhecida.

Mais adiante, nesse mesmo capítulo, Paulo continua dando instruções específicas sobre falar em línguas em uma reunião pública:

> Se, porém, alguém falar em língua, devem falar dois, no máximo três, e alguém deve interpretar. Se não houver intérprete, fique calado na igreja, falando consigo mesmo e com Deus (1 Coríntios 14:27-28).

Sinto que essa carta escrita aos coríntios destinava-se a instruí-los sobre como operar nos dons do Espírito Santo na adoração pública, e não em suas vidas pessoais. Há um dom de línguas que opera no culto da igreja e precisa ser interpretado. Creio que esse dom de línguas é muito diferente da linguagem de oração em línguas que uma pessoa recebe quando é batizada no Espírito Santo, como sinal ou evidência de ter recebido a plenitude do Espírito Santo. Não quero dizer que a língua é diferente ou soa diferente, mas a operação é diferente. Em particular, podemos orar em línguas tanto quanto desejemos, e como já mencionado, quando fazemos isso, nós nos edificamos e reavivamos a nossa fé.

Com esse entendimento, vamos ver os dons de profecia, de línguas e de interpretação de línguas separadamente, como fizemos com os outros dons individuais do Espírito.

PROFECIA

> Sigam o caminho do amor e busquem com dedicação os dons espirituais, principalmente o dom de profecia (1 Coríntios 14:1).

Uma pessoa pode profetizar a outro indivíduo ou a toda uma congregação de pessoas. Às vezes, a profecia é mais de caráter geral; outras vezes ela é específica. Ela pode vir por meio de uma mensagem ou de um sermão preparado ou pode vir por revelação divina. A profecia diz respeito à vontade de Deus, é instrutiva ou edificante, e pode trazer correção.[8]

A profecia e o ministério do profeta são definitivamente importantes; entretanto, eu seria omissa se não fizesse uma advertência amorosa para que tomemos cuidado nessa área.

Esse dom, em particular, sofreu abusos e provocou muita confusão na igreja. Existem falsos profetas assim como profetas genuínos. Há aqueles que realmente não tencionam fazer mal, que pensam que são profetas, mas que, na verdade, estão falando com base na própria mente, vontade ou emoção.

Provavelmente o mau uso mais perigoso desse dom ocorre quando uma pessoa diz a outra que ela tem "uma palavra" para aquela pessoa. Em geral, a pessoa recebe aquela palavra como sendo de Deus sem provar o espírito ou verificar se o seu espírito testifica com aquela "palavra" que ela realmente procede de Deus (ver 1 João 4:1; Romanos 8:16).

Em geral, a verdadeira profecia confirmará o que já foi revelado ao coração de uma pessoa, ainda que apenas de forma vaga. Ela testifica ao espírito da pessoa, confirmando como correta. Ainda que seja uma palavra de correção, será algo a respeito do qual Deus já estava tratando com aquela pessoa. A profecia apenas convence a pessoa ou chama a sua atenção para algo que ela pode estar ignorando.

Um bom exemplo de como o dom de profecia pode trazer um benefício aconteceu comigo no ano de 1985, quando eu estava tentando decidir se deveria deixar o cargo como pastora auxiliar de uma determinada igreja. Havia trabalhado ali durante cinco anos e desfrutado de um ministério de sucesso dentro da igreja. Eu amava as pessoas e tinha uma ótima comunhão com a liderança, mas também tinha um forte desejo de fazer outras coisas que não podia fazer a não ser que iniciasse o meu próprio ministério. Não queria cometer um erro. Realmente sentia que Deus estava me direcionando a sair, mas estava com medo.

Durante esse tempo de decisão, muitas pessoas profetizaram para mim, tanto pessoas que me conheciam quanto pessoas que não me conheciam. Basicamente, todas elas disseram a mesma coisa: "Deus está chamando você para sair. Vejo-a indo para o norte, o sul, o leste e o oeste, e fazendo reuniões. Vejo um tremendo crescimento no seu ministério. Vejo-a alcançando multidões."

Uma mulher que eu nunca havia visto veio à igreja para ministrar. Ela profetizou para mim que um dia eu estaria na televisão em todo o mundo e que ela me via com um satélite. Ela profetizou a outra mulher que um dia ela trabalharia para um grande ministério na TV. Hoje, a mulher a quem essa profecia foi dada trabalha para mim, e estou na televisão com uma audiência potencial de mais de dois bilhões de pessoas.

A verdadeira profecia se realiza. Uma maneira de testar a profecia é ver se ela acontece. Todas as profecias que recebi naquela época confirmaram o que eu já sabia em meu coração. Elas aumentaram a minha fé para me levantar e obedecer a Deus.

Também recebi profecias pessoais que não me trouxeram nenhum benefício. Por exemplo, algumas pessoas que eu nem conhecia haviam me feito advertências de perigo ou "mensagens de Deus" que faziam parecer que eu estava fazendo muitas coisas erradas e tomando decisões erradas. Essas supostas palavras provocam medo e destroem a ousadia e a confiança. Levei muito tempo para aprender que a decisão final está no meu próprio coração. Se o meu espírito não testemunhar acerca de uma palavra que me é dada, desconsidero-a ou a coloco em uma estante e a deixo ali para que Deus a confirme — *se* e *quando* Ele estiver pronto para fazer isso.

Também recebi palavras de correção de pessoas que eu conhecia. Embora eu nem sempre gostasse dessas mensagens do ponto de vista emocional, depois de alguns dias percebia que Deus estava realmente falando comigo. Espero que eu possa permanecer sempre humilde o suficiente para receber correção se for da parte de Deus, mas também desejo ser sábia o suficiente para não acreditar em todas as pessoas que queiram me dizer o que fazer.

Oro para que com você aconteça o mesmo.

FALAR EM LÍNGUAS

> Dou graças a Deus por falar em línguas mais do que todos vocês (1 Coríntios 14:18).

Os crentes em alguns segmentos do corpo de Cristo são conhecidos por operarem nos dons do Espírito talvez mais do que aqueles de outras denominações espirituais. Esses grupos da igreja incluem o ensino sobre os dons do Espírito como parte regular da sua instrução bíblica. Outros grupos de crentes estudam os dons, mas não são tão abertos a exibir esses dons, e alguns absolutamente não ensinam sobre esse assunto.

Pessoalmente, creio que muitas igrejas não ensinam as pessoas a operarem nos dons do Espírito Santo porque não os entendem ou têm medo deles. Talvez elas tenham visto ou ouvido falar de abusos e prefiram evitar a possibilidade de serem levadas ao erro ou ao engano. Não sei o que cada igreja ensina. Só sei o que aprendi, e tenho o testemunho de pessoas de várias denominações que me dizem regularmente que nunca ouviram falar dessas coisas na igreja delas.

Está certo alguma coisa estar nas Escrituras e ainda assim as pessoas frequentarem a igreja durante anos e nunca ouvirem nada a respeito delas? Não devemos ser ensinados a respeito de tudo o que a Bíblia diz?

Ignorar o batismo no Espírito Santo e os dons do Espírito pode fechar a porta para alguns problemas como os excessos e abusos, mas também fecha a porta para inúmeras bênçãos que as pessoas precisam desesperadamente em suas vidas diárias.

Precisamos dos dons do Espírito Santo. Fomos criados por Deus com um desejo pelo sobrenatural, e se a igreja não atender a esse anseio, é triste dizer que Satanás está bem ao lado, pronto para nos dar uma imitação para atender ao nosso desejo.

Já discutimos o assunto das línguas com relação ao batismo no Espírito Santo. A maneira melhor e mais fácil de descrever esse dom do Espírito é dizer que ele é uma linguagem espiritual, uma linguagem que o Espírito Santo conhece e escolhe falar por seu intermédio, mas que você não conhece.[9]

Assim como Paulo, tenho de dizer aos meus leitores: "Fico feliz por falar em línguas." Falo muito em línguas. Isto me ajuda a permanecer no Espírito, e me ajuda a ser sensível à direção de Deus. Também sou edificada — torno-me forte espiritualmente — quando oro em línguas.

Ao longo das eras, as pessoas que falavam em línguas eram consideradas esquisitas. As línguas tinham uma "má reputação", por assim dizer. Aqueles que não conheciam nada sobre o dom de línguas ao nível pessoal o julgaram de maneira crítica.

Paulo falava em línguas. Os 120 discípulos que foram cheios do Espírito Santo no Dia de Pentecostes, *todos* falaram em outras línguas. Outros crentes que receberam o batismo no Espírito Santo como relatado no livro de Atos falaram em línguas. Por que você e eu não deveríamos falar em línguas?

INTERPRETAÇÃO DE LÍNGUAS

> Se, porém, alguém falar em uma língua... alguém deve interpretar (1 Coríntios 14:27).

Quando uma pessoa fala em línguas na adoração pública, a mensagem deve ser interpretada, como Paulo disse nessa passagem. Muitas vezes, recebo interpretações de mensagens dadas em línguas. Elas vêm a mim como uma impressão ou uma convicção em meu espírito do que Deus está querendo transmitir aos ouvintes.

A interpretação de línguas vem de uma maneira muito semelhante às línguas. Uma pessoa pode sentir um mover no seu espírito, uma convicção de que ela deve falar em línguas estranhas, mas ela não faz ideia do que significa a mensagem em línguas. A pessoa que interpreta então recebe uma impressão no seu espírito do que Deus quer dizer. Ambas as partes devem operar pela fé, porque suas mentes não estão envolvidas. O que quero dizer é que a informação que está sendo transmitida não vem de sua mente, mas sim de Deus por intermédio do espírito delas.[10]

Paulo encorajou os crentes a orarem para que pudessem interpretar, e creio que devemos fazer isto. Fazer isto nos capacita a ter uma melhor compreensão do que estamos orando em particular.

Quando oro em línguas, muitas vezes tenho a sensação da direção geral daquilo que oro, sem saber exatamente os detalhes do que estou dizendo. Oro em línguas por algum tempo, e depois na minha língua nativa (o inglês) por algum tempo. Fico orando em línguas e em inglês, alternando os dois idiomas até me sentir satisfeita em meu espírito e sentir que terminei.

Talvez você queira tentar esse método de oração quando orar na sua linguagem de oração, ou talvez seja direcionado a orar de uma maneira totalmente diferente. O importante é seguir a direção do Espírito Santo nessa área.

DISCERNIMENTO DE ESPÍRITOS

> A outro, discernimento de espíritos (1 Coríntios 12:10).

Creio que discernimento de espíritos é um dom extremamente valioso, e encorajo você a desejá-lo e desenvolvê-lo.

Algumas pessoas dizem que o discernimento de espíritos dá às pessoas uma percepção sobrenatural da dimensão espiritual, quando Deus o permite. Elas acreditam que não é exclusivamente o discernimento de espíritos malignos ou demoníacos, como quando Paulo identificou o espírito de adivinhação em uma moça que lia a sorte em Filipos (ver Atos 16:16-18); é também o discernimento de espíritos divinos, como quando Moisés olhou na dimensão espiritual e viu as "costas" de Deus (ver Êxodo 33:18-23), ou quando João estava no exílio na ilha de Patmos e teve uma visão do Jesus ressuscitado (ver Apocalipse 1:9).

Muitos acreditam que o dom de discernimento de espíritos também se estende para nos ajudar a conhecer a verdadeira natureza daqueles com quem estamos lidando, sejam bons ou maus.[11] Em outras palavras, ele pode nos ajudar a saber a motivação que está por trás de uma pessoa ou a verdadeira natureza de uma situação.[12] Por exemplo, alguém pode parecer estar fazendo uma coisa boa, mas podemos nos sentir mal com relação àquela pessoa em nosso íntimo. Em geral, essa é a maneira de Deus nos advertir de que a intenção dessa pessoa é maligna.

Muitas pessoas hoje em dia não são o que parecem. O mundo está cheio de pessoas falsas e enganadoras, que só pretendem pegar o que podem — e não se importam com a maneira como vão fazer isso.

No nosso ministério, lidamos no passado com pessoas que tinham todas as respostas, e que davam a impressão de que seriam um grande acréscimo para o nosso local de trabalho ou para a igreja, o grupo ou a organização — a pessoa perfeita para o cargo, por assim dizer. Essas pessoas prometem todo tipo de coisas, e depois não cumprem nada. Elas dizem o que acham que queremos ouvir para nos comprometermos com elas; depois, fazem o que sentem vontade de fazer, dando desculpas, todas as vezes, quanto ao motivo pelo qual não cumpriram o que prometeram.

Existem pessoas que são "lobos com vestes de ovelhas", e a Bíblia nos adverte a respeito delas (ver Mateus 7:15). Elas agem como se quisessem nos ajudar, quando na verdade esperam nos destruir. O próprio Satanás usa essas pessoas para enganar os cristãos e para demolir os seus esforços divinos.

Orei muito por discernimento nos meus anos de ministério. Nunca pensei ou soube orar por algo assim antes de ser batizada no Espírito Santo, mas desde então aprendi acerca desse dom maravilhoso — e dependo muito de sua operação.

No nosso ministério, Dave e eu temos de tomar muitas decisões, provavelmente mais do que uma pessoa comum. Muitas dessas decisões envolvem o destino de outras pessoas, algo que assumimos como uma grande responsabilidade. Precisamos tomar muitas decisões que dizem respeito àqueles com quem vamos ou não vamos nos envolver em âmbito ministerial. É importante com quem estamos envolvidos porque os espíritos são transferíveis, por assim dizer. Em outras palavras, podemos nos tornar facilmente como aqueles que nos cercam. Por exemplo, Eliseu se tornou como Elias porque estava em estreito contato com ele (ver 2 Reis 2:15).

As pessoas com quem temos comunhão nos afetam; e as pessoas também nos julgam por aqueles com quem andamos. Se alguém é conhecido como desonesto, e somos vistos em companhia dele, as pessoas poderão pensar com facilidade que somos iguais a ele.

É importante as pessoas confiarem naqueles que ministram a elas; do contrário, o coração delas não estará aberto, mas fechado pelo medo e a desconfiança. Quero que as pessoas confiem em mim; quero que o meu ministério seja eficaz em suas vidas.

Eu costumava citar frequentemente trechos de um livro escrito por alguém que eu não conhecia. Recebi uma carta me perguntando se eu tinha consciência de que a pessoa que escreveu aquele livro se divorciara e fizera muitas coisas desonestas. É claro que eu não estava a par desses fatos, e imediatamente parei de usar aquele material como citação porque se outras pessoas tinham conhecimento daquelas informações, isso poderia fazê-las pensarem mal a meu respeito e fecharem o seu coração para mim e para o meu ministério. As informações contidas no livro eram boas, mas a pessoa que estava por trás delas se desviara. Eu precisava tomar cuidado ao endossar os livros dele junto a outros materiais.

Precisamos tomar muitas decisões por amor aos outros, nos importando com o bem-estar espiritual deles.

Lembro-me de um homem que foi ao meu escritório candidatando-se a um emprego. Todos acharam que ele era a pessoa perfeita para o cargo, mas algo nele me incomodava. Não havia um motivo conhecido para que eu me sentisse daquela maneira com relação a ele. As suas referências eram boas, assim como as suas aptidões, e ele frequentava a minha igreja local regularmente. Tentei me convencer a não sentir o que estava sentindo, mas não conseguia afastar a sensação de que algo a respeito daquele homem não estava certo. Apesar dos meus sentimentos, nós o contratamos, e ele se tornou um grande problema. Muitas vezes desejei ter seguido o meu discernimento em lugar da minha razão.

Outra vez, contratamos uma mulher a respeito de quem eu sentia o mesmo, e ela acabou criando muitos conflitos no seu departamento, embora superficialmente parecesse extremamente doce e inocente.

Em outra ocasião, contratamos uma jovem que havia se formado recentemente na faculdade. Ela disse que cursara a faculdade com o desejo de se formar e de trabalhar para o nosso ministério. Era muito inteligente e capaz, mas algo sobre ela parecia errado. Depois que a contratamos, as pessoas do seu departamento começaram a pedir demissão, mas ninguém jamais reclamou dela. Isto continuou por quase um ano, e acabamos perdendo vários bons funcionários. Cada demissão envolvia uma única situação. Embora eu continuasse dizendo: "Tantas pessoas não podem estar saindo de um departamento se não houver algo errado", ainda não conseguíamos localizar nenhuma razão natural para o problema.

Depois, por intermédio de uma série de outros acontecimentos que ocorreram com respeito a essa jovem, descobrimos que ela estava deliberadamente colocando os funcionários uns contra os outros e gostando de vê-los sair do ministério em consequência das mentiras que estava contando sobre eles.

Sei que parece estranho que uma cristã faça algo assim, mas, creia-me, existe todo tipo e nível de supostos cristãos. Aquela jovem acreditava em Jesus, mas ela era carnal e estava tendo alguns problemas emocionais que só vieram à tona depois que estávamos lidando com ela havia muito tempo.

Algumas pessoas são muito boas em fingir. Elas podem se transformar em qualquer coisa que alguém deseje que elas sejam, mas este não é o verdadeiro eu delas. O mundo está cheio de pessoas confusas, e precisamos ter discernimento para atuarmos entre elas e nos mantermos longe dos problemas.

No caso daquela jovem que estava causando todos os problemas para nós, não conseguíamos encontrar o motivo para o que estava acontecendo no seu departamento. Mas no fundo eu sabia que o que estava acontecendo era mais do que mero acaso.

A racionalização sempre tira de nós o discernimento. Somos ensinados pela Palavra de Deus a não depender do nosso entendimento, e a não sermos sábios demais aos nossos próprios olhos (ver Provérbios 3:5-7). Em outras palavras, devemos ter uma atitude humilde. Não devemos confiar totalmente no nosso pensamento, mas confiar em Deus para nos guiar e conduzir a toda verdade.

Como já mencionei, o discernimento também nos ajuda a reconhecer quando algo procede de Deus. Depois de ver o dano que um funcionário pode causar ao nosso ministério, é tentador saltar para conclusões erradas se alguém começa a me irritar de alguma forma. Se ficar impaciente com as pessoas, posso abrigar o pensamento de despedi-las, mas Deus muitas vezes intervém e diz: "Não, quero que você trabalhe com elas como eu trabalhei com você." Elas podem ter um exterior que precisa de transformação, mas têm um coração voltado para Deus e para o nosso ministério. Então entendo que "se não fora pela graça de Deus, eu não estaria lá". Estou certa de que outros ministérios para os quais trabalhei algumas vezes quiseram me despedir devido a alguns de meus comportamentos errados, mas que o discernimento de Deus disse a eles para serem pacientes e trabalharem comigo.

O discernimento é necessário ao corpo de Cristo hoje porque o diabo tenta separar as pessoas que são chamadas para trabalhar juntas visando a um objetivo comum. Ele cria alguns desentendimentos para ofender as pessoas e destruir a união entre elas a fim de quebrar o que elas poderiam alcançar se permanecessem em harmonia umas com as outras.

Satanás conhece muito bem o poder da concordância, pois em Mateus 18:19 Jesus disse: "Também lhes digo que se dois de vocês concordarem na terra em qualquer assunto sobre o qual pedirem, isso lhes será feito por meu Pai que está nos céus." Ao longo dos anos, aprendi da maneira mais difícil a seguir o meu coração e não a minha cabeça. Ainda cometo erros às vezes, mas conheço em primeira mão o valor do discernimento tanto com relação ao bem quanto ao mal.

BUSQUE TODOS OS DONS

> Há diferentes tipos de dons, mas o Espírito é o mesmo (1 Coríntios 12:4).

Os dons do Espírito são difíceis de explicar porque operam na dimensão do Espírito. Espero e oro para que eu tenha feito um trabalho adequado ao descrevê-los assim como a sua operação básica. Entendo que há muito mais a ser dito sobre o assunto, e como eu disse, encorajo você a ler outros bons livros que se dedicam totalmente a ensinar a respeito do assunto dos dons do Espírito Santo.

Encorajo-o também a começar a orar sobre os dons do Espírito. Peça a Deus para usá-lo com eles e para permitir que eles fluam por intermédio de você como Ele achar adequado. Não busque somente os dons que "aparecem", mas busque os dons que são mais excelentes.

A fé parece um dos maiores dons. A sabedoria é mais que o conhecimento ou o discernimento, embora todos eles sejam muito importantes. A profecia é maior que as línguas ou a interpretação.

Algumas pessoas cometem um grande erro ao buscarem os dons mais "visíveis" e ignorarem os dons que realmente as manterão longe de problemas enquanto elas usam os outros.

As pessoas podem ter conhecimento e, no entanto, não ter sabedoria para saber como usá-lo. Podem ter discernimento, mas não ter sabedoria para saber como lidar com o discernimento que receberam. Outras podem falar em línguas o tempo todo e edificar a si mesmas, mas não estar agindo em amor por não se importarem com a maneira como isso afeta as pessoas que as cercam. Algumas pessoas podem ser usadas para operar milagres, mas não ter fé suficiente para resistir pacientemente se tiverem de passar por algo difícil.

Permitir que os dons do Espírito operem por nosso intermédio nos ajuda na nossa vida diária e demonstra aos incrédulos o poder e a bondade de Cristo que habita em nós. Quando os dons do Espírito Santo estão operando em nossas vidas, refletimos a glória da graça de Deus que é derramada sobre nós aos outros que precisam desesperadamente colocar a confiança em Jesus. À medida que Cristo se torna visível em nós, que somos o Seu corpo, iluminaremos a verdade do Seu poder como descrito em 1 Coríntios 1:4-10:

> Sempre dou graças a meu Deus por vocês, por causa da graça que lhes foi dada por ele em Cristo Jesus. Pois nele vocês foram enriquecidos em tudo, isto é, em toda palavra e em todo conhecimento, porque o testemunho de Cristo foi confirmado entre vocês, de modo que não lhes falta nenhum dom espiritual, enquanto vocês esperam que o nosso Senhor Jesus Cristo seja revelado. Ele os manterá firmes até o fim, de modo que vocês serão irrepreensíveis no dia de nosso Senhor Jesus Cristo. Fiel é Deus, o qual os chamou à comunhão com seu Filho Jesus Cristo, nosso Senhor. Irmãos, em nome de nosso Senhor Jesus Cristo suplico a todos vocês que concordem uns com os outros no que falam, para que não haja

> divisões entre vocês; antes, que todos estejam unidos num só pensamento e num só parecer.

Sim, busque todos os dons, mas certifique-se de buscar ardentemente aqueles que são os maiores. Procure principalmente andar em amor, porque o amor está acima de todos eles.

Nível de Intimidade 4:

O Fruto Eterno de Deus

Permaneçam em mim, e eu permanecerei em vocês. Nenhum ramo pode dar fruto por si mesmo, se não permanecer na videira. Vocês também não podem dar fruto, se não permanecerem em mim. Eu sou a videira; vocês são os ramos. Se alguém permanecer em mim e eu nele, esse dará muito fruto; pois sem mim vocês não podem fazer coisa alguma. Se alguém não permanecer em mim, será como o ramo que é jogado fora e seca. Tais ramos são apanhados, lançados ao fogo e queimados. Se vocês permanecerem em mim, e as minhas palavras permanecerem em vocês, pedirão o que quiserem, e lhes será concedido. Meu Pai é glorificado pelo fato de vocês darem muito fruto; e assim serão meus discípulos.

—João 15:4-8

14

Dons para Todos

E ele designou alguns para apóstolos, outros para profetas, outros para evangelistas, e outros para pastores e mestres (Efésios 4:11).

Temos diferentes dons, de acordo com a graça que nos foi dada. Se alguém tem o dom de profetizar use-o na proporção da sua fé. Se o seu dom é servir, sirva; se é ensinar, ensine; se é dar ânimo, que assim faça; se é contribuir, que contribua generosamente; se é exercer liderança, que a exerça com zelo; se é mostrar misericórdia, que o faça com alegria (Romanos 12:6-8).

Com base nessas duas passagens, vemos que os dons de Deus são muitos e variados. Na verdade, cada pessoa recebe algum dom ou dons de Deus. As pessoas podem ter muitas qualidades, mas em geral há um dom principal que atua através delas.

Por exemplo, sou uma professora e pregadora do evangelho. Faço viagens missionárias, mas não sou uma missionária no verdadeiro sentido da palavra. Ajudo as pessoas, mas não tenho o dom de prestar ajuda (ver 1 Coríntios 12:28) que se dedica mais ao lado prático da vida. Sei ser misericordiosa, mas não atuo sob o dom da misericórdia. Creio da mesma forma em relação aos outros dons mencionados nessas duas passagens, assim como em relação aos nove dons mencionados em 1 Coríntios 12: todos eles podem atuar em nós em diversos momentos conforme necessário, mas um deles pode ser um dom principal.

A administração e a organização também são dons. Sou administradora, e não sou desorganizada, mas não amo organizar coisas. Uma de minhas filhas tem um forte dom na área de ajuda; ela simplesmente não pode ficar feliz se não estiver ajudando alguém. Ela ama organizar coisas. Certa vez, ela me disse que uma das coisas favoritas para ela neste mundo é fazer uma lista das coisas que precisa fazer e depois riscá-las de sua lista à medida que forem sendo realizadas. Ela gosta especialmente da parte de riscar essas coisas de sua lista. Ela disse que isto lhe dá um sentimento de satisfação impressionante.

Pensando em mim mesma, descobri que isso não me empolga em nada. Raramente faço listas, e quando faço, geralmente não risco as coisas à medida que as executo. Apenas olho para a lista para ver o que falta e então faço aquilo. Quando termino, jogo a lista fora.

Mas algo de que gosto mais do que fazer listas e riscar os projetos concluídos é dar às outras pessoas tarefas para que elas coloquem em suas listas. Sou chefe; nasci para ser chefe e provavelmente serei sempre chefe de alguém — ainda que seja somente do cachorro! Sou uma líder, e líderes querem dizer às pessoas o que fazer.

Não sou preguiçosa, assim como nenhum bom líder, mas realizo muito ao motivar outras pessoas a fazer coisas. Uma pessoa como minha filha prefere fazer as coisas ela mesma, porque assim ela sabe que serão feitas da maneira exata que ela quer que sejam feitas.

É realmente impressionante como somos diferentes, mas com base nas passagens citadas, podemos entender que Deus nos criou e nos equipou desse modo.

OS CINCO MINISTÉRIOS

> Foi ele quem "deu dons às pessoas". Ele escolheu alguns para serem apóstolos, outros para profetas, outros para evangelistas e ainda outros para pastores e mestres da Igreja. Ele fez isso para preparar o povo de Deus para o serviço cristão, a fim de construir o corpo de Cristo (Efésios 4:11-12, Nova Tradução na Linguagem de Hoje).

Em geral, nos referimos aos dons de apóstolo, profeta, evangelista, pastor e mestre como os dons dos cinco ministérios. Esses são os cinco ofícios que devem operar em uma igreja para levar um ministério bem estruturado para o povo.

O *pastor* deve estar na igreja local na maior parte do tempo para pastorear, treinar, advertir, edificar, corrigir e instruir as ovelhas (a congregação). O pastor está envolvido com a vida pessoal delas. Ele as conhece, assim como a seus filhos, e pode realizar casamentos e enterros para as famílias, assim como auxiliá-las e aconselhá-las de muitas outras maneiras. O pastor ama o povo e tem uma visão para a igreja que lidera.

Os outros quatro ofícios podem ou não funcionar fora da igreja local. Se eles não moram no local, creio que devem ser trazidos com frequência à igreja para que o povo seja exposto a todos os dons. Todos esses ofícios são ofícios vocais, o que significa que todos eles falam à vida do povo. Se o *missionário* (ou o *evangelista*) nunca aparece, as pessoas perderão de vista a importância das missões mundiais. A visão do povo se tornará estreita e não incluirá os outros que estão fora da sua própria congregação, família, comunidade ou nação.

O *apóstolo* é um fundador, alguém que pode ser usado por Deus para iniciar uma nova igreja ou ministério. Os apóstolos operam em um dom mais forte de ensino que os mestres regulares e são usados frequentemente para trazer correção. Paulo era um apóstolo. Ele fundava igrejas e firmava os crentes, ajudando o povo a ser firmado e fundamentado no Senhor. Ele tinha o chamado de ajudar todo o corpo de Cristo, e não apenas uma congregação.

O *profeta* vê e sabe coisas. A mensagem do profeta pode ou não ser tão clara quanto a do pastor ou a do apóstolo, mas com frequência é mais profunda. Ela pode exigir discernimento ou uma capacidade de ler entre linhas, por assim dizer, porque os profetas falam coisas que viram na dimensão espiritual. Os profetas geralmente não são mestres em profundidade. Eles podem ser bons mestres, mas em geral não irão cavar tão fundo em um assunto quanto os apóstolos ou os mestres.

Tenho uma amiga que é uma pregadora e mestre excepcional com uma aptidão profética. Nas suas mensagens de ensino, ela pode compartilhar diversos pontos, mas não explicar nenhum deles. Gosto de ouvir suas fitas porque elas me dão um material novo para trabalhar. Nelas, ela apresenta rapidamente vários pontos para as pessoas levarem em consideração, ao passo que no meu ensino eu emprego tempo para firmar as pessoas em uma só coisa. Eu poderia pegar as fitas dela e fazer uma série de ensinamentos de quatro partes com cada uma delas. Ela até costuma me dizer: "Joyce, você precisa pegar esta ideia e fazer uma série de ensinos sobre o tema."

Os profetas em geral são incompreendidos porque eles veem coisas que as outras pessoas não veem. Como visionários, eles podem ver o que Deus quer fazer, mas não saber como fazer essas coisas. Efésios 2:20 diz que a igreja é edificada sobre o fundamento dos apóstolos e dos profetas — o profeta vê o que precisa ser feito, e o apóstolo sabe como fazer isso.

No Antigo Testamento, os profetas eram usados frequentemente para trazer palavras fortes de correção aos reis, às nações e aos indivíduos. Eles eram a boca de Deus. Hoje em dia, todos nós podemos ouvir de Deus por nós mesmos, de modo que não é necessário ter um profeta que nos diga o que fazer o tempo todo. Mas Deus ainda usa os profetas para trazer correção algumas vezes, assim como direção. Eles esclarecem a vontade de Deus por intermédio da pregação e do ensino.

O *mestre* pode viajar ou fixar residência no local da congregação. Durante muitos anos, ensinei em uma igreja local várias vezes por semana no seminário bíblico deles, assim como nos cultos semanais regulares. Então Deus me chamou para viajar e ensinar em muitos lugares, firmando os crentes no chamado de Deus sobre suas vidas e na herança que lhes foi suprida pela morte e ressurreição de Jesus Cristo. Uma coisa é ter algo, e outra bem diferente é saber fazer o uso adequado dela. Esforço-me para dizer às pessoas como fazer uso do que Jesus morreu para lhes dar.

DIVERSOS DONS DO ESPÍRITO SANTO

> Há diferentes tipos de dons, mas o Espírito é o mesmo (1 Coríntios 12:4).

Testemunhei dons do Espírito Santo interessantes e variados operando através das pessoas. O dom da exortação sempre me interessa (ver Romanos 12:8). Esse é um dos dons que não tenho, embora eu tenha desenvolvido uma capacidade de ser exortativa.

O verdadeiro exortador faz todos se sentirem como um diamante de um milhão de dólares, como se fossem as pessoas mais importantes e mais maravilhosas de todo o mundo. E o exortador faz isso de forma natural e contínua. Conheço diversas pessoas que possuem esse dom, e todos gostam de estar perto delas. Elas são muito positivas e geralmente têm um ótimo humor; deixam todos felizes. Às vezes, elas são positivas em relação a um erro, no sentido de que na verdade não veem o problema, nem querem tratar com ele ainda que o vejam. É claro que nem todos os exortadores são iguais. O seu grau de exortação depende do quanto o dom deles é forte ou está bem desenvolvido.

Nós, realmente, desenvolvemos os nossos dons. Poderíamos dizer que eles são "sintonizados" ao longo dos anos. Com o tempo, aprendemos a reconhecer os nossos pontos fracos e fortes e a evitar as armadilhas que acompanham cada um deles.

Uma pessoa com o dom de misericórdia, por exemplo, sente pena de todos, até daqueles que não precisam que ninguém sinta pena deles. Uma pessoa misericordiosa quer ajudar a todos. Aprendi que não é bom ter uma pessoa que tem o dom de misericórdia a cargo do ministério de socorro sem ter outros envolvidos porque a pessoa misericordiosa pode dar o ministério inteiro aos outros.

Os que têm o dom de misericórdia não usam tanto discernimento quanto deveriam muitas vezes. Os sentimentos de misericórdia deles para com as pessoas sofredoras, às vezes, sobrepujam o seu bom senso.

Dave e eu equilibramos um ao outro nessa área. Descobrimos que quando um de nós está se sentindo muito rígido e não está mais inclinado a ser paciente com um funcionário, o outro, de repente, recebe o dom de misericórdia. Às vezes, é Dave e, outras vezes, sou eu. Assim Deus nos mantém bem equilibrados.

Precisamos de todos os dons trabalhando juntos. Uma pessoa que tem uma inclinação profética ou apostólica pode não ser sensível o suficiente para com a pessoa necessitada e pode precisar estar por perto ou trabalhar com alguém que tem o dom de misericórdia.

Meu marido é mais paciente do que eu. Ele pode esperar eternamente por alguma coisa e nem sequer se importar. Às vezes, ele me detém e me impede de ir depressa demais e, outras vezes, eu acendo o fogo debaixo dele e o ajudo a se mover um pouco mais rápido. Precisamos um do outro. O equilíbrio que damos um ao outro ajuda a nos manter nos movendo no tempo de Deus, e não no nosso.

É fácil ver a sabedoria de Deus ao distribuir os dons. Ele se certifica de que tudo esteja bem equilibrado. Onde estaria alguém como eu sem os auxiliadores, os administradores, os músicos e tantos outros que me apoiam e me encorajam em minha vida e ministério? Não somos ilhas em nós mesmos; todos nós precisamos uns dos outros.

Dave e eu costumamos falar sobre a maravilha de cada atividade no mundo ser exercida por uma pessoa diferente. Existem pessoas que gostam de se sentar em andaimes o dia inteiro e lavar janelas de prédios altos. Quero que as janelas do meu ministério sejam lavadas, mas estou muito satisfeita porque outra pessoa está fazendo isso.

Um de meus filhos não tem medo de ir a lugar algum no mundo porque tem a mente voltada para missões. Quanto mais árdua a jornada, tanto mais entusiasmado ele fica. Eu pessoalmente prefiro hotéis a cabanas. Não gosto de sujeira. Quero saber o que estou comendo. Não gosto de suar, e me sinto desconfortável em lugares onde não posso entender o idioma. Faço viagens missionárias, porque quero fazer a minha parte para ajudar as pessoas que sofrem em todo o mundo. Amo as pessoas e gosto de ver as suas vidas sendo transformadas pelo poder da Palavra de Deus, mas não sou uma verdadeira missionária.

Fico feliz e sinto-me satisfeita sabendo que não sou tudo, que não tenho todos os dons. É muito libertador quando podemos saber quais são os nossos dons, e quais não são. Aprendi a ter uma equipe que supre as minhas fraquezas. Em outras palavras, cerco-me de pessoas que fazem bem o que eu não faço bem e não gosto de fazer. As pessoas que querem fazer tudo sozinhas, e que não sabem delegar ou levantar outras pessoas e deixar que elas sejam usadas por Deus, não têm êxito em nada que tenha grandes proporções.

SEM COMPARAÇÕES E SEM COMPETIÇÃO

> Não temos a pretensão de nos igualar ou de nos comparar com alguns que se recomendam a si mesmos. Quando eles se medem e se comparam consigo mesmos, agem sem entendimento (2 Coríntios 10:12).

Creio que um dos maiores erros que cometemos é nos comparar com outras pessoas e comparar nossos dons com os dons delas.

Deus não vai me ajudar a ser alguém além de eu mesma, e do mesmo modo, Ele não vai ajudar você a ser alguém a não ser você mesmo. Ele não está nos chamando para competir com os outros, mas para amá-los e ajudá-los. Devemos usar os nossos dons para promover os dons das outras pessoas, nunca nos permitindo cairmos nas mãos do espírito de ciúmes que predomina tanto na nossa sociedade.

Parece que todos estão tentando sobrepujar alguém. Pensamos que estar em primeiro lugar é melhor, mas realmente o que é melhor é estar onde Deus quer que estejamos. Algumas pessoas estão destinadas a ser o número dois, mas elas nunca se tornam o número um na arte de ser o número dois. Elas passam a vida inteira se ressentindo contra a pessoa que é a número um e sentindo ciúmes.

Existem algumas pessoas que trabalham para nós que tiveram a oferta de ocupar a posição número um no seu departamento e que recusaram a oferta porque disseram que são melhores em trabalhar para a pessoa que é a número um. Gostam de fazer o chefe se sair bem e de ajudar essa pessoa no que ela faz. Elas não se sentem confortáveis com a responsabilidade final.

Não sei dizer quanto respeito pessoas que são honestas na avaliação que fazem dos seus dons e talentos. É doloroso ver pessoas tentando ser alguma coisa que não são.

Fiz isso por muitos anos por causa da ideia equivocada de que o valor está ligado à posição. Sinto-me tão feliz por Jesus ter me libertado para ser eu mesma. Aprendi que quando temos ciúmes de alguém, esses ciúmes nos impedem de desfrutar plenamente do dom que foi colocado nessa pessoa. Na verdade, Deus coloca dons nos outros para desfrutarmos deles, e Ele coloca dons em nós para que outras pessoas desfrutem deles. Se alguém tem uma bela voz, por exemplo, apreciamos o seu talento musical. Quando essas pessoas cantam, estão trabalhando, mas nós estamos desfrutando do dom que Deus lhes deu.

Houve um tempo em minha vida em que eu sentia ciúmes das pessoas que podiam cantar bem porque eu queria poder cantar como elas. Embora eu possa fazer um barulho alegre para o Senhor, não creio que ninguém iria querer que eu fizesse um concerto musical. Em outras palavras, não canto para o prazer do público. Canto bastante bem no chuveiro, mas isto é o máximo que posso fazer. Deus me mostrou um dia que enquanto eu ficava sentada desejando poder cantar como outra pessoa, estava impedindo a mim mesma de desfrutar plenamente do dom que Ele havia colocado naquela pessoa para o meu contentamento. Desde então, tenho desfrutado os dons que estão nas outras pessoas. João 3:27 diz:

> Uma pessoa só pode receber o que lhe é dado dos céus.

Isto nos diz para estarmos satisfeitos com o dom que temos, porque não existe outra fonte de dons a não ser o céu. Em outras palavras, a não ser que Deus escolha soberanamente nos dar outro dom ou um dom diferente por intermédio do Espírito Santo, podemos estar satisfeitos com o que já temos, porque isso é tudo que vamos receber. Precisamos confiar no Espírito Santo, crendo que Ele realmente conhece o plano do Pai e que Ele foi enviado à terra para ajudar a garantir que a vontade de Deus se realize na terra e em cada um de nós.

Medite no fato de que Deus enviou o Espírito Santo para habitar em nós. Ele realmente vive dentro de cada pessoa que verdadeiramente aceitou Jesus Cristo como Salvador e Senhor. O Espírito Santo foi enviado para nos guardar até o dia final da redenção quando Jesus voltar para reivindicar os Seus. Ele está querendo guiar e orientar cada um de nós até a plenitude do que Jesus morreu para que tivéssemos. Quando lutamos contra o nosso chamado ou estamos insatisfeitos com o que somos e com o que temos, lutamos contra a obra do Espírito Santo dentro de nós. Vamos nos submeter a Ele, desenvolver os dons que Ele colocou em nós com a Sua ajuda, e viver para a glória de Deus, e não para a nossa própria glória.

O único motivo pelo qual estamos insatisfeitos com os dons que temos é a preocupação com o que os outros irão pensar. Comparamos e competimos, e ao fazer isto, perdemos a alegria de sermos o que Deus nos projetou para ser.

Por que uma secretária se esforçaria a vida inteira para ser uma contadora, se ela não é boa com números? Por que um *chef* se empenharia para ser um atleta só porque é mais glamoroso ou paga melhor? Se ele ama cozinhar, deve cozinhar.

Certa vez, tentei com todas as forças aprender a costurar. Uma amiga minha fazia as roupas de sua família, e eu queria ser como ela. Comprei uma máquina de costura, fiz algumas aulas, e resolvi fazer algumas roupas para Dave. Fiz um par de shorts para ele. Quando terminei, os bolsos estavam pendurados abaixo da bainha e apareciam sobre suas pernas. Eu detestava costurar, mas dia após dia, eu me sentava junto à máquina procurando ser o que eu achava naquela época que era uma "mulher comum, normal". Eu não entendia que eu era normal para Deus. Embora eu tivesse um chamado sobre a minha vida diferente das outras mulheres que eu conhecia, isso não fazia de mim uma pessoa anormal, exceto talvez aos olhos do mundo.

Em Romanos 12:2, nos é dito para não nos conformarmos com o mundo, mas para renovarmos a nossa mente, para que possamos saber o que Deus deseja para cada um de nós pessoalmente: "Não se amoldem ao padrão deste mundo, mas transformem-se pela renovação da sua mente, para que sejam capazes de experimentar e comprovar a boa, agradável e perfeita vontade de Deus." A não ser que recusemos nos conformar com os costumes mundanos, jamais experimentaremos a vontade perfeita de Deus para nós como indivíduos.

É esse mesmo capítulo do livro de Romanos que fala sobre a diversidade dos dons dados aos indivíduos. Todos nós somos parte de um corpo em Cristo, e Ele é a Cabeça. Na dimensão física, todas as partes do corpo precisam responder à cabeça para que tudo funcione perfeitamente. As diversas partes do corpo físico trabalham juntas; elas não sentem ciúmes nem são competitivas. A mão ajuda o pé a colocar os sapatos. Os pés levam o corpo onde ele precisa ir. A boca fala pelo restante do corpo. Há muitas partes no corpo. Elas não têm todas a mesma função, mas todas elas trabalham juntas em prol de um propósito determinado. O corpo espiritual de Cristo deve trabalhar da mesma maneira. É por isso que o Espírito Santo usou o exemplo do corpo físico quando inspirou Paulo a escrever o livro de Romanos (ver Romanos 12:4-7).

Quando queremos fazer coisas que não temos talento para fazer, isto apenas gera pressão em nossas vidas. Devemos trabalhar com o Espírito Santo para descobrir qual é o nosso destino único, personalizado, e depois fazer tudo que pudermos para cumpri-lo.

Além dos dons que mencionamos aqui, existem muitos, muitos outros. Há aqueles que são artesãos, músicos e cantores. Existem aqueles que têm a mente aguçada para os negócios. Muitos têm o dom de entreter outros, de fazer as pessoas rirem, de levar alegria à vida das pessoas. E outros ainda são chamados e ungidos para criar filhos.

Não se deve dizer "sou apenas uma dona de casa" ou "sou apenas mãe ou pai". Não gosto de ouvir as pessoas dizerem que elas são "apenas ou só" coisa alguma. Cada aspecto nosso é importante aos olhos de Deus. Não seremos julgados por não cumprirmos o destino de outra pessoa, mas teremos de prestar contas dos nossos próprios dons e talentos e mostrar o que fizemos com eles.

Não enterre o seu talento porque ele não é o mesmo que outra pessoa tem. Não apague o Espírito Santo, extinguindo os dons que Deus colocou em você.

15

O Batismo de Fogo

> Eu os batizo com água para arrependimento. Mas depois de mim vem alguém mais poderoso do que eu, tanto que não sou digno nem de levar as suas sandálias. Ele os batizará com o Espírito Santo e com fogo (Mateus 3:11).

Como crentes, somos chamados a fazer mais do que ir à igreja no domingo de manhã, a fazer mais do que seguir rituais prescritos e, com certeza, a fazer mais do que receber água sobre a nossa cabeça ou ser imersos em um tanque batismal. Todas as coisas citadas são importantes e não devem ser ignoradas, mas precisam ser seguidas de uma disposição de experimentar o "batismo de fogo".

Em Mateus 20:20-21, a mãe dos filhos de Zebedeu foi até Jesus e pediu a Ele que ordenasse que os seus dois filhos tivessem autorização para se sentarem um à Sua direita e o outro à Sua esquerda, quando Ele entrasse no Seu reino. Jesus respondeu que eles não sabiam o que estavam pedindo. Então, no versículo 22 Ele perguntou: "Podem vocês beber o cálice que eu vou beber e ser batizados no batismo que eu sou batizado?"

De que batismo Jesus estava falando? Ele já havia sido batizado por João no rio Jordão e recebera o batismo no Espírito Santo ao mesmo tempo (ver Marcos 1:9-12). Que outro batismo está disponível?

Jesus estava falando do batismo de fogo. O fogo é um agente purificador, algo que gera desconforto enquanto faz a sua obra. Jesus não tinha pecado e, portanto, não precisava ser purificado; mas nós sim. João Batista disse que Jesus viria para batizar com o Espírito Santo e com fogo (ver Marcos 1:8; Mateus 3:11).

O fogo de Deus ardia na vida de Jesus. Ele ardia pela glória de Deus. Ele precisou ir para a cruz e pagar uma dívida. Ele não devia. Na Sua humanidade, Ele não queria ir, mas estava disposto a fazer a vontade do Pai por mais difícil que ela fosse (ver Mateus 26:37-39). Ele sentiu a dor da submissão assim como nós sentimos.

Jesus tinha sentimentos. Precisamos nos lembrar de que Ele veio como o Filho de Deus *e* como o Filho do homem (ver Mateus 12:8). E, sim, o fogo de Deus ardia na Sua vida, assim como ardia na vida de todos os outros homens ou mulheres de Deus que vemos na Bíblia que realizaram algo de notável para Deus.

Jesus pediu ao Pai que nos fizesse santos e unificados à medida que revelamos a Sua glória na terra, dizendo:

> Santifica-os na verdade; a tua palavra é a verdade. Assim como me enviaste ao mundo, eu os enviei ao mundo. Em favor deles eu me santifico, para que também eles sejam santificados pela verdade. Minha oração não é apenas por eles. Rogo também por aqueles que crerão em mim, por meio da mensagem deles, para que todos sejam um, Pai, como tu estás em mim e eu em ti. Que eles também estejam em nós, para que o mundo creia que tu me enviaste. Dei-lhes a glória que me deste, para que eles sejam um, assim como nós somos um: eu neles e tu em mim. Que eles sejam levados à plena unidade, para que o mundo saiba que tu me enviaste, e os amaste como igualmente me amaste (João 17:17-23).

Deixe-me lembrá-lo de que assim como Sadraque, Mesaque e Abede-Nego em Daniel 3:20-27, temos de passar pelo fogo. Mas também como aqueles três homens hebreus, quando sairmos, não teremos sequer cheiro de fumaça.

Deus guiou os israelitas no deserto por meio de uma nuvem de glória durante o dia e uma coluna de fogo durante a noite. Quando eu estava meditando nesse relato de Êxodo 13, Deus falou comigo e disse: "Diga às pessoas que elas nunca serão guiadas pela glória se não estiverem dispostas a serem seguidas pelo fogo."

Todos querem desfrutar da glória de Deus, mas poucos estão ávidos para serem perseguidos pelo Seu fogo. Mas se você quer ser guiado pela glória na luz do dia onde todos podem ver você, então o fogo de Deus vai ter de persegui-lo nos lugares escuros da sua vida. Aprenda a dar as boas-vindas tanto à glória quanto ao fogo de Deus. Isto é crucialmente necessário para levá-lo para o nível mais alto de intimidade com Deus.

O fogo de Deus queimará o lixo da sua vida. Essa purificação não é uma experiência única. Não é como um vento que sopra na sua vida para fazer uma grande obra e consertá-lo para que você nunca precise de mais nada. Não, o fogo refinador de Deus é mais como um contrato de manutenção do seu carro, que exige que você volte à concessionária para ajustes regulares e atualizações.

Quantas vezes por semana, por exemplo, você precisa de um ajuste na sua atitude? Se a glória de Deus está brilhando por intermédio da sua vida, Satanás irá lhe armar ciladas para irritá-lo sempre que ele tiver uma chance! Durante a semana, faça um cálculo de todas as vezes que algo o frustra ou irrita, e você verá quantas vezes por mês precisa de ajuda no que se refere à sua boca ou aos seus pensamentos.

Algumas vezes, Deus irá usar a Sua Palavra para cair como um fogo refinador sobre a sua situação. Quanto mais da Sua Palavra você aprender, tanto mais fácil será para Deus lembrar-lhe de uma passagem que convença o seu coração para que se arrependa de alguma reação que não seja semelhante a Cristo.

Finalmente, quando você puder ver o fruto da purificação feita por Ele, realmente dará as boas-vindas à convicção do Espírito, dizendo: "Sim, Senhor, tu estás certo. Estou convencido, e sinto muito. Obrigado por me mostrar a maneira de sair deste cativeiro. Não quero permanecer da maneira que tenho sido."

Entendo que não é fácil mudar. Tenho estudado a Palavra de Deus por 26 anos, e preciso trabalhar em muitas coisas. Mudar não é fácil, e ainda não estou como gostaria de estar, mas agradeço a Deus porque não sou mais o costumava ser.

Se formos obstinados (se não estivermos dispostos a nos arrepender) quando o Senhor revelar um comportamento em nós que precisa ser modificado — então o amor se tornará obstinado. Como vimos, Deus é amor, e Ele é um Deus zeloso. Ele não quer que nada em nós ocupe o lugar que pertence a Ele. E o amor, o próprio Deus, será zeloso o suficiente e obstinado o suficiente para lutar conosco até que as coisas sejam do Seu jeito. O amor nos mostrará coisas que não queremos ver a fim de nos ajudar a ser o que precisamos ser.

Deus quer você! Ele quer ter a tutela total do seu coração, e não apenas direitos de visitação. As pessoas reclamam que oram em nome de Jesus e nada acontece — mas levando em consideração a quantidade de tempo que passam com Ele, é óbvio que elas só estão namorando-o. Não recebi o nome de meu marido até me casar com ele. Jesus quer ter um relacionamento de casamento com a Sua igreja para que possamos usar o Seu nome sempre que precisarmos fazer isso, e vermos o Seu poder operando poderosamente.

A intimidade com Deus nos dá tudo que precisamos, inclusive poder sobre o mal que se levanta contra nós. O Salmo 91:1-2, 9-11 diz:

> Aquele que habita no abrigo do Altíssimo e descansa à sombra do Todo-Poderoso pode dizer ao Senhor: "Tu és o meu refúgio e a minha fortaleza, o meu Deus, em quem confio"... Se você fizer do Altíssimo o seu abrigo, do Senhor o seu refúgio, nenhum mal o atingirá, desgraça alguma chegará à sua

tenda. Porque a seus anjos ele dará ordens a seu respeito, para que o protejam em todos os seus caminhos.

Algumas pessoas são como garanhões selvagens, que não estão dispostos a deixar que uma sela seja colocada sobre eles para serem montados; elas não aprenderam que a sua própria reviravolta em direção à paz acontece quando elas se submetem a Deus e obedecem prontamente. Elas são como potros não domados que resistem à colocação de freios e rédeas em suas bocas que poderiam ser usadas por Deus para guiá-las a um lugar de segurança e provisão.

Algumas pessoas não estão dispostas a deixar que Deus segure as rédeas de suas vidas porque querem controlar o próprio destino. Mas elas nunca sentirão a segurança que anseiam ter, ou a paz que excede todo entendimento, até que se entreguem ao Espírito Santo. Se você quer ter esta paz e segurança, ore assim:

> *Deus, não posso resolver a crise em minha vida; não posso mudar as minhas circunstâncias. Faça o que for preciso fazer em mim e fala o que for preciso fazer com as minhas circunstâncias. Pertenço a Ti, e me submeto aos Teus cuidados. Quero ser guiado pela Tua glória e seguido pelo Teu fogo.*

O fogo devora todas as impurezas e deixa tudo que permanece ardendo em fogo para a glória de Deus. Muito da velha Joyce Meyer foi queimado no batismo de fogo ao longo dos anos. Definitivamente, não foi fácil, mas definitivamente valeu a pena.

O FOGO DO OURIVES

> Pois o nosso Deus é fogo consumidor! (Hebreus 12:29).

Deus deseja consumir tudo em nossa vida que não o glorifica.

Ele envia o Espírito Santo para viver dentro de nós, crentes, para estar em comunhão íntima conosco, e para trazer convicção de cada pensamento, palavra ou ato errado nosso. Todos nós precisamos passar pelo "... fogo do ourives" (Malaquias 3:2).

O que isto significa? Significa que Deus vai tratar conosco. Ele vai mudar as nossas atitudes, nossos desejos, nossos caminhos, nossos pensamentos e nossas conversas. Aqueles de nós que passam pelo fogo em vez de fugir dele são aqueles que trarão grande glória a Deus no final.

Passar pelo fogo parece assustador. Isto nos faz lembrar dor e até morte. Em Romanos 8:17, Paulo disse que se quisermos partilhar da herança de Cristo, precisamos também partilhar do Seu sofrimento. Como Jesus sofreu? Será que se espera que também passemos pela cruz? A resposta é sim e não. Não temos de ir para uma cruz física e ser pregados nela pelos nossos pecados, mas em Marcos 8:34 Jesus disse que devemos tomar a nossa cruz e segui-lo. Ele prosseguiu falando sobre deixar de lado um estilo de vida egoísta e egocêntrico. Creia-me, livrar-se do egoísmo requer fogo — e geralmente muito fogo.

Fomos chamados a "... andar pelo Espírito", "viver pelo Espírito segundo Deus" e para que também vivamos "... a vida pelo Espírito" (ver Gálatas 5:25; 1 Pedro 4:6; Romanos 8:9). Tomar a decisão de fazer isso é o ponto de partida, mas posso lhe dizer com base na Palavra de Deus e na experiência que é preciso mais que uma decisão; é preciso uma obra profunda do Espírito Santo em nossas vidas. Ele "opera" em nós com a Palavra de Deus, que divide alma e espírito (ver Hebreus 4:12). Ele também usa as circunstâncias para nos treinar na estabilidade e em andar em amor em todo o tempo.

Essas coisas que somos chamados a fazer não são coisas que são simplesmente dadas a nós; elas precisam ser trabalhadas em nós. Assim como o fermento ou a levedura precisam ser trabalhados na farinha — eles não podem ser borrifados apenas para ter resultado — do mesmo modo Cristo precisa ser trabalhado em nós.

Em Filipenses 2:12, o apóstolo Paulo ensina "... ponham em ação a salvação de vocês com temor e tremor". Isso significa que devemos cooperar com o Espírito Santo enquanto Ele começa não apenas a viver no nosso espírito, mas na nossa alma também. Ele começa em nós uma obra de crucificação ou de "morrer para o eu". Paulo disse: "Todos os dias enfrento a morte" (1 Coríntios 15:31). Em outras palavras, ele estava dizendo que era exposto continuamente ao processo de "matar a carne". Ele não estava falando da morte física, mas de uma morte da sua própria vontade e dos seus próprios caminhos.

ESPÍRITO, ALMA E CORPO

> Que o próprio Deus da paz os santifique inteiramente. Que todo o espírito, a alma e o corpo de vocês sejam preservados irrepreensíveis na vinda de nosso Senhor Jesus Cristo (1 Tessalonicenses 5:23).

Somos espírito, alma e corpo (ver 1 Tessalonicenses 5:23). O nosso corpo é simplesmente o veículo para a nossa alma e para o nosso espírito — as partes de nós que viverão para sempre. Quando morremos, o nosso corpo físico volta às cinzas e ao pó, mas a nossa alma e o nosso espírito continuam vivendo.

Lembre-se, quando convidamos Jesus para entrar no nosso coração, o Espírito Santo faz do nosso espírito a Sua casa, o lugar da Sua habitação. Dessa posição no nosso coração, que é o centro do nosso ser, o Espírito Santo começa uma obra, uma obra de purificação, na nossa alma (e na nossa mente, vontade e emoções). A nossa mente nos diz o que nós pensamos, não o que Deus pensa. O Espírito Santo trabalha conosco para mudar isso. De acordo com 1 Coríntios 2:16, temos a mente de Cristo. E Romanos 8 nos ensina que temos duas mentes — a mente da carne e a mente do Espírito.

Precisamos ser ensinados pelo Espírito Santo a pensar de acordo com Deus, a ser um vaso por meio de quem Deus possa pensar. Os velhos pensamentos precisam ser purificados e eliminados de nós.

As nossas emoções nos dizem como *nós* nos sentimos, e não como Deus se sente a respeito das situações, das pessoas e das decisões que tomamos. De acordo com o Salmo 7:9, Deus testa e prova as nossas emoções. Ele trabalha em nós por intermédio do Seu Espírito até não sermos mais movidos apenas pelas emoções humanas, mas pelo Seu Espírito.

Viver na dimensão emocional é um dos nossos maiores problemas. As emoções foram nomeadas o inimigo número um do crente.[1] Mais do que qualquer coisa, elas são usadas por Satanás para nos manter fora da vontade de Deus. Os sentimentos são fortes e difíceis de ignorar ou negar. Eles são instáveis, mudam continuamente e, portanto, são perigosos de serem seguidos. Deus tem sentimentos sobre as situações, mas eles são emoções santas e não carnais. Precisamos aprender a sentir o coração de Deus e a seguir a Sua direção em todas as situações.

A nossa vontade nos diz o que *nós* queremos, e não o que Deus quer. Temos o livre-arbítrio, e Deus não vai nos obrigar a fazer nada. Ele nos guia pelo Seu Espírito ao que Ele sabe que será bom para nós, mas a decisão final sobre o que faremos cabe a nós. Deus quer que cada um de nós tome decisões regularmente que estejam de acordo com a Sua vontade.

Devemos usar o nosso livre-arbítrio para fazer a vontade de Deus. A vontade sobrepuja as emoções e até os pensamentos. Ela tem o voto final em toda decisão que temos de tomar. Por um ato da nossa vontade, você e eu podemos escolher fazer a coisa certa, ainda que não sintamos vontade.

Uma vez que permitirmos que estas três áreas — a mente, a vontade e as emoções — se submetam ao senhorio de Jesus Cristo, seremos considerados maduros ou espirituais como Paulo disse (ver 1 Coríntios 2:15).

Em 1 Coríntios 3:3, Paulo escreveu aos Coríntios, que tinham recebido o batismo no Espírito Santo e em quem os dons do Espírito estavam em operação, dizendo-lhes que eram "carnais" porque estavam agindo como mundanos. Como lemos na versão da *Amplified Bible* deste versículo, eles estavam seguindo impulsos carnais, "ordinários": "Porque vocês ainda são [antiespirituais, tendo a natureza] da carne [sob o controle de impulsos ordinários]. Porque, visto que há inveja e ciúmes e discussões e divisões entre vocês, não estão sendo carnais e antiespirituais, agindo de acordo com o padrão humano como meros homens não transformados?"

A maneira de evitarmos ser antiespirituais é permitindo-nos ser guiados pelo Espírito Santo.

SEJA GUIADO PELO ESPÍRITO SANTO

> Por isso digo: Vivam pelo Espírito, e de modo nenhum satisfarão os desejos da carne (Gálatas 5:16).

Paulo não disse que os desejos ou cobiças da carne morreriam e não existiriam mais para os filhos de Deus. Ele disse que devemos escolher andar no Espírito e que, ao fazer esta escolha, não satisfaremos os desejos da carne que nos tentam continuamente.

Há muitas coisas disponíveis para nos guiar — as pessoas, o diabo e seus demônios, a carne (o nosso próprio corpo, mente, vontade e emoções) ou o Espírito Santo. Lembre-se: Ele é Aquele que conhece a vontade de Deus e que foi enviado para habitar em cada um de nós, para nos ajudar a ser tudo o que Deus nos projetou para sermos, e a ter tudo o que Deus quer que tenhamos.

O Espírito Santo vive em cada um de nós para nos ajudar!

A ajuda dele talvez nem sempre seja bem-vinda em princípio, mas graças a Deus, Ele é persistente e não desistirá de nós. Deveríamos elevar toda a nossa vida diariamente e dizer com toda a nossa força: "Espírito Santo, tu és bem-vindo em todas as áreas da minha vida!"

Quando olho para trás, ao longo dos anos, posso ver que estive em uma jornada fascinante com Deus. Ele definitivamente me transformou e ainda está me transformando diariamente. Eu tinha muitos problemas em minha alma, assim como nas minhas circunstâncias na época em que recebi o batismo no Espírito Santo. Mal sabia eu o que estava para acontecer em minha vida. Eu pedia uma mudança a Deus, mas estava totalmente inconsciente de que o que precisava mudar na minha vida era *eu*.

Deus iniciou um processo em mim — lentamente, firmemente, e sempre em um ritmo que eu podia suportar. Como um ourives, Ele controla o fogo que arde em nossas vidas para garantir que ele nunca fique quente demais e também nunca se apague. Só quando Ele puder olhar para nós e ver o Seu próprio reflexo será seguro apagar o fogo, e até mesmo então precisaremos de algumas alterações e ajustes de tempos em tempos.

Quando Deus estava tratando comigo sobre paciência, passei por muitas circunstâncias nas quais eu podia ser paciente ou me portar mal. Muitas vezes eu me portava mal, mas o Espírito Santo continuava me convencendo, me ensinando e me dando o desejo de viver para a glória de Deus. Gradualmente, pouco a pouco, eu mudava em uma área e depois em outra. Eu geralmente conseguia descansar um pouco entre as batalhas e muitas vezes pensava que talvez finalmente já tivesse me graduado, apenas para descobrir que havia mais alguma coisa que precisava aprender.

Isto lhe soa familiar? Estou certa que sim, porque todos nós passamos pela mesma coisa quando realmente desejamos chegar a ponto de sermos guiados diariamente pelo Espírito Santo em vez de sermos guiados pelo mundo, pela carne ou pelo diabo.

Ser guiado pelo Espírito Santo significa que Ele está envolvido em todas as decisões que tomamos, tanto maiores quanto menores. Ele nos guia pela paz e pela sabedoria, assim como pela Palavra de Deus. Ele fala com uma voz mansa e suave em nosso coração, ou com o que costumamos chamar de "testemunho interior". Aqueles de nós que desejam ser guiados pelo Espírito Santo precisam aprender a seguir o testemunho interior e a reagir depressa.

Por exemplo, se estamos conversando e começamos a nos sentir desconfortáveis interiormente, pode ser o Espírito Santo nos sinalizando que precisamos mudar a direção daquela conversa ou nos calar. Se estamos prestes a comprar algo, e nos sentimos inquietos interiormente, devemos esperar e discernir porque estamos nos sentindo inquietos. Talvez não precisemos daquilo, ou podemos encontrá-lo em liquidação em outro lugar, ou pode ser a hora errada para comprar aquilo. Lembre-se, nem sempre temos de saber por que; precisamos apenas obedecer.

Lembro-me de que estava em uma sapataria certa vez. Eu havia escolhido vários pares de sapatos para experimentar quando de repente comecei a me sentir muito incomodada. Aquele desconforto aumentou até que finalmente ouvi o Senhor dizer: "Saia desta loja." Eu disse a Dave que tínhamos de sair, e saímos. Eu nunca soube por que, nem preciso saber. Talvez Deus tenha me salvado de algum mal que estava para cruzar o meu caminho, ou talvez as pessoas da loja estivessem envolvidas em algo perverso. Talvez tenha sido apenas um teste de obediência. Como disse, nem sempre temos de saber por que Deus nos guia de certas maneiras. A nossa parte é obedecer, e isto o honra. Quando o honramos, Ele nos honra (ver 1 Samuel 2:30)!

Muito tempo depois de eu ter amadurecido até um ponto em que não desejava mais "forçar a barra" para conseguir as "coisas", Deus ainda usava "coisas" para me ensinar lições valiosas. Em primeiro lugar, aprendi que não há nada de errado em querer ter coisas boas, desde que não estejamos correndo atrás delas.

Na verdade, se corrermos atrás de Deus, as bênçãos e os bens correrão atrás de nós! Lembre-se de que Jesus disse que se buscarmos o Seu reino, que é a Sua justiça, a Sua paz e a alegria no Espírito Santo, todas as coisas que necessitamos (como alimentos e roupas) nos serão acrescentadas (ver Mateus 6:32-33).

Mas eu também aprendi que precisamos desenvolver um senso maduro de equilíbrio em tudo que fazemos. Algumas pessoas exageram fazendo coisas para todos, mas não fazem nada por si mesmas. Humilhar-se em excesso está em desequilíbrio tanto quanto a indulgência excessiva. Diz 1 Pedro 5:8: "Estejam alertas e vigiem. O Diabo, o inimigo de vocês, anda ao redor como leão, rugindo e procurando a quem possa devorar."

Estar equilibrado significa que não mimamos a nós mesmos nem fazemos tudo que queremos para nós mesmos, mas também significa que não vamos ao extremo oposto e nos recusamos a fazer qualquer coisa de bom por nós mesmos. Por exemplo, aprendi a buscar a opinião de Deus quando faço compras.

Vi um anel que realmente gostei e podia pagar porque havia economizado algum dinheiro. Então, andei ao redor da loja por algum tempo e orei a respeito. Era um bom preço, e eu sabia que era algo de que eu continuaria a gostar. Testei meus impulsos esperando pelo menos meia hora; então perguntei: "Deus, tudo bem se eu comprar este anel? Tu sabes que farei o que tu quiseres que eu faça com o dinheiro, mas eu gostaria de comprá-lo se não houver problema."

Não senti nenhuma convicção para não comprá-lo, então comprei-o.

Este seria um excelente final para a história, mas havia mais — havia também uma pulseira. O vendedor me estimulou: "Ela está em liquidação somente até amanhã, e a senhora deveria comprá-la. Fica linda no seu braço."

Quando você *realmente* gosta de alguma coisa, isso faz você esquecer tudo sobre equilíbrio. Eu estava hesitante, mas encontrei Dave e perguntei:

— Venha cá, quero que você veja esta pulseira. Eu estava pensando: *Talvez Deus diga a ele para comprá-la para mim.*

Então ele olhou para a pulseira e disse: "Bem, você pode comprá-la se quiser. É bonita."

Eu sabia em meu coração que *não* deveria comprar aquela pulseira, mas não porque seria um pecado fazer isso. Não teria sido nada errado comprá-la, mas o benefício maior para mim naquele momento era desenvolver o caráter que eu precisava para poder me afastar de algo que eu realmente gostava, mas que não precisava.

Senti que talvez em outro momento Deus me liberasse para comprá-la, se eu ainda a desejasse. Mas olhando para trás, o autocontrole era mais satisfatório que a autoindulgência.

Dave pegou o cartão do vendedor naquele dia para podermos telefonar e ver se a pulseira ainda estaria em liquidação ou a um preço ainda mais baixo, mas nunca senti paz a respeito, e a paz é mais preciosa do que qualquer compra. Então, finalmente eu disse a Dave para não voltar e comprar aquela pulseira.

Imagine a surpresa dele! Ele disse:

—Você não a quer?

Eu disse:

— Sim, eu a *quero,* mas o melhor para mim agora é resistir a ela. Aquela pulseira não é o que preciso neste momento.

O ponto principal é que, se quisermos ser realmente felizes, precisamos ouvir a Deus. Ele nos dirá se uma coisa é certa para nós ou não. A Palavra de Deus nos dá uma direção valiosa sobre como desfrutar a vida abundante: "Mas a que vive para os prazeres, ainda que esteja viva, está morta" (1 Timóteo 5:6). Podemos ter todos os bens do mundo pendurados no nosso corpo, mas estar mortos por dentro.

Prefiro ser cheia de vida a estar adornada com bugigangas e quinquilharias. Creio que se eu tivesse gastado aquele dinheiro na pulseira, depois de não ter sentido paz a respeito disso, jamais teria ficado feliz com ela. Eu teria uma pulseira impressionante para exibir por aí, mas o brilho dela teria rapidamente apagado a minha alegria.

Quando nos disciplinamos para não comprarmos o que queremos, mas que sentimos que Deus está nos advertindo para não comprarmos, é como plantar uma semente. Quando plantamos, sempre colhemos. Provavelmente recebi muitas pulseiras depois daquele dia como presente, sem sequer perceber que elas eram a colheita pela obediência que plantei muito tempo atrás.

Quando sentimos que Deus não está nos liberando para gastar dinheiro com nós mesmos, em geral é porque Ele quer que o plantemos na vida de outra pessoa — e isso não é problema para mim. Prefiro ter paz e alegria a ter qualquer objeto que o dinheiro possa comprar. Nunca podemos dar mais a Deus do que Ele nos dá, de modo algum. Ele nunca quer tirar nada de nós. Está sempre tentando nos levar a uma posição em que finalmente possa nos dar mais. Para aqueles que ainda são carnais ou antiespirituais, isto pode parecer um cativeiro. Podem achar que raramente conseguem fazer alguma coisa que querem. Entretanto, para aqueles de nós que escolheram seguir a direção do Espírito Santo, esta vida crucificada é uma alegria. Podemos realmente desfrutar o sofrimento que a carne sente quando a sua vontade lhe é negada porque sabemos que algo mais alto, e até santo, está acontecendo.

É sempre melhor agradar a Deus do que agradar a si mesmo, e Romanos 8:13 nos diz porque: "Pois se vocês viverem de acordo com a carne, morrerão; mas, se pelo Espírito fizerem morrer os atos do corpo, viverão."

Os crentes que continuam sendo carnais nunca vivem realmente, mas aqueles de nós que trabalham com o Espírito Santo que habita no seu interior e que criam o hábito de fazer morrer a carne dizendo sim a Deus e não para si mesmos, experimentam uma qualidade de vida maravilhosa. Temos justiça, paz e alegria no Espírito Santo — e quero dizer novamente, *isto é maravilhoso* (ver Romanos 14:17)!

O FRUTO DO ESPÍRITO

> Mas o fruto do Espírito é amor, alegria, paz, paciência, amabilidade, bondade, fidelidade, mansidão e domínio próprio. Contra essas coisas não há lei (Gálatas 5:22-23).

Essa passagem descreve os tipos de fruto que podemos dar quando estamos cheios do Espírito Santo. Em João 15:8, Jesus nos disse que Deus é glorificado quando damos fruto. Ele falou em frutos novamente em Mateus 12:33 quando disse que as árvores são conhecidas pelo seu fruto, e em Mateus 7:15-16 Ele aplicou esse mesmo princípio às pessoas. Esses versículos nos mostram que, como crentes, precisamos nos preocupar com o tipo de fruto que estamos dando. Como dar o bom fruto do Espírito Santo?

Vimos que Deus é um fogo consumidor, e que Jesus foi enviado para nos batizar com o Espírito Santo e com fogo. A não ser que permitamos que o fogo de Deus queime a nossa vida, jamais exibiremos o fruto do Espírito Santo.

Como vimos pelas palavras de Jesus em João 15:2, para dar fruto é preciso ser podado: "Todo ramo que, estando em mim, não dá fruto, ele corta; e todo que dá fruto ele poda para que dê mais fruto ainda." Assim como o fogo é uma maneira de descrever a obra que o Espírito Santo faz na nossa vida, a poda também é. O fogo é necessário para a purificação e a morte da carne; a poda é necessária para o crescimento. As coisas mortas e as coisas que estão crescendo na direção errada precisam ser cortadas para que, como árvores de justiça, possamos dar frutos excelentes para Deus (ver Isaías 61:3).

Jamais esquecerei quando Dave decidiu que a velha e bela árvore do lado de fora de nossa casa precisava de poda. Eu não pensei muito no assunto quando ele disse que estava levando profissionais para analisar a situação. Mas fiquei horrorizada quando cheguei em casa e descobri que aqueles homens felizes com o serrote haviam sabotado minha árvore.

Dave disse:

— Espere até o próximo ano, ela estará linda de novo.

Mas eu não gosto de esperar.

E não gostei de olhar para aqueles galhos finos como palitos que um dia haviam estado cheios e belos. Mas agora a árvore está mais linda do que antes e forte o suficiente para resistir a ventos poderosos por muitos anos ainda. Gálatas 5 nos dá uma lista dos pecados da carne e uma lista das características do fruto do Espírito, ou, como a *Amplified Bible* diz no versículo 22, "a obra que a Sua presença dentro de nós realiza". Eu realmente gosto desta maneira de dizer as coisas. É o fruto do *Espírito* [*Santo*], as qualidades que vemos no próprio Jesus: amor, alegria, paz, paciência, benignidade, bondade, fidelidade, mansidão (ou humildade) e domínio próprio. Este é objetivo do Santo Espírito que vive dentro de nós, produzir ou realizar esse fruto em nossas vidas — frutos grandes e viçosos para que todos vejam e admirem.

O amor é o fruto eterno que não se apagará. Para dar fruto, precisamos permanecer no amor de Deus — ser conscientes do Seu amor por nós, permanecer no Seu amor amando as pessoas e resistir ao teste por meio da resposta à provação com amor. Jesus disse que se guardarmos os Seus mandamentos de amar a Deus e aos outros, seremos considerados Seus amigos.

> Tenho lhes dito estas palavras para que a minha alegria esteja em vocês e a alegria de vocês seja completa. O meu mandamento é este: Amem-se uns aos outros como eu os amei. Ninguém tem maior amor do que aquele que dá a sua vida pelos seus amigos. Vocês serão meus amigos, se fizerem o que eu lhes ordeno (João 15:11-14).

Qual é a proximidade que você quer ter com Deus? Gostaria de ser amigo dele? Você não gostaria de vê-lo e conhecê-lo como Ele realmente é? Amar as pessoas como Jesus as amava nos torna amigos de Deus. Muitas pessoas perguntam: "Mas quem sou eu para ser amigo de Deus?"

> Jesus disse: "Vocês não me escolheram, mas eu os escolhi para irem e darem fruto, fruto que permaneça, a fim de que o Pai lhes conceda o que pedirem em meu nome" (João 15:16).

Esses versículos deixam claro que se amarmos Deus e as pessoas, não pediremos coisas que estão fora da vontade de Deus. Ele nos dará o que pedirmos, se o colocarmos, assim como as pessoas, antes de todos os outros desejos. Essa atitude amorosa nos mantém puros de coração. Tiago deixou claro que deixamos de receber de Deus quando pedimos com propósitos errados e motivos maus e egoístas (ver Tiago 4:3); mas o "... amor nunca perece" (ver 1 Coríntios 13:8).

Quando o Espírito Santo transforma uma pessoa orgulhosa, ranzinza, teimosa, controladora e manipuladora em uma pessoa humilde, bondosa, submissa e adaptável, as pessoas reparam. O mundo de hoje está procurando algo real. Está cansado de uma espiritualidade de imitação, de palavras vazias, de fórmulas sem vida que não funcionam realmente, e de simplesmente fazer as coisas por fazer. Como crentes em Cristo, vamos cooperar com o Espírito Santo dentro de nós para dar ao mundo o que ele está realmente procurando.

SEJA UM INSPETOR DE FRUTOS

> Assim, pelos seus frutos vocês os reconhecerão! (Mateus 7:20).

Examine o seu próprio fruto e o fruto de outras pessoas. Não examine os outros para julgá-los e criticá-los, mas simplesmente para determinar se eles são o que afirmam ser. Essa é uma maneira de experimentarmos ou testarmos os espíritos e ficarmos livres de problemas.

Durante anos, eu parecia uma macieira, imóvel o dia todo. Eu gritava: "Sou uma macieira", mas nunca produzi nenhuma maçã.

Um dia, meu marido e eu estávamos na Flórida, e vi uma árvore que me despertou a atenção. Perguntei:

— Que tipo de árvore é aquela? Antes que qualquer pessoa pudesse responder, vi laranjas começando a nascer nos galhos, e disse:

— É uma laranjeira. Conheci-a pelo seu fruto.

Os cristãos geralmente carregam sinais externos tentando dizer aos outros que são crentes. Os adesivos no vidro do carro são um bom exemplo. Esses sinais dizem que o motorista é um cristão, mas que tipo de fruto ele exibe no trânsito? Ele está dirigindo dentro ou abaixo do limite de velocidade ou ele está ultrapassando o limite? Como ele reage aos outros motoristas, principalmente àqueles que o cortam no trânsito? Esses são os verdadeiros sinais de quem eles são.

Você e eu podemos carregar uma grande Bíblia, usar joias cristãs como uma cruz, ter um adesivo no nosso carro, ter uma grande biblioteca de livros cristãos e exibi-los em um lugar de destaque em nossa casa. Podemos fazer tudo isso e ainda não estarmos produzindo nenhum fruto bom. Devemos nos preocupar com o fruto do Espírito Santo, porque o Espírito Santo está preocupado com ele. Um dos Seus principais propósitos em nos tornar a Sua casa é para trabalhar continuamente o Seu fruto em nós.

Em João 15, Jesus nos compara, assim como o nosso relacionamento com Ele, ao de uma planta viva. Ele é a Videira; nós somos os galhos. Embora não seja dito em João 15, também poderíamos dizer que o Espírito Santo é o Jardineiro que nos poda e impede que as ervas daninhas em nós sufoquem o fruto.

Deus plantou um jardim em cada um de nós, e Ele designou ao Espírito Santo a função de Jardineiro: "Pois *nós somos cooperadores de Deus*; vocês *são lavoura de Deus* e *edifício de Deus*" (1 Coríntios 3:9, grifos da autora).

O jardineiro auxilia na produção do fruto. É isso que o Espírito Santo foi enviado para fazer em nós — ajudar-nos a dar um bom fruto para Deus.

> Por sua decisão ele nos gerou pela palavra da verdade, a fim de sermos como que os primeiros frutos de tudo o que ele criou. Meus amados irmãos, tenham isto em mente: Sejam todos prontos para ouvir, tardios para falar e tardios para irar-se, pois a ira do homem não produz a justiça de Deus. Portanto, livrem-se de toda impureza moral e da maldade que prevale-

> ce, e aceitem humildemente a palavra implantada em vocês, a qual é poderosa para salvá-los (Tiago 1:18-21).

Examine o seu próprio fruto regularmente. Se algum estiver doente ou podre, peça ao Jardineiro para ajudá-lo a se livrar dele e a produzir uma nova safra. Talvez você tenha algum fruto que simplesmente não esteja crescendo. Ele está no galho, mas é muito pequeno, certamente não é do tamanho que seria de utilidade para alguém. Talvez você precise de um pouco mais de fertilizante. Jesus contou uma parábola usando este mesmo tipo de exemplo.

DÊ UM BOM FRUTO

> Então contou esta parábola: Um homem tinha uma figueira plantada em sua vinha. Foi procurar fruto nela, e não achou nenhum. Por isso disse ao que cuidava da vinha: Já faz três anos que venho procurar fruto nesta figueira e não acho. Corte-a! Por que deixá-la inutilizar a terra? Respondeu o homem: Senhor, deixe-a por mais um ano, e eu cavarei ao redor dela e a adubarei. Se der fruto no ano que vem, muito bem! Se não, corte-a (Lucas 13:6-9).

Esse é um ótimo exemplo do que estou dizendo. Se não estamos dando bons frutos, então estamos apenas ocupando espaço.

Deus tem um plano para nós depois da salvação; do contrário, Ele provavelmente nos tiraria do mundo. Se não estamos buscando o Seu plano, então estamos simplesmente ocupando espaço e não estamos fazendo bem nenhum para Deus, para nós mesmos ou para qualquer pessoa. Se lutarmos contra as Suas bênçãos, seria melhor que Ele nos levasse para casa, para o céu! Com certeza, não o glorificamos nem mostramos a outros Sua bondade, quando seguimos o nosso próprio caminho em vez de seguir o dele.

Sou tão grata porque o Viticultor (o Jardineiro da vinha) está sempre disposto a trabalhar conosco por um pouquinho mais de tempo. Mesmo quando nós desistimos dos outros, Ele se recusa a desistir de nós.

Qualquer pessoa que tem o Espírito Santo vivendo dentro dela pode dar o tipo de fruto de que estou falando: amor, alegria, paz, paciência, benignidade, bondade, fidelidade, mansidão (humildade) e domínio próprio. Essas coisas devem ser desenvolvidas como qualquer planta, mas todos nós, crentes, temos dentro de nós o que precisamos para produzir esse tipo de fruto.

Como Jesus nos disse em João 15:4, nenhum ramo pode dar fruto em si mesmo; para dar fruto, ele precisa permanecer na Videira. Por este motivo, *a comunhão com o Pai, o Filho e o Espírito Santo são da maior importância*.

Precisamos permanecer na presença do Senhor. Isto equivale a uma planta que recebe a luz do sol, com a diferença que nós recebemos "a luz do Filho". Assim como as plantas precisam ser regadas, Jesus rega a igreja com a Palavra de Deus (ver Efésios 5:25-26).

Se seguirmos o plano prescrito para dar frutos — se formos plantados, arraigados e firmados com muita "luz do Filho", muita água da Palavra, e nos submetermos ao Jardineiro — *daremos frutos*!

16

A Comunhão do Espírito

A graça do Senhor Jesus Cristo, o amor de Deus e a comunhão do Espírito Santo sejam com todos vocês (2 Coríntios 13:14).

A comunhão do Espírito Santo se refere à nossa comunhão com os outros crentes e com o próprio Espírito. Uma vez que o Espírito Santo vive dentro de nós, não temos de ir muito longe para ter comunhão com Ele.

Durante anos, na igreja que eu costumava frequentar, uma bênção era pronunciada sobre a congregação no encerramento do culto. Ela sempre incluía estas palavras: "Que a comunhão do Espírito Santo seja com todos vocês." Soava como algo espiritual, mas eu não fazia ideia do que significava. Creio que existem muitas outras pessoas que sentem o mesmo.

Como mencionei no início deste livro, passei anos tentando "alcançar" Deus, e sem saber, Ele estava em mim o tempo todo. Eu seguia leis e regras, quando poderia estar desfrutando a comunhão. Esforçava-me e me sentia um fracasso, e o tempo todo o Senhor estava em mim para me ajudar a fazer o que eu devia fazer.

O Espírito Santo vem para nos ajudar porque Ele sabe que precisamos disso constantemente. Não é vergonha precisar de ajuda; faz parte da nossa humanidade.

Diz 1 João 1:3: "Nossa comunhão é com o Pai e com seu Filho Jesus Cristo." Essa comunhão só é possível por intermédio do Espírito Santo que vive em nós.

Moro em uma casa com meu marido, e somos muito próximos. Dave e eu trabalhamos juntos e fazemos quase tudo juntos. Há momentos em que ele vai jogar golfe, mas ficamos em contato por telefone. Ele pode assistir aos esportes na televisão, e embora eu não me interesse especialmente por eles, ainda assim estou em casa. Fazemos as refeições juntos, dormimos juntos e usamos o mesmo banheiro pela manhã, enquanto nos arrumamos para o nosso dia. Passamos muito tempo na presença um do outro. Nem sempre conversamos, mas estamos sempre cientes um do outro. Falo com Dave sobre o que é importante e a respeito do que não é importante. Ouço quando ele fala comigo. Comunhão não é apenas falar; também é ouvir.

Dave e eu gostamos de simplesmente ficar em silêncio juntos. Muitas vezes, conversamos sobre como é maravilhoso estar com alguém com quem podemos nos sentir confortáveis em silêncio. Também consultamos um ao outro antes de tomar qualquer decisão importante ou de fazer alguma compra maior, e fazemos isso mais por respeito do que para ter a permissão um do outro.

Provérbios 3:6 diz que se reconhecermos Deus em todos os nossos caminhos, Ele dirigirá os nossos passos. Para mim, reconhecer Deus significa me importar com o que Ele pensa a respeito dos meus atos e querer a Sua vontade mais que a minha própria.

Em Jeremias 2:13, o Senhor disse: "O meu povo cometeu dois crimes: eles me abandonaram, a mim, a fonte de água viva; e cavaram as suas próprias cisternas, cisternas rachadas que não retêm água." O primeiro e maior erro que uma pessoa comete é abandonar Deus, ignorá-lo e se comportar como se Ele não existisse. Em Jeremias 2:32,

Ele diz: "O meu povo esqueceu-se de mim por dias sem fim." Isto é uma tragédia; soa como se Deus estivesse triste ou talvez solitário.

Eu, com certeza, não gostaria se meus filhos se esquecessem de mim. Nunca passo muitos dias sem falar com cada um deles. Tenho dois filhos que viajam bastante com o ministério. Mesmo quando estão fora do país, eles me telefonam a cada dois ou três dias.

Recentemente, Dave e eu jantamos com um de nossos filhos por duas noites seguidas. Mas no dia seguinte, ele telefonou apenas para ver o que estávamos fazendo e para perguntar se queríamos fazer alguma coisa juntos na noite seguinte. Um dos motivos pelo qual ele ligou foi simplesmente para dizer que ele e sua esposa realmente apreciam todas as coisas que fazemos para ajudá-los.

Esse é o tipo de coisa que ajuda a construir e a manter bons relacionamentos. Às vezes, as pequenas coisas significam muito. Pelos atos de meus filhos, sinto-me amada por eles. A minha lógica pode dizer que eu sei que eles me amam, mas com certeza é bom sentir isso também.

É assim que Deus é conosco, Seus filhos amados. Ele pode saber que o amamos, mas Ele também gosta de sentir o nosso amor por Ele por meio dos nossos atos, principalmente por intermédio da nossa comunhão com Ele.

RENOVADO PELA COMUNHÃO

> Ele deu-nos vida com Cristo, quando ainda estávamos mortos em transgressões (Efésios 2:5).

A comunhão ministra vida a nós. Somos renovados por ela. Ela carrega as nossas baterias, por assim dizer. Nós nos tornamos fortes pela união e comunhão com Deus — fortes o suficiente para resistir aos ataques do inimigo de nossas almas, que é Satanás (ver Efésios 6:10-11).

Quando estamos tendo comunhão com Deus, estamos em um lugar secreto onde somos protegidos do inimigo. No Salmo

91, lemos sobre esse abrigo, e o versículo 1 nos diz que aqueles que habitam ali derrotarão todos os inimigos: "Aquele que habita no abrigo do Altíssimo e descansa à sombra do Todo-Poderoso."

Creio que o abrigo do Altíssimo é a presença de Deus. Quando estamos na Sua presença, sentimos a Sua paz. Satanás simplesmente não sabe o que fazer com um crente que permanece em paz independentemente de quais sejam as circunstâncias. Isto é difícil de fazer algumas vezes, mas extraímos força para ter estabilidade quando temos comunhão com Deus por intermédio do Seu Espírito.

O Salmo 16:8 nos diz que se o Senhor estiver continuamente diante de nós, não seremos abalados. De acordo com o Salmo 31:20, quando estamos no abrigo da presença de Deus, estamos escondidos das maquinações dos homens e da contenda de línguas. E Isaías 54:17 nos diz que as línguas são armas usadas contra nós. Satanás tenta as pessoas para falarem contra aqueles de nós que estão querendo seguir em frente com Deus, esperando nos desanimar e enfraquecer. Mas por meio da comunhão com Deus, ficamos escondidos dos efeitos negativos desses ataques.

Satanás despreza a nossa comunhão com Deus. Ele sabe o quanto ficamos fortes se tivermos comunhão regularmente com o Senhor, e ele luta contra essa comunhão com toda a sua força.

Pergunte a qualquer crente se passar tempo regular de qualidade com Deus é um desafio para ele, e ele quase sempre dirá sim.

Encontramos tempo para muitas outras coisas regularmente (como assistir televisão ou nos envolver em algum tipo de diversão), mas achamos difícil passar um tempo regular com Deus orando, tendo comunhão e lendo a Sua Palavra. Precisamos tirar Deus da nossa caixa de "só para emergências" e permitir que Ele entre na nossa vida diária. Como nós nos sentiríamos se os nossos entes queridos só falassem conosco quando tivessem uma emergência? Na verdade, isso arruinaria o nosso relacionamento.

Deus me ensinou algumas lições valiosas sobre administração de crises. Jesus disse: "Vinde a mim", Ele não disse "corra para o telefone e ligue para três ou quatro amigos". Não sou contra pedir às pessoas que orem por nós, mas se corrermos para as pessoas, não encontraremos a cura, mas apenas um curativo para tapar a ferida.

Para evitar emergências constantes, o Senhor colocou em mim a impressão de que eu devia buscá-lo continuamente, ou *diligentemente.* Eu costumava procurar ter tempo com Deus de vez em quando ou quando a minha vida estava com grandes problemas. Finalmente, aprendi que se eu quisesse parar de viver em estado de emergência, precisava buscar a Deus como se estivesse precisando dele desesperadamente mesmo durante os momentos de tremenda prosperidade e bênção.

Assim como os filhos de Israel esqueciam-se de Deus nos tempos de prosperidade, nós também damos pouca prioridade a Deus na nossa agenda quando as coisas vão bem. Ouça com atenção o coração de Deus no seguinte princípio: se o único momento em que o buscamos é quando estamos desesperados, então Ele vai nos manter em meio a circunstâncias desesperadoras, porque Ele está desesperado para ter comunhão conosco.

Deus sempre irá nos resgatar e nos tirar dos problemas quando formos até Ele. Mas se quisermos permanecer em um lugar de vitória constante, precisamos buscá-lo diligentemente em todo o tempo. Salomão aprendeu essa verdade vital, e expressou esta sabedoria dizendo: "Sei muito bem que as coisas serão melhores para os que temem a Deus, para os que mostram respeito diante dele" (Eclesiastes 8:12).

Nunca devemos esquecer que o *relacionamento é construído na comunhão.*

LEVE PARA O LADO PESSOAL

Já não os chamo servos, porque o servo não sabe o que o seu senhor faz. Em vez disso, eu os tenho chamado amigos, por-

> que tudo o que ouvi de meu Pai eu lhes tornei conhecido (João 15:15).

Deus quer que tenhamos um relacionamento pessoal com Ele. Ele prova isto pelo fato de viver em nós. Você pode imaginar algo mais pessoal do que uma pessoa viver dentro de outra?

Se Deus quisesse ter um relacionamento distante, profissional e empresarial conosco, Ele iria viver bem longe. Ele poderia nos visitar ocasionalmente, mas certamente não viria fixar residência permanente na mesma casa conosco.

Quando Jesus morreu na cruz, Ele abriu o caminho para que tivéssemos um relacionamento pessoal com o Deus Todo-Poderoso. Que pensamento tremendo! Pense nisto: *Deus é nosso Amigo pessoal*!

Se conhecêssemos alguém importante, gostaríamos de ter a oportunidade de dizer: "Ah! Sim, ele é meu amigo. Vou à casa dele o tempo todo. Nós costumamos nos visitar com frequência." Podemos dizer isso de Deus se fizermos a nossa parte para ter comunhão com Ele regularmente.

DEUS TEM CIÚMES DE NÓS

> Ou vocês acham que é sem razão que a Escritura diz que o Espírito que ele fez habitar em nós tem fortes ciúmes? (Tiago 4:5)

Aqui temos o mesmo princípio em um versículo: o Espírito Santo quer ser bem-vindo; Ele anseia ter comunhão conosco.

Abra toda a sua vida e diga de todo o coração:

— Bem-vindo, Espírito Santo; estou feliz porque Tu fizeste a Tua casa em mim!

De acordo com Tiago 4:4, quando prestamos mais atenção às coisas do mundo do que a Deus, Ele olha para cada um de nós como uma mulher infiel que está tendo um caso de amor ilícito com o mundo e quebrando o voto de casamento com Ele. Para nos manter fiéis a Ele, e em íntima comunhão com Ele, Ele às vezes precisa retirar coisas da nossa vida que estão nos afastando dele.

Se permitirmos que um emprego fique entre nós e Deus, podemos perdê-lo. Se o dinheiro nos separa dele, então talvez tenhamos de aprender que somos melhores pobres do que separados de Deus. Se o sucesso se interpuser entre nós e o nosso Pai celestial, podemos ser rebaixados em vez de ser promovidos. Se nossos amigos ocuparem o primeiro lugar em nossa vida, podemos vir a estar solitários. As pessoas solitárias geralmente se aproximam muito de Deus. É impressionante com que facilidade passamos a conhecer uma pessoa quando aquela pessoa é tudo o que temos.

Passei por uma fase de extrema solidão em minha vida. Eu tinha minha família, mas havia perdido todos os meus amigos. Parecia-me que Deus estava me separando intencionalmente de todos de quem eu gostava e em cuja companhia tinha prazer, e eu não entendi nada daquilo. Mais tarde, percebi que eu dependia demais desses amigos. Eu era influenciada pelo que eles pensavam e faziam. Deus queria que eu fosse guiada pelo Seu Espírito, e não pelos meus amigos. Se Ele não tivesse me separado deles e permitido um tempo para que fosse enraizada e fundamentada nele e no Seu amor, eu provavelmente não teria o ministério que tenho hoje.

Multidões de pessoas não entendem que nunca recebem aquilo que querem porque não colocam realmente Deus em primeiro lugar em suas vidas, como a Bíblia nos diz para fazer em Mateus 6:33: "Busquem, pois, em primeiro lugar o Reino de Deus e a Sua justiça, e todas essas coisas lhes serão acrescentadas."

No evangelho de Lucas, encontramos um exemplo de alguém que colocou o Senhor em primeiro lugar, e de outro alguém que permitiu que os cuidados deste mundo interferissem com a sua comunhão íntima com Ele.

MARIA E MARTA

> Caminhando Jesus e os seus discípulos, chegaram a um povoado, onde certa mulher chamada Marta o recebeu em sua casa. Maria, sua irmã, ficou sentada aos pés do Senhor, ouvindo a sua palavra. Marta, porém, estava ocupada com muito serviço.
>
> E, aproximando-se dele, perguntou: Senhor, não te importas que minha irmã tenha me deixado sozinha com o serviço? Dize-lhe que me ajude! (Lucas 10:38-40).

Jesus foi visitar Marta e Maria. Marta estava ocupada preparando a comida para Ele. Ela estava limpando a casa, cozinhando e procurando dar uma boa impressão, deixando a casa em perfeito estado. Maria, no entanto, aproveitou a oportunidade para ter comunhão com Jesus. Marta ficou zangada com sua irmã, querendo que ela se levantasse e ajudasse no trabalho. Ela até reclamou com Jesus, pedindo que Ele instruísse Maria para que a ajudasse.

> Respondeu o Senhor: Marta! Marta! Você está preocupada e inquieta com muitas coisas; todavia apenas uma é necessária. Maria escolheu a boa parte, e esta não lhe será tirada (Lucas 10:41-42).

Quando Jesus disse: "Marta, Marta", há mais implícito nessas duas palavras do que imaginamos. Marta estava ocupada demais para um relacionamento; ela estava preferindo o trabalho à intimidade. Como tal, ela estava fazendo mau uso do seu tempo e perdendo o que era vital.

Maria estava agindo com sabedoria; ela estava tirando vantagem do momento. Ela poderia passar o restante da vida limpando, mas Jesus havia ido à sua casa, e ela queria que Ele se sentisse bem-vindo. Ele tinha ido para ver Maria e Marta, e não para ver a casa limpa. Um procedimento que agora lamento é que eu não tenha dedicado mais tempo para brincar com meus filhos quando eles eram pequenos. Eu estava sempre ocupada quando meu filho me pedia para fazer alguma atividade com ele. Até cinco minutos teriam feito uma diferença no nosso relacionamento naquela época, e teriam gerado um relacionamento mais frutífero quando ele ficou mais velho.

Sou próxima de todos os meus filhos agora, e em 99% do tempo, paro meu trabalho para dedicar tempo a eles, porque entendo que os relacionamentos são importantes. Na verdade, uma razão pela qual Deus nos deu o tempo foi para que nós o usássemos para desenvolver e desfrutar relacionamentos íntimos e constantes. Devemos amar a Deus e amar as pessoas, mas muitos, muitos cristãos estão excessivamente ocupados, trabalhando em vez de ministrar uns aos outros "como se ao Senhor".

Vamos usar a sabedoria e não perder a presença de Deus quando ela está disponível. Há momentos em que sentimos que o Espírito Santo está nos impelindo a orar, mas preferimos trabalhar ou nos divertir. Quando Ele chama, deveríamos responder imediatamente. Com que frequência dizemos ao Senhor que vamos passar tempo com Ele pela manhã ou à noite, e quando chega a hora, alguma coisa se interpõe no nosso caminho de modo que falhamos em ter comunhão com Ele como prometemos?

A seguinte bênção espera por aqueles que buscam a Sabedoria (isto é, Deus) com diligência em todo o tempo:

> Amo os que me amam, e quem me procura me encontra. Comigo estão riquezas e honra, prosperidade e justiça duradouras. Meu fruto é melhor do que o ouro, do que o ouro puro; o que ofereço é superior à prata escolhida. Ando pelo caminho da retidão, pelas veredas da justiça, concedendo riqueza aos que me amam e enchendo os seus tesouros (Provérbios 8:17-21).

Separe tempo regularmente para Deus. Lembre-se: você não tem de ir longe para encontrá-lo. Simplesmente feche os olhos por um instante, e na quietude do seu coração você o encontrará. O Seu Espírito Santo está sempre ali esperando por você. Não o deixe sozinho sem ter nenhuma atenção da sua parte. Deixe-o feliz por estar vivendo em você. Faça com que Ele se sinta bem-vindo e em casa. Deixe-o confortável. Compartilhe tudo com Ele, porque Ele veio para compartilhar tudo com você.

É Maravilhoso Demais!

Que é a garantia da nossa herança até a redenção daqueles que pertencem a Deus, para o louvor da sua glória (Efésios 1:14).

O Espírito Santo é a nossa garantia das coisas boas que estão por vir. Costumo dizer, principalmente quando me sinto realmente cheia do Espírito Santo: "Isto é tão bom, não consigo imaginar a glória que será quando tivermos a plenitude total." Se experimentamos apenas 10% (o pagamento inicial que em geral é feito a partir da herança) do que é nosso por herança, fico assombrada quando penso em como será realmente ver Deus face a face, não ter mais lágrimas, não ter mais tristeza, não ter mais morte — que tremendo!

Em Efésios 1:13-14, a Bíblia diz que fomos "... selados em Cristo com o Espírito Santo da promessa, que é garantia da nossa herança até a redenção daqueles que pertencem a Deus". Pense na maravilha disto — o Espírito Santo está em nós, nos preservando para o nosso lugar final de descanso, que não é um túmulo, mas um lugar no céu (ver João 14:2).

À medida que me aproximo do final deste livro, fico impactada e maravilhada quando penso nessa grande bênção do Espírito Santo habitando dentro de nós. Ele nos inspira a fazer grandes coisas. Ele nos dota de poder para todas as nossas tarefas. Ele permanece em comunicação íntima conosco, nunca nos deixando nem nos abandonando.

Simplesmente pense nisso — se você e eu somos crentes em Jesus Cristo, somos a casa do Espírito Santo de Deus! Deveríamos meditar nessa verdade sem parar até que ela se torne uma realidade em nossas vidas. Se fizermos isto, nunca estaremos desprotegidos, sem esperança ou sem força, pois Ele promete estar conosco para nos fortalecer e nos revestir de poder. Nunca estaremos sem um amigo ou sem direção, pois Ele promete nos guiar e ir conosco.

Fico muito empolgada por poder compartilhar estas coisas com você, e sinceramente oro para que o que estou compartilhando esteja abrindo o seu coração para a maravilha de toda essa verdade.

Paulo escreveu ao seu jovem discípulo, Timóteo: "Guarde-o por meio do Espírito Santo que habita em nós" (2 Timóteo 1:14).

Esta verdade que estou compartilhando é tão preciosa que eu o encorajo a guardá-la, a mantê-la no seu coração. Não permita que ela se perca. Se você é um crente em Jesus Cristo, o Espírito Santo está em você para ajudá-lo a não apenas manter esta revelação, mas a lhe dar muitas outras além dela. Aprecie-o, honre-o, ame-o e adore-o. Ele é tão bom, tão gentil, tão tremendo. Ele é maravilhoso!

A TRINDADE

> Pois há três que dão testemunho no céu: o Pai, a Palavra e o Espírito Santo; e estes três são um (1 João 5:7, ACF).

Antes de terminar este livro, preciso mencionar novamente a Santa Trindade: Pai, Filho e Espírito Santo. Eles são três, e, no entanto, são um, como eu disse. Isso não faz sentido para nós matematicamente, mas ainda assim, é verdade de acordo com a Sagrada Escritura. Ao termos o Espírito Santo vivendo em nós, também temos o Pai e o Filho vivendo em nós.

Como tudo isso é tremendo! É maravilhoso demais para explicar. Devemos simplesmente acreditar no nosso coração. Não tente entender. Seja como uma criancinha e simplesmente creia porque a Bíblia assim o diz: Toda a Divindade — Pai, Filho e Espírito Santo — vive dentro de você e de mim e de todo crente nascido de novo, todos nós que verdadeiramente aceitamos Jesus Cristo como Salvador e Senhor (ver Colossenses 2:9-10).

Essa verdade deveria nos tornar ousados, destemidos e determinados de uma maneira equilibrada. Deveríamos acreditar que podemos fazer o que for preciso que seja parte do plano de Deus para as nossas vidas porque a Santa Trindade nos equipa. Ele é o nosso Maná diário,[1] a nossa Porção na vida (ver Salmos 119:57). Com Ele, temos o que precisamos e muito mais.

Marcos 10:27 diz que para o homem muitas coisas são impossíveis, mas para Deus todas as coisas são possíveis. Siga em frente na vida, e siga com uma atitude positiva, certo de que Deus está com você e trabalha a seu favor. Ele está do seu lado e, por ser assim, não importa em absoluto quem ou o que possa se levantar contra você (ver Romanos 8:31). Você é mais que vencedor por meio de Cristo que o ama (ver Romanos 8:37). Maior é Aquele que está em você do que aquele (Satanás) que está no mundo (ver 1 João 4:4). E o Todo-Poderoso que vive no seu interior quer que você o conheça intimamente por meio do Seu Espírito Santo que habita em você!

Isso é totalmente magnífico! Como crente em Deus por intermédio de Cristo, você é a casa de Deus! Este ensinamento deveria trazer alívio à sua alma. Quase posso ouvir você dando um grande suspiro agora. Posso ver você erguendo as mãos e dizendo bem alto: *Obrigado, Pai, pelo Teu Espírito Santo! Sou tão grato por Tu viveres em mim!*

CONCLUSÃO

A Revelação Alivia a Agonia

> Mas quando o Espírito da verdade vier, ele os guiará a toda a verdade. Não falará de si mesmo; falará apenas o que ouvir, e lhes anunciará o que está por vir (João 16:13).

Não sei dizer o quanto meu coração ficou entusiasmado na primeira vez que li um livro sobre a pessoa e a obra do Espírito Santo. Pareceu-me que aquela era a revelação mais maravilhosa que eu já havia recebido — além da descoberta de que Deus era meu Pai e Jesus meu Salvador.

Como vimos, nós cristãos servimos a um Deus trino, e a Divindade (Pai, Filho e Espírito Santo) é mencionada como a Trindade. Geralmente, quando as pessoas não têm revelação a respeito das pessoas da Divindade, elas estão sendo privadas de uma revelação do Espírito Santo. Por quê? Porque Satanás trabalha com muito afinco para garantir que não saibamos o que está disponível a nós hoje por intermédio do poder do Espírito Santo.

Este é todo o propósito deste livro — fazer com que as pessoas saibam como receber o poder do Espírito Santo que está disponível a nós hoje.

Esforcei-me para revelar a verdadeira natureza e ministério do maravilhoso Espírito Santo na vida das pessoas. Encorajo-o a continuar aprendendo tudo que puder a respeito dele. Faça com que Ele se sinta em casa dentro de você e aprenda a viver a sua vida de tal maneira que Ele sempre se sinta confortável na Sua casa. Receba-o com prazer e alegria em cada aspecto da sua vida. Comece a extrair diariamente os recursos do Seu ministério que está prontamente disponível a você. Deixe que Ele seja o Auxiliador que Ele deseja ser para você.

Não lute em meio aos problemas sozinho quando você tem um Auxiliador Divino ao seu lado simplesmente esperando por um convite para se envolver na sua vida. Deixe que a revelação sobre o ministério do Espírito Santo nos dias atuais alivie a agonia de passar pela vida tentando fazer as coisas sozinho. Quando você lhe der o controle da sua vida, Ele o conduzirá à vontade perfeita de Deus para você, e você terá bênçãos, paz e alegria abundantes e uma maior proximidade e intimidade com Deus.

Notas

Capítulo 1

1. James E. Strong, "Greek Dictionary of the New Testament", em *Strong's Exhaustive Concordance of the Bible* (Nashville, Abingdon, 1890), p. 77, lançamento #5479, s.v. "alegria".

Capítulo 2

1. Jesus nos substituiu. Ele tomou sobre si os nossos pecados (que nos separam de Deus) e morreu para restaurar o nosso relacionamento com Deus. Jesus tomou o nosso lugar sofrendo na cruz, morrendo, derramando o Seu sangue por nós, e depois ressuscitando dos mortos. Quando cremos nele e no que Ele fez por nós, recebemos vida eterna.
2. James E. Strong, "Greek Dictionary of the New Testament", in *Biblesoft's New Exhaustive Strong's Numbers and Concordance with Expanded Greek-Hebrew Dictionary* (copyright © 1994, Biblesoft and International Bible Translators, Inc. Todos os direitos reservados). NT:907, s.v. "batizar" João 1:33:... de um derivado do NT:911; imergir, submergir; tornar impregnado (i.e. totalmente molhado); usado somente (no NT) com relação à ablução cerimonial, principalmente (tecnicamente) à ordenança do batismo cristão.

Capítulo 3

1. "A morte, ressurreição e ascensão de Cristo deviam inaugurar a nova era do ministério do Espírito Santo. O nosso Senhor anunciou profeticamente uma mudança drástica na operação do Espírito Santo na era que estava por começar. No Pentecostes, o Espírito Santo veio... em um sentido no qual Ele não estava aqui antes e para realizar todos os ministérios delegados a Ele nesta era; quais sejam, regenerar, batizar, selar, e habitar em todo crente com o acréscimo do privilégio do enchimento de cada crente com o Espírito... As experiências dos santos do Antigo Testamento e de todos os crentes pré-Pentecostais ficaram destituídas dessas tremendas bênçãos que são herança de todo crente genuíno nesta era." *New Unger's Bible Dictionary*, publicado originalmente pela Moody Press de Chicago, Illinois. Copyright © 1988. Uso mediante permissão, s.v. "ESPÍRITO SANTO".
2. W. E. Vine, *Vine's Complete Expository Dictionary of Old and New Testament Words* (Nashville: Thomas Nelson, Inc., 1984, 1996), "An Expository Dictionary of New Testament Words", p. 545, s.v. "SANTIFICAÇÃO, SANTIFICAR", A. Noun., *hagiasmos.*

Capítulo 4

1. "Neste lugar secreto de beleza indescritível, o homem devia desfrutar de comunhão e companheirismo com o Criador, e trabalhar em concordância com o projeto divino

para aperfeiçoar a Sua vontade." *The Wycliffe Bible Commentary,* editada por Charles E. Pfeiffer e Everett F. Harrison, Base de Dados Eletrônicos. Copyright © 1962 pela Moody Press. Todos os direitos reservados; "Gênesis 2:8-17".

2. "O espírito do homem originalmente era a parte mais elevada de todo o seu ser, ao qual a alma e o corpo deveriam estar sujeitos." Watchman Nee, *O Homem Espiritual* (Nova York: Christian Fellowship Publishers, Inc., 1968), p. 43.
3. "O efeito imediato do pecado de Adão e Eva foi que eles morreram espiritualmente e ficaram sujeitos à morte física." Lewis Sperry Chafer, rev. por John F. Walvoord, *Major Bible Themes* (Grand Rapids, Michigan: Academic Books from Zondervan Publishing House, 1974), p. 174.
4. "Esta promessa de redenção eterna é a essência das promessas feitas a Abraão." *Biblesoft's Jamieson, Fausset and Brown Commentary*, Base de Dados Eletrônicos. Copyright © 1997 por Biblesoft. Todos os direitos reservados; "Hebreus 11:13".

Capítulo 5

1. "1. Eis que o véu do templo foi rasgado em dois... No instante em que o nosso Senhor Jesus expirou, no momento da oferta do sacrifício da noite, e para que eles próprios fossem testemunhas oculares disto, o véu do templo foi rasgado por um poder invisível; aquele véu que fazia a separação entre o santo lugar e o santo dos santos. Eles o haviam condenado por dizer, eu destruirei este tempo, entendendo isto literalmente; agora, por meio desta amostra do Seu poder Ele lhes fez saber que, se quisesse, Ele poderia ter tornado as suas palavras reais. Neste, como nos outros milagres de Cristo, havia um mistério." *Matthew Henry's Commentary on the Whole Bible: New Modern Edition*, Base de Dados Eletrônicos. Copyright © 1991 por Hendrickson Publishers, Inc. Uso mediante permissão. Todos os direitos reservados; "Mateus 27:50:56".

Capítulo 6

1. Strong, "Greek Dictionary of the New Testament", *Strong's Exhaustive Concordance of the Bible*, p. 9, lançamento #154, s.v. "pedir".
2. Vine, p. 111, s.v. "CONSOLAR, CONSOLADOR, SEM CONSOLO", A. Nouns., *parakletos*.
3. *Ibidem*.

Capítulo 7

1. Vine, p. 267, s.v. "GLORIFICAR", *doxazo*.

Capítulo 8

1. "[Orar no Espírito Santo]... é a maneira de eles se edificarem na sua fé." *Robertson's Word Pictures in the New Testament* (Volumes 5 & 6). Copyright © 1985 por Broadman Press. Uso mediante permissão. Todos os direitos reservados; "Judas v. 20".
2. Pat Boone, *A New Song* (Carol Stream, Illinois: Creation House, agosto, 1970), pp. 126-29.
3. Ver 1 Coríntios 14:14-15 THE MESSAGE; "Em 1 Coríntios 14 Paulo trata mais especificamente com o dom de línguas e com o seu exercício na igreja... Paulo reivindica para si mesmo o dom de falar em línguas, mas aparentemente ele exercitava esse dom em particular e não em público (14:18-19)... A pessoa que fala em uma língua estranha deve orar para que ela possa interpretá-la (1 Co 14:13)". *Nelson's Illustrated Bible Dictionary,* Copyright © 1986 por Thomas Nelson Publishers. Todos os direitos reservados. Uso mediante permissão; s.v. "Línguas, Dom de".

4. "Virá um tempo em que os dons mencionados [em 1 Co 12] serão eliminados, ou cessarão. (1 Co 13:9-10). O [pois] apresenta a explicação do motivo pelo qual os dons cessarão. Um tempo de conhecimento aperfeiçoado e de profecia está vindo... A vinda daquele que é perfeito só pode ser uma referência à segunda vinda do Senhor. Esse evento marcará o fim do exercício da profecia, das línguas e do conhecimento." *The Wycliffe Bible Commentary*, "1 Coríntios 13:8-13".

Capítulo 10

1. Em vista do espírito que foi dado divinamente a Timóteo (cf. v. 7), ele é estimulado a não se envergonhar "a testemunhar acerca do nosso Senhor"... Paulo não está querendo dizer que Timóteo já era culpado de fazer isto. Mas aparentemente ele sentia que esse jovem colega precisava fortalecer sua coragem... Paulo... era agora um prisioneiro do imperador (provavelmente Nero) e enfrentava a morte quase certa. Timóteo não devia estar temeroso a ponto de ter vergonha de visitar Paulo na prisão. *The Expositor's Bible Commentary*, Volume 11 (Grand Rapids, Michigan: Zondervan Publishing House, 1978), "2 Timóteo 1:8".
2. Webster's *II New College Dictionary* (Boston/Nova York: Houghton Mifflin Company, 1995), s.v. "estimular".

Capítulo 11

1. Vine, p. 558, s.v. "BUSCAR", *zeteo*.
2. *Ibidem*.

Capítulo 12

1. Webster's *New World College Dictionary*, 4ª. edição, (Nova York: MacMillan, 1999), s.v. "apagar, suprimir, subjugar".
2. Vine, p. 492, s.v. "PROFECIA, PROFETIZAR, PROFETIZANDO", A. Noun., *propheteia*.
3. *Ibidem*.
4. *Ibidem*.
5. "Essa sinagoga media aproximadamente 21 x 15 metros e tinha um balcão para mulheres... A congregação sentava-se na ordem designada, com os mais distintos nos primeiros assentos, os mais jovens atrás; homens e mulheres provavelmente ficavam separados (ver Mateus 23:6; Marcos 12:39; Lucas 11:43; 20:46)." *New Unger's Bible Dictionary*. s.v. "SINAGOGA".
6. "É preciso ter em mente aqui que durante a era em que Paulo estava escrevendo, geralmente eram os homens que recebiam uma educação." *The Complete Word Study Dictionary: New Testament*, p. 690.
7. Ver a discussão in *The Complete Word Study Dictionary: New Testament*, pp. 576-77.
8. *Ibidem*., pp. 689-90.

Capítulo 13

1. "Os historiadores costumam traçar as origens do pentecostalismo no contexto norte-americano de um avivamento que começou em 1°. de janeiro de 1901, no Seminário Bíblico Bethel de Charles F. Parham em Topeka, Kansas. Com a identificação do falar em línguas como a evidência do batismo no Espírito Santo, Parham... fez uma relação teológica vital que permaneceu essencial para muito do Pentecostalismo clássico... O avivamento que se seguiu na Missão da Rua Azusa (1906-09) representou uma anomalia no cenário religioso norte-americano... Os dons do Espírito Santo (1Co 12),

entendidos pela maioria das denominações como tendo cessado no fim do primeiro século, foram restaurados." *Dictionary of Pentecostal and Charismatic Movements*, orgs. Stanley M. Burguess e Gary B. McGee (Grand Rapids, Michigan: Zondervan Publishing House, Copyright © 1988), pp. 2-3.

2. *Ibidem*. pp. 890-92, "SABEDORIA, PALAVRA DE".
3. *Ibidem*. pp. 527-28, "CONHECIMENTO, PALAVRA DE".
4. Arnold Bittlinger, *Gifts and Graces* (Grand Rapids, Michigan: William B. Eerdmans Publishing Company, Copyright © 1967), pp. 32-34, "(c) *The Gift of Faith*".
5. "A medida de fé dada corresponde à tarefa a ser realizada." *The Wycliffe Bible Commentary*, "Romanos 12:3".
6. Gordon D. Fee, *God's Empowering Presence* (Peabody, Massachusetts: Hendrickson Publishers, Copyright © 1994), pp. 168-69. "(4) *Gifts of Healings*".
7. Bittlinger, pp. 40-42, "(e) *The Working of Miracles*".
8. *Ibidem*., pp. 43-45, "(f) *The Gift of Prophecy*".
9. *The Complete Word Study Dictionary*: *New Testament*, pp. 375-76, "1100... Língua".
10. Bittlinger, pp. 51-52, "(i) *The Gift of Interpretation*".
11. "A outro o discernimento de espíritos, o poder para distinguir entre profetas falsos e verdadeiros, ou para discernir as qualificações reais e internas de qualquer pessoa para um ofício, ou para descobrir as operações interiores da mente pelo Espírito Santo, como Pedro fez no caso de Ananias (Atos 5:3)." *Matthew Henry's Commentary on the Whole Bible: New Modern Edition*, "1 Coríntios 12:10".
12. Dennis e Rita Bennett, *The Holy Spirit and You* (South Plainfield, New Jersey: Bridge Publishing, Inc., 1971), p. 143.

CAPÍTULO 15

1. Nee, p. 191.

CAPÍTULO 17

1. "*Maná*... o alimento suprido sobrenaturalmente para Israel durante a sua jornada no deserto (para maiores detalhes, ver Êxodo 16 e Números 11)... O Senhor fala dele como tipificando Ele próprio, o verdadeiro Pão do Céu, transmitindo vida eterna e sustento àqueles que pela fé participam espiritualmente dele (João 6:31-35)." Vine, pp. 390-91, s.v. "MANÁ".

Sobre a Autora

Joyce Meyer é uma das líderes no ensino prático da Bíblia no mundo. Renomada autora de *best-sellers* pelo *New York Times*, seus livros ajudaram milhões de pessoas a encontrarem esperança e restauração através de Jesus Cristo.

Através dos *Ministérios Joyce Meyer*, ela ensina sobre centenas de assuntos, é autora de mais de 80 livros e realiza aproximadamente quinze conferências por ano. Até hoje, mais de doze milhões de seus livros foram distribuídos mundialmente, e em 2007 mais de três milhões de cópias foram vendidas. Joyce também tem um programa de TV e de rádio, *Desfrutando a Vida Diária*®, o qual é transmitido mundialmente para uma audiência potencial de três bilhões de pessoas. Acesse seus programas a qualquer hora no site www.joycemeyer.com.br

Após ter sofrido abuso sexual quando criança e a dor de um primeiro casamento emocionalmente abusivo, Joyce descobriu a liberdade de viver vitoriosamente aplicando a Palavra de Deus à sua vida, e deseja ajudar outras pessoas a fazerem o mesmo. Desde sua batalha contra um câncer no seio até as lutas da vida diária, Joyce Meyer fala de forma aberta e prática sobre sua experiência, para que outros possam aplicar o que ela aprendeu às suas vidas.

Ao longo dos anos, Deus tem dado a Joyce muitas oportunidades de compartilhar seu testemunho e a mensagem de mudança de vida do Evangelho. De fato, a revista *Time* a selecionou como uma das mais influentes líderes evangélicas dos Estados Unidos. Sua vida é um incrível testemunho do dinâmico e restaurador trabalho de Jesus Cristo. Ela crê e ensina que, independente do passado da pessoa ou dos erros cometidos, Deus tem um lugar para ela, e pode ajudá-la em seus caminhos para desfrutar a vida diária.

Joyce tem um merecido PhD em teologia pela Universidade Life Christian em Tampa, Flórida; um honorário doutorado em divindade pela Universidade Oral Roberts em Tulsa, Oklahoma; e um honorário doutorado em teologia sacra pela Universidade Grand Canyon em Phoenix, Arizona. Joyce e seu marido, Dave, são casados há mais de quarenta anos e são pais de quatro filhos adultos. Dave e Joyce Meyer vivem atualmente em St. Louis, Missouri.